＼毎日が発見の連続／

赤ちゃんができること＆気持ち

月齢別★スケジュール

9カ月　8カ月　7カ月　6カ月　5カ月　4カ月　3カ月　2カ月　1カ月　0カ月

運動能力の発達

うつぶせで頭を上げる

首がすわる

寝返りをする

支えなしで座れる

はいはいをする

り立ちをする

コロンと転がったら景色が変わった

あおむけから片足を持ち上げ、体をひねってうつぶせに。寝返りは発達上は重要ではないので、しなくてもOK。

大好きなパパ＆ママが見えた

首がすわる前は、頭を持ち上げても数秒でガクン。首がすわると、ひじや手で体を支え、顔を上げた姿勢をキープ。

今までと違う、高いところも見えた

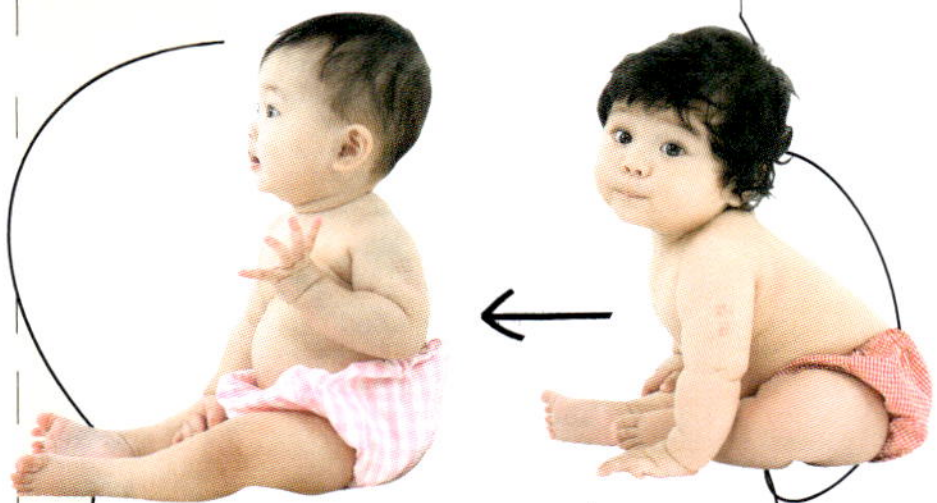

おすわりし始めは、両手を前についた前傾姿勢。やがて、背筋がピンと伸び、支えなしで座れるようになります。

などに手をつき、腕と足
で立ち上がるつかまり立
動きたい気持ちが高まる
伝って歩き始めます。

手指の発達

両手を合わせる

ガラガラを握る

ものに手を伸ばす

手のひらでものを握る

を別の手に持ち替える

打ち合わせる

大人には簡単な“つまむ”ことさえ赤ちゃんにはむずかしい

＼カチカチした／

なめて確認！

＼届いた／

＼握れた／

体の中心がわかった！

人間の基本動作ができていく

MAMA&BABY

3才 | 2才 | 1才6カ月 | 1才5カ月 | 1才4カ月 | 1才3カ月 | 1才2カ月 | 1才1カ月 | 1才 | 11カ月 | 10カ月

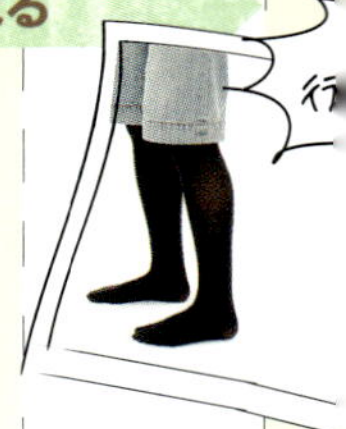

もののやりとり

バイバイなどのまねを

あと追いをする

自己主張するようになる

家事のまねをする

気に入らないとかんしゃくを起こす

なんでも「イヤイヤ！」の反抗期

「なんで？」「どうして？」と好奇心の爆発期

「かわいい」「モコモコ」など
抽象表現

イヤイヤには
見守り

「ごはん、食べる?」「麦茶、飲む?」
二語文

「ありがとう」「おやすみな
生活言葉

3才を過ぎると、抽象的な言葉も少しずつ理解し始めます。「うれしいね」「寒そう」「フワフワ」など、簡単な抽象表現を、意識して会話の中にとり入れましょう。

なんでも「イヤ！」を連発するのは、注目してほしいから。何かをするときは「見てるよ」、できたときは「すごいね」などと声をかけて。見守られていたとわかり、喜びます。

1才を過ぎてからの語りかけは、「麦茶、飲む?」のように、二語文の短くわかりやすい言い方を。大人とのコミュニケーションもスムーズになってくるので、語りかけは自然体でOKです。

大人の話すことがわかるようになってきたら、生活言葉を意識して使って。「ありがとう」「おやすみ」など、大人が話すのをくり返し聞いているうちに、使い方を覚えていきます。

単語の数がふえる

意味のある言葉を1つ言う

名前を呼ぶと返事をする

二語文を話す

言葉での指示に従う

自分の名前を言う

表は目安です。赤ちゃんの発達には個人差があるので、多少早くても遅くても心配いりません。発達を楽しく見守るデータとしてご覧ください。
上のMAMA&BABYには、ママと赤ちゃんの写真を貼ってください♪

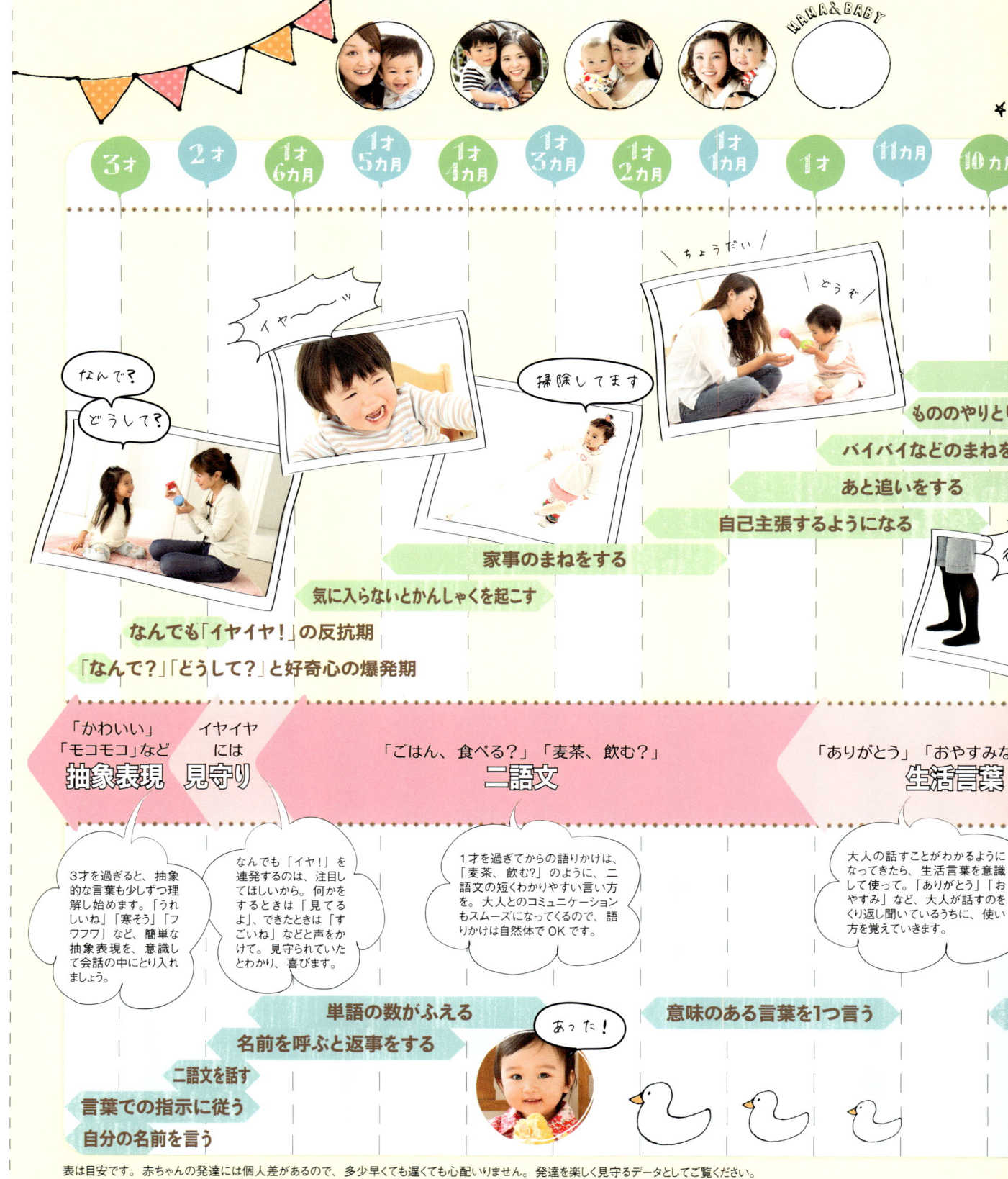

心と脳をはぐくむ

赤ちゃんのおしゃべり＆ママ・パパの語りかけ

発達★目安カレンダー

9カ月　8カ月　7カ月　6カ月　5カ月　4カ月　3カ月　2カ月　1カ月　0カ月

心の発達

顔を見つめる

ひとりでほほえむ

あやすと笑う

喜怒哀楽がはっきりしてくる

「いないいないばぁ」を喜ぶ

人見知りをする

を喜ぶ

する

“オノマトペ”とは、「ワンワン」「サラサラ」などの擬声語。ときには、赤ちゃんの動きや様子などを、すべてオノマトペで表現してみて。語りかけに変化がつき、楽しさが増します。

高い声で、抑揚をつけて語りかける“マザリーズ”に、赤ちゃんはよく反応します。赤ちゃんの気持ちを代弁したり、ママの行動を実況中継するなど、マザリーズでたくさん語りかけて。

語りかけ

高い声、抑揚が大きい話し方
マザリーズ

「ワンワン」「ブンブン」擬声語
オノマトペ

さい」など

言葉の発達

「アー、ウー」と声を出す

声を出して笑う

声がするほうを向く

「パ」「マ」「ダ」などを言う

喃語《なんご》を話す

宇宙語を話す

3才 2才 1才6カ月 1才5カ月 1才4カ月 1才3カ月 1才2カ月 1才1カ月 1才 11カ月 10カ月

走る

階段を上る

初めは、手をつき1段ずつ階段を上り、そのまま足から下ります。やがて、足を交互に出して上れるように。

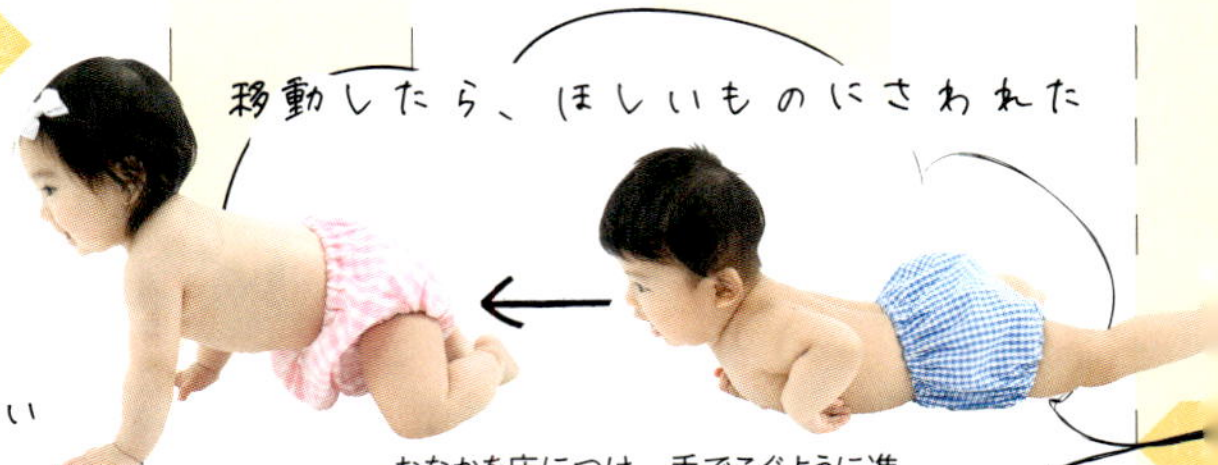

おなかを床につけ、手でこぐように進むずりばいから、ひざをつき、手足を交互に出して前進する四つばいへ。

つかま

伝い歩きをする

家具
のナ
ち。
と、

ジャンプする

自転車をこぐ

3才ごろになると、三輪車に乗れるように。最初は足こぎですが、コツをつかめばペダルをこいで進めます。

最初は、両手を上げてバランスをとりながらよちよち。手が下がってくるにつれ、あんよも安定し、速度もアップ。

ひとりで立つ

あんよをする

より高度なことも可能になる

もの

両手に持ったものを

親指と人さし指でものをつまむ

なぐりがきする

積み木を２個積む

スプーンを握り持ちで使う

積み木を４個積む

道具を使ってかく

赤ちゃんの発達を「運動能力」「手指」「心」「言葉」に分けて、主な発達のポイントを紹介してあります。矢印の幅は「このぐらいの時期に、多くの赤ちゃんができるようになる」という目安です。発達には個人差があるので、多少早くても遅くても心配いりません。「この時期にこんな能力を身につけていくんだな」と、発達を楽しく見守るデータとしてご覧ください。

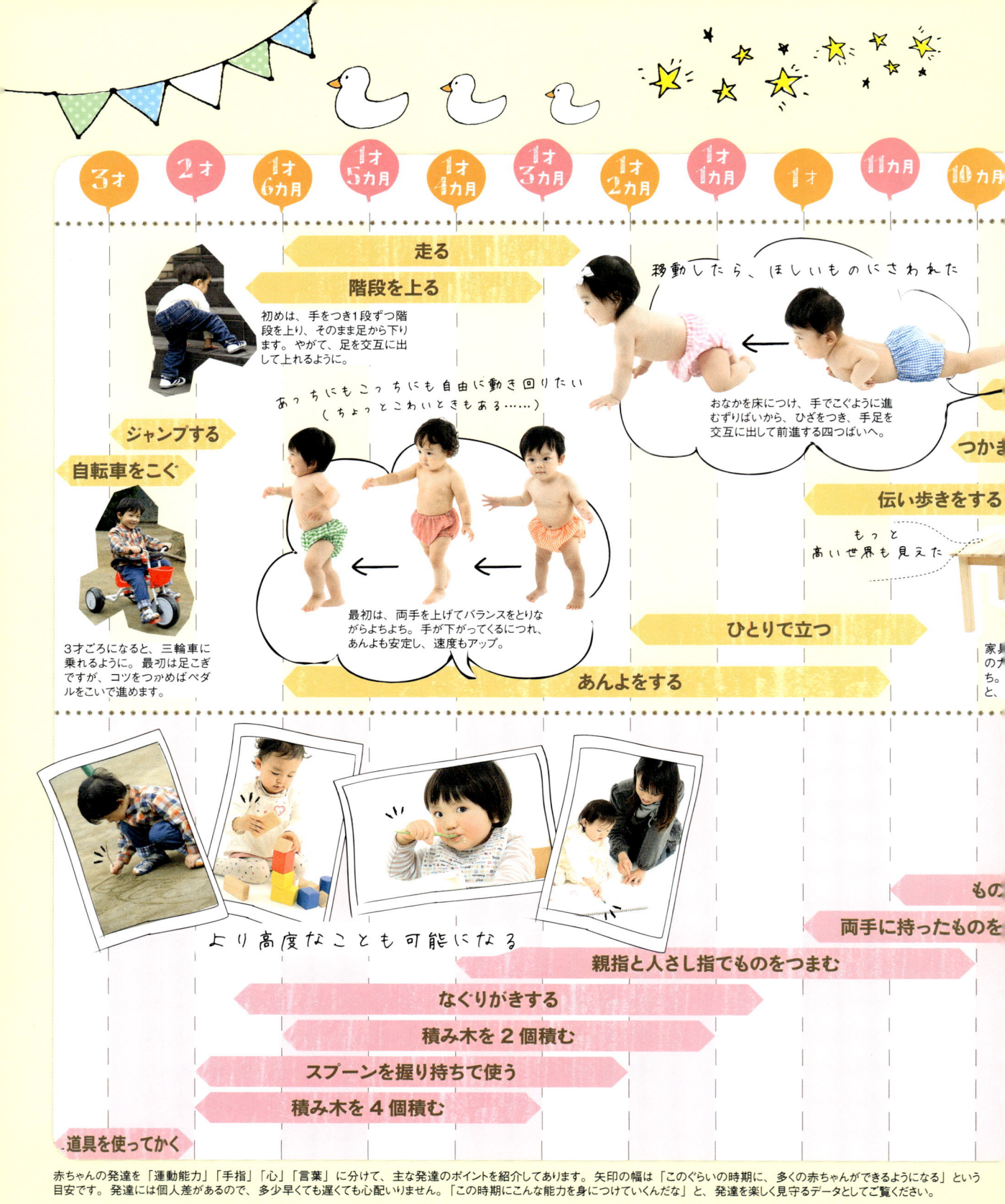

はじめてママ&パパの

育児

監修:五十嵐 隆
国立成育医療研究センター　理事長

主婦の友社

はじめに

核家族があたりまえの時代に育った現代の多くの成人は、
自分がママ・パパになるまで
赤ちゃんを近くで見たりさわったりする経験があまりありません。
妊娠してから受けた母親学級で得られた情報も、
生後の比較的短い期間の赤ちゃんに関するものがほとんどです。
現代のわが国では、子育てをするうえで
新人のママ・パパが不安を持つことは決して珍しいことではなくなりました。
確かに、近くに自分の母親や親戚がいる場合、
子育てに関するいろいろな疑問を直接聞くことは可能です。
それでも、自分が知りたいと思ったときに必ずしも
リアルタイムで情報を得られないこともあります。
一方、インターネットから子育てについての情報を得ることも簡単ですが、
その情報の信頼性について必ずしも検証されたものばかりではありません。

周囲のみんながママ・パパのサポーター

24時間たい〜んだけど、24時間しあわせ

赤ちゃんのキラキラ輝く個性を大切に

がんばりすぎずにガンバロー

子育てはママだけの力でできるものではありません。
現代では多くのパパが子育てに協力してくれています。
また、ご両親はもちろんのこと、
住んでいる地域の方も、あなた方の子育てを応援してくれます。
さらに、保健所の保健師や地域で活躍する診療所や病院の医師も、
あなた方の子育ての応援団の一員です。
また、お子さんの健康問題について
気軽に相談できるかかりつけの医師を見つけておくことはとても重要です。
なお、保健所や市区町村役場から届く
お子さんの健診や予防接種についてのお知らせも大切ですので、
なくさず保管してください。

本書は、初めて子育てを始めるママ・パパを対象に、
子育てに関する有益な情報をお伝えするためにつくらせていただきました。
本書で用いる文章はできるだけわかりやすいものとし、
読者の理解を高めるために写真や図表をふんだんに用いてみました。
お時間のあるときにご覧になるだけでなく、
何か問題が生じたときにも見れば、参考になる情報を得ることができます。
本書が、一生懸命に子育てをされているママ・パパのお役に立つことを、
心から祈念いたします。

国立成育医療研究センター
理事長
五十嵐 隆

赤ちゃんを笑わせたいなら、ママ・パパがいっぱい笑いましょう

みんなが通ってきた道、私にだって乗り越えられる

はじめてママ&パパの育児《いくじ》 CONTENTS

PART 2
毎日の赤ちゃんのお世話

PART 3
母乳・ミルクの基礎知識 気がかりQ＆A

PART 4

離乳食＆幼児食の進め方

PART 5

生活習慣＆しつけのコツ

PART 6

知っておきたい予防接種

PART 7

事故＆ケガ対策と応急手当て

PART 8

赤ちゃんの病気とホームケア

パパくんとママちゃんです。
みなさんといっしょに初めての子育て、
がんばりたいと思います。
あちこちのページに登場しまーす。

らしが始まります

ママ・パパになるまで
生まれたての赤ちゃんを見る機会が
ほとんどなかった人も多いかもしれません。
生まれたばかりの赤ちゃんって、
限りない可能性と能力を
そなえているのです。

Hello、My Baby!

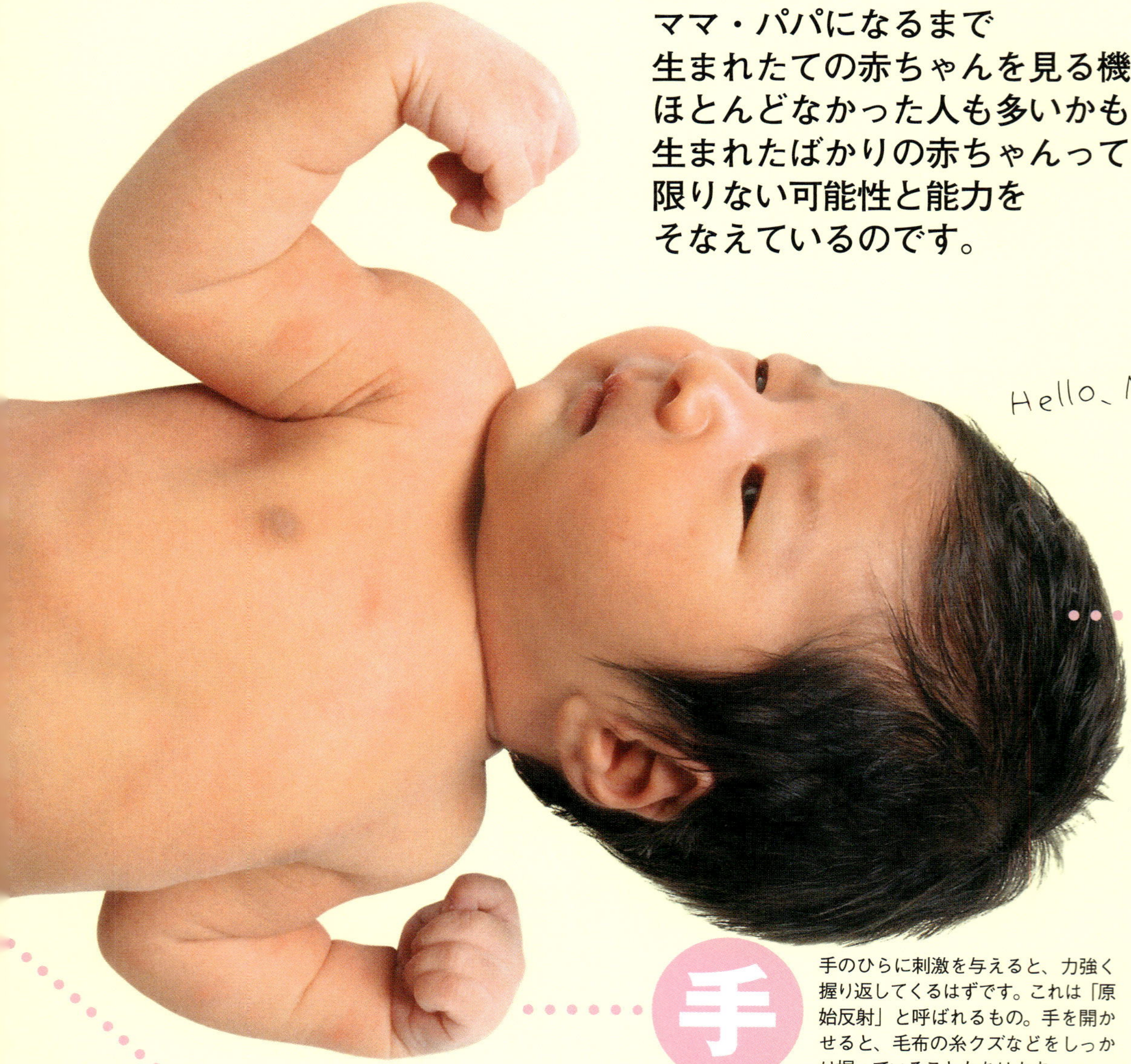

髪

毛量には個人差があります。生まれたときから真っ黒な髪がフサフサ生えている子もいれば、うっすら程度の子も。2才ごろまでにだいたい生えそろうので、心配しないで。

手

手のひらに刺激を与えると、力強く握り返してくるはずです。これは「原始反射」と呼ばれるもの。手を開かせると、毛布の糸クズなどをしっかり握っていることもあります。

へそ

胎盤を通して母体と赤ちゃんを循環していた血液は、生まれた瞬間から、赤ちゃんの体内だけでの循環に切り替わります。生後1週間ほどジュクジュクしているため、消毒が必要です。

おなかに入っていたのは、あなただったのね！

赤ちゃんのいる暮

“原始反射”は新生児特有の動き

新生児期の赤ちゃんは、手足を曲げたり伸ばしたりしています。これは自発的に動いているのではなく、脳からの指令とは関係なしに無意識に体が動いてしまう「原始反射」です。これらは、首がすわる生後3～4カ月ごろには消えていきます。

吸てつ反射

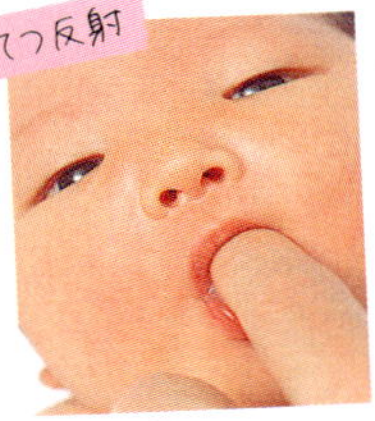

口にふれると夢中で吸いつきます

赤ちゃんの口のまわりを、ママの指などでちょんちょんふれると、強い力で吸いつきます。だれに教わらなくても、ママのおっぱいを飲み、生きていく力が、生まれつきそなわっているのです。

モロー反射

ビックリすると手を大きく広げます

大きな音がしたときや、上体がふいに傾いたときに、両手をパッと開きます。これは、大昔に人間が樹上生活をしていたころ、木から落ちそうになったときにしがみつこうとした習性の名残といわれます。

把握反射

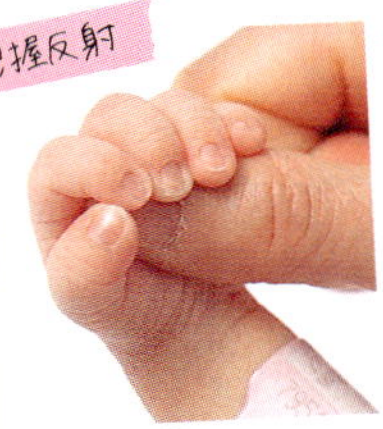

手や足にふれるとギュッと握ります

赤ちゃんの手や足の指に、指や細長いものを当てると、ギュッと力強く握りしめてきます。これもモロー反射と同じように、樹上生活をしていたころの名残とか。

引き起こし反応

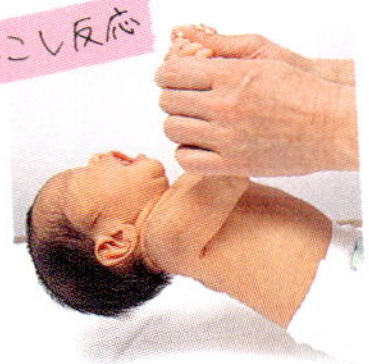

自分から頭を持ち上げようとする動き

寝ている状態から、赤ちゃんの腕を持ってゆっくり上体を起こすと、首がすわっていない赤ちゃんでも、頭を持ち上げようとします。生後1カ月を過ぎると、見られなくなる反応です。

原始歩行

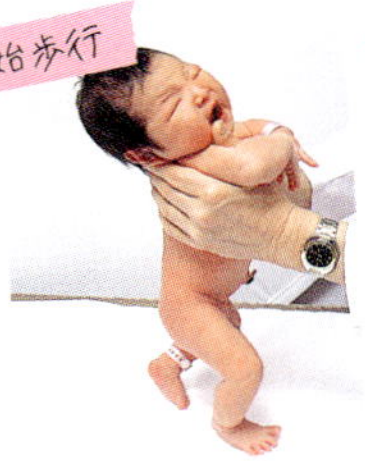

歩くように足を動かします

赤ちゃんの両わきを支えて立たせ、足の裏を床につけると、足を交互に前に出し、まるで歩くような動きをします。人間には生まれつき「歩く」能力がインプットされているのです。なお、実際に歩き始めるのは1才前後です。

足

土踏まずは歩き始めてからできます。歩いたことのない足には、土踏まずがありません！　赤ちゃんの足の裏は平らで、いわゆる「扁平足《へんぺいそく》」、M字形に曲げているのがふつうです。

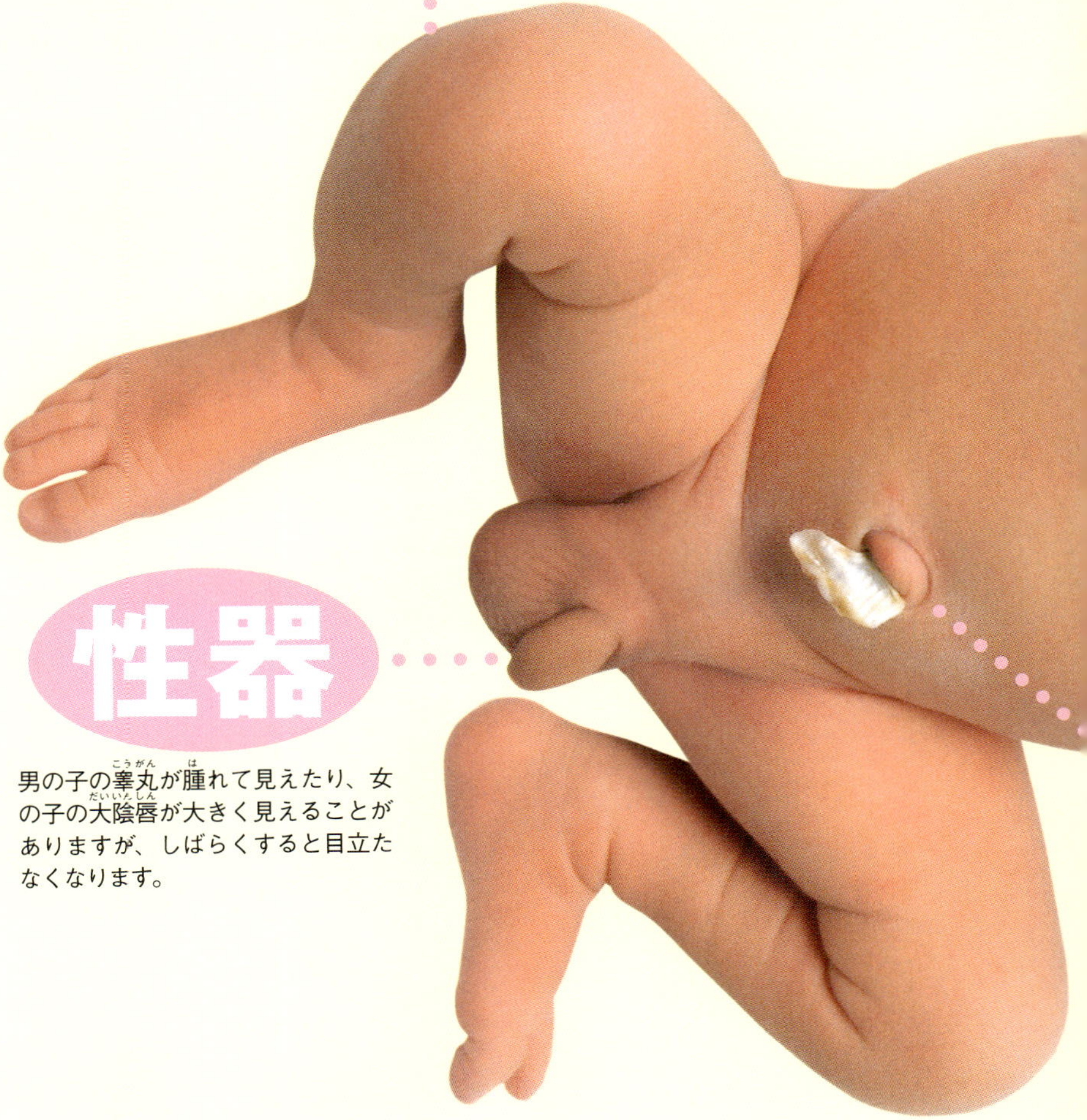

性器

男の子の睾丸《こうがん》が腫《は》れて見えたり、女の子の大陰唇《だいいんしん》が大きく見えることがありますが、しばらくすると目立たなくなります。

Do you know?

まで続く? 未来予想図

の困ったについて、先輩ママや保育士さんからアドバイスをいただきました。

育児のタイヘン★ヒートマップ

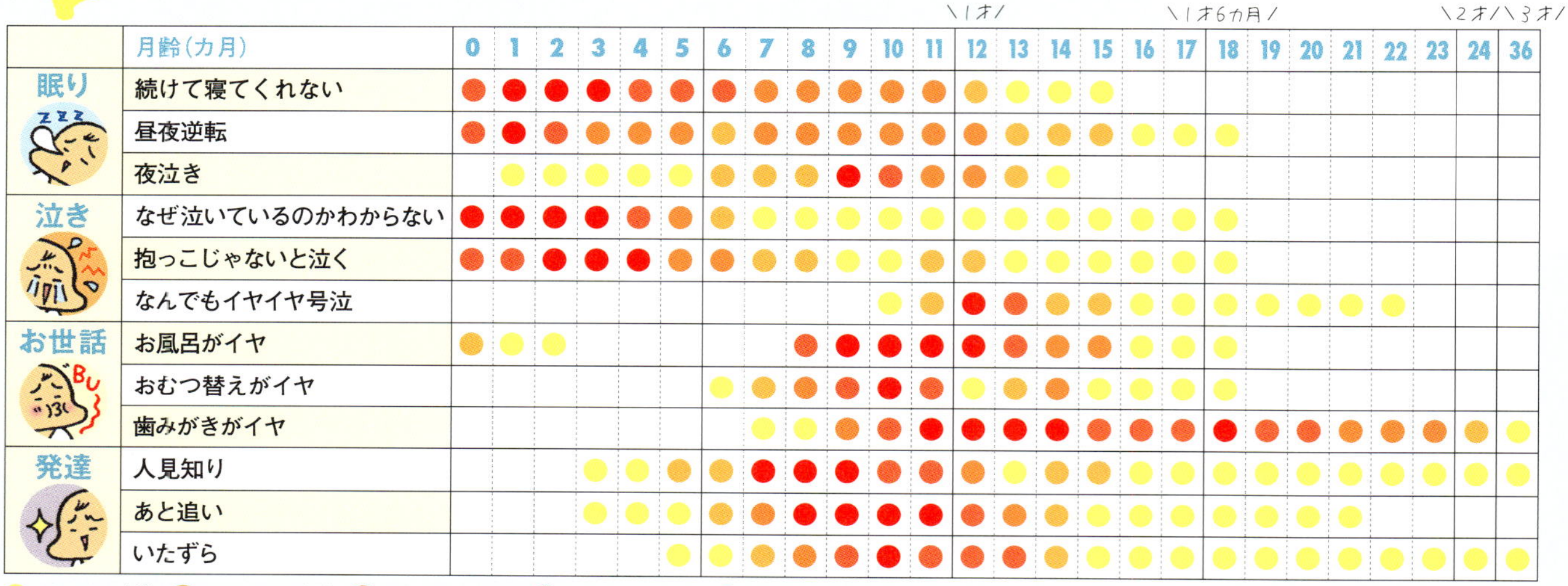

0～20%未満　20～40%未満　40～60%未満　60～80%未満　80～100%

Baby-mo読者に聞いた「タイヘン」実感を、人数が多かった時期ほど濃くなるヒートマップで表示しています。

眠り

＼眠りの困ったNo.1／

続けて寝てくれない

多いのは1～3カ月ごろ

【先輩ママたちの声】

●生後1カ月ごろから、続けて眠らない子でした。当初は悩みましたが、元気に過ごしているし、そういう子なんだと思うように。歩き始めた11カ月ごろから、夜は続けて眠るようになりました！(昴太郎くん1才5カ月)　●「育てやすい子＝いい子」という、大人の都合で考えないことに。卒乳したら寝てくれるといいな……。(楓埜ちゃん10カ月)

王道の解決

“いつかは寝る”と信じて、“個性”だと思って乗り切る!

【From 保育士】

成長するにつれ、だんだん続けて眠るようになりますが、睡眠リズムには赤ちゃんの個性が大きく関与します。月齢が上がってきたら、日中は体を動かして遊ばせて、眠るときは暗く静かにする、というリズムを大人が意識して整えてあげましょう。

＼眠りの困ったNo.2／

昼夜逆転

多いのは0～2カ月ごろ

【先輩ママたちの声】

●3カ月のころ、日中はスヤスヤ眠っていて、夜中になるとグズグズ。母乳が足りていないんじゃないか、夜寝ないから昼が眠くてしかたないんじゃないか、悩みました。(歩ちゃん8カ月)　●1才を過ぎたころに一時期、夕方6時ごろ寝てしまい、早朝3時に目が覚める、というのが続きました。謎でした。(那智くん1才9カ月)

王道の解決

“期間限定”と割り切り、赤ちゃんのリズムに合わせて休養する！

【From 保育士】

低月齢の昼夜逆転は、しかたないこと。ママがたいへんなので、赤ちゃんの睡眠リズムに合わせて、赤ちゃんを寝かせながら自分も眠るようにして乗り切ってください。高月齢の昼夜逆転は、まずは生活リズムの見直しを。昼間にたっぷり活動させ、疲れさせるのも効果的です。

＼眠りの困ったNo.3／

夜泣き

多いのは9カ月～1才ごろ

【先輩ママたちの声】

●6カ月から始まった夜泣きが、今も続行中。添い乳をやめて、起きて授乳するようにしています。背中をさすり、私のおなかの上に乗せて抱き合うようにして横になると、落ち着くようです。(創史くん11カ月)　●保育園に通い始めた1才5カ月ごろ、夜中に突然泣き出して、大人は起こされました。おさまったのは最近です。(紅葉ちゃん2才)

王道の解決

添い寝、添い乳、抱っこ、スキンシップを試行錯誤する！

【From 保育士】

日中の起きている間に受けた脳の刺激を整理するのが睡眠、といわれます。いろいろなことがわかるようになってきて、脳が活発になり、刺激に敏感になることで夜泣きをするのでしょう。夢を見ていることもあるようです。

＼楽しいこと、うれしいこともいっぱいだけど／

育児のタイヘンいつ

育児をつらいと感じるのは、いつまで続くか見通しが立たないことがあるから！　みんなが通る道「眠り」「泣き」「イヤイヤ」

赤ちゃんの泣きは進化する！

＼原因は空腹、眠いなど“不快”／

不快泣き

0～3カ月ごろ

低月齢の赤ちゃんが泣くのは、不快なことがあるから。おむつがぬれて気持ち悪い、おなかがすいた、眠い、暑い……、すべてを泣いて知らせます。

＼退屈だからかまってほしい／

たそがれ泣き

2～4カ月ごろ

変化のない状況に退屈したり疲れたりして、夕方に泣く「たそがれ泣き」、雨の日などにグズグズする「退屈泣き」などが。じょうずに気分転換させてあげましょう。

＼いわゆる人見知り＆場所見知り／

おそれ泣き

6カ月～長い子は幼児期まで

ママ・パパと他者の区別ができるようになったという成長！ 慣れさせようと無理に突き放すのは逆効果なので、抱っこや声がけで安心させてあげましょう。

＼昼間の興奮が残っていてギャーッ／

夜泣き

6カ月～長い子は2才ごろ

日中に興奮しすぎたり、昼寝不足で泣くこともありますが、これといった原因がないことも。一過性なので、必要以上にエネルギーを使わず、気長につきあいましょう。

＼ホントはママに「かまってほしい」／

甘え泣き

1才半～2才ごろ

転んでも自分で立ち上がらず、ママの顔をジーッ。自分でできるけどしてもらいたい、やさしくしてほしいという泣き。親へのお試し行動なので、気持ちをくんであげて。

＼「自分で！」自我の芽生えが原因／

イヤイヤ泣き

2才前後～3才ごろ

なんでも自分でやりたいけど、「やりたいこと」と「できること」に差があって……。自立への第一歩なので、大人は気持ちを代弁して、「わかっている」ことを伝えて。

泣き

＼泣きの困ったNo.1／

なんでもイヤイヤ号泣

多いのは1才ごろ

【先輩ママたちの声】

●イヤイヤの真っ盛り、自分でやりたがってできなくて、かんしゃくをくり返しました。とりあえず自分でやらせてみて、できたらおおげさにほめるようにしていました。（杏樹ちゃん1才2カ月）　●家でも外でも、イヤイヤが始まると、ところかまわず寝転がって大泣き。動きません！　3才近くなってようやく落ち着いてきました。（郁来ちゃん3才）

王道の解決

“やりたい”気持ちを尊重して
ときにはとことんつきあってみる!

【From 保育士】

言葉でうまく表現できない分、泣いて自分の意思を通そうとするのですね。たいへんかもしれませんが、なんでも「ダメ！」ではなく、イヤな理由をママが「〇〇なのね」と代弁してあげたり、根気よく言い聞かせたりして、子どもの気持ちを受け入れることが大切です。

＼泣きの困ったNo.3／

抱っこじゃないと泣く

多いのは1～4カ月ごろ

【先輩ママたちの声】

●抱っこしながら家事をしました。体力づくりやダイエットに効果があると思ってがんばった産後0～2カ月でした。（夢依ちゃん1才11カ月）　●頭と足が高くなるように、クッションを置いて「胎児のポーズ」にして寝かせると、安心して泣きやみました。2～4カ月のころは、私があぐらをかいて、その上に寝かせたことも。（歩夢くん1才3カ月）

王道の解決

家事などは抱っこひもで
乗り切る！ 体をおくるみなどで
くるむのも◎

【From 保育士】

赤ちゃんは抱っこが好きで、かまってもらえないとぐずる子もいます。低月齢のうちはスリングなどで抱っこして、腰がすわったらおんぶして、月齢が上がったら集中して遊べるおもちゃなどを見つけてあげられるといいですね。

＼泣きの困ったNo.2／

なぜ泣いているのかわからない

多いのは0～3カ月ごろ

【先輩ママたちの声】

●1人目も2人目も4～6カ月ごろ、わけのわからないグズグズがありました。1人目のときは、自分もつられて泣きたくなりましたが、2人目のときは「そういう時期なんだな」と思って抱っこ。（陽太くん1才6カ月）　●3～4カ月ごろ、いちばんわけのわからないグズグズがありました。私自身が動揺しないようにあやしました。（凛花ちゃん1才）

王道の解決

「赤ちゃんはこういうもの！」
ママ・パパが動揺しない

【From 保育士】

わけもわからず泣くことは、月齢が上がっても続きますが、それをつらく感じるピークが低月齢なのは、大人も赤ちゃんのことがよくわからない時期だから。赤ちゃんの気持ちをあれこれ想像しながら、ママ・パパとしても成長することでつらさは軽くなっていきます。

お世話

＼お世話の困ったNo.1／

おむつ替えがイヤ

多いのは９～11カ月ごろ

【先輩ママたちの声】

●おもちゃを持たせたり、はいはいが始まってからは、すぐにパンツタイプにシフトしたりと工夫中。寝返りが自由自在になった６カ月ごろから、おむつ替えにはひと苦労です。（楓埜ちゃん10カ月）　●１才半ごろまでおむつ替えに苦労しましたが、必ず「ちっち出た？　おむつ替えようか？」と言っていたら、ある日「ちっち！」と教えてくれて。うれしかった。（将徳くん２才）

王道の解決

携帯電話、カギ、リモコン、特別なおもちゃで気をそらせる！

【From 保育士】

そのときだけ特別なおもちゃを使ったりして、気を紛らわせながら替えるのはもちろん、おむつ替えをしながら、きれいにしてもらう気持ちよさも言葉で伝えてみましょう。それはいずれ、なぜトイレに行くのかを教えることにもつながっていくからです。

＼お世話の困ったNo.2／

お風呂がイヤ

多いのは９カ月～１才ごろ

【先輩ママたちの声】

●９カ月から急に始まったお風呂嫌い。シャボン玉遊びをしながら「楽しいね～」と話しかけました。（笑煌ちゃん11カ月）　●お風呂で泣かれると、音が反響して、私もつらい気持ちに。眠い時間にならないように気をつけて、お風呂専用のおもちゃを使ってしのいだ６～９カ月でした。（友恵ちゃん１才２カ月）

王道の解決

おもちゃや遊びで「お風呂はこわくない」と教える

【From 保育士】

赤ちゃんは「予測できないこと＝こわい」のです。これから何が始まるのか話しかけてあげると安心します。たとえ低月齢でも「これからお風呂に入るよ。ほら、あったかいね」と声をかけてあげ、経験を積むなかで、いやがることが減ってきます。

＼お世話の困ったNo.3／

歯みがきがイヤ

多いのは10カ月～１才ごろ

【先輩ママたちの声】

●とにかくものすごい力で暴れていやがるので、毎日みがくのはあきらめて週末だけに。パパに押さえてもらって、泣かせたままガーッとみがいています。（遙花ちゃん１才６カ月）　●歯ブラシを３本用意して、「どれがいい？」と聞きます。自分で選んだものなら、一瞬だけどみがかせてくれます。（理沙ちゃん１才８カ月）

王道の解決

歯みがき＝気持ちいいと伝え続ける！

【From 保育士】

歯みがきをされるときに、痛かったり押さえつけられた経験があって、嫌いになっていることも。痛くない、きれいになるのは気持ちがいい、と言葉で伝え続けましょう。あまりに泣き叫ぶなら、週１回はきちんとみがくことにして乗り切って、成長を待っても。

発達

＼発達の困ったNo.1／

人見知り

多いのは７～９カ月ごろ

【先輩ママたちの声】

●親子広場、友だちの家、どこに行っても私から離れず、泣き続けました。リラックスしに出かけるのにリラックスできなくてつらかった……。保育園に通い始めてからは少しずつおさまり、今ではなつかしい思い出。（柚衣ちゃん２才）　●強制的に義父母たちに抱っこしてもらい特訓！　おかげで８カ月にはおさまりました。（泉妃ちゃん１才）

王道の解決

人と会う機会をつくり、赤ちゃん自身が慣れる日を待つ

【From 保育士】

ママや家族以外の人を警戒するようになる、という心の成長期に起こる人見知り。泣くのが困るからと人に合わせないのは、あまりおすすめしません。多少泣いても人に合わせる機会をつくって、少しずつ慣れさせてあげると、早く人見知りを卒業できます。

＼発達の困ったNo.2／

いたずら

多いのは９～11カ月ごろ

【先輩ママたちの声】

●扉にはロックをかけますが、１～２カ所は自由にさわれる場所をつくっています。１才半の今も楽しそう。（悠斗くん１才６カ月）　●ケガの危険がなさそうなものしか、リビングには置きません。娘が生まれてから何度、模様替えしたことか！　おかげで、のびのび育児ができています。（一花ちゃん11カ月）

王道の解決

“自由解放区”をつくってママもストレスを軽減する！

【From 保育士】

危ないものは片づける一方で、棚１段とか引き出し１杯などを自由にできる場所にしてあげて。また、出したらいっしょにお片づけする習慣もつけていきましょう。片づくとさっぱりして気分がいい、ということも教えてあげるチャンスです。

＼発達の困ったNo.3／

あと追い

多いのは９カ月～１才ごろ

【先輩ママたちの声】

●姿が見えないと泣くので、最初は困っていました。でも「２階に行くね」「トイレに行くね」と声をかけるようにして、子ども番組の録画を見せて気を紛らわせるようにしたら、泣くことがだんだん少なくなりました。（凛花ちゃん１才）　●いちばん困ったのがトイレ。開けたままで入ることに、最初は抵抗がありました。（佑茉ちゃん１才11カ月）

王道の解決

トイレは基本、開けたままで！この時期だけと割り切って

【From 保育士】

ママがいなくなることが、赤ちゃんにとってはいちばん不安なこと。肌がふれあっていなくても、声をかけるだけで落ち着くこともあります。集中して遊んでいる間に、少しずつ距離をあけることで、いつの間にか、ママが視界に入っていれば落ち着いて遊べるようになります。

＼Message／

がんばりすぎずにガンバロー

初めての育児……。いろいろなことにとまどいながらも、日々の経験を積み重ねていけば、きっと赤ちゃんのことがわかるようになります。タイヘンを乗り越え、ときにはジワジワと、家族のいる幸せをかみしめましょう♪

PART

1

運動能力、体、心がグングン育っていきます！

0～3才★月齢別

赤ちゃんの発育・発達と生活、気になることQ&A

ねんねだった赤ちゃんが寝返りして、
おすわりして、はいはいして、立って、歩いて、走るまで
毎日が“驚き”と“発見”の連続です。
ときには悩んだりすることもあるけど、
「できた！」「がんばった！」の瞬間を、親として
見届ける日々を楽しみましょう♪

0カ月

飲んで眠ってをくり返し おなかの外の世界に慣れていきます

＼私たちも0カ月Babyです／

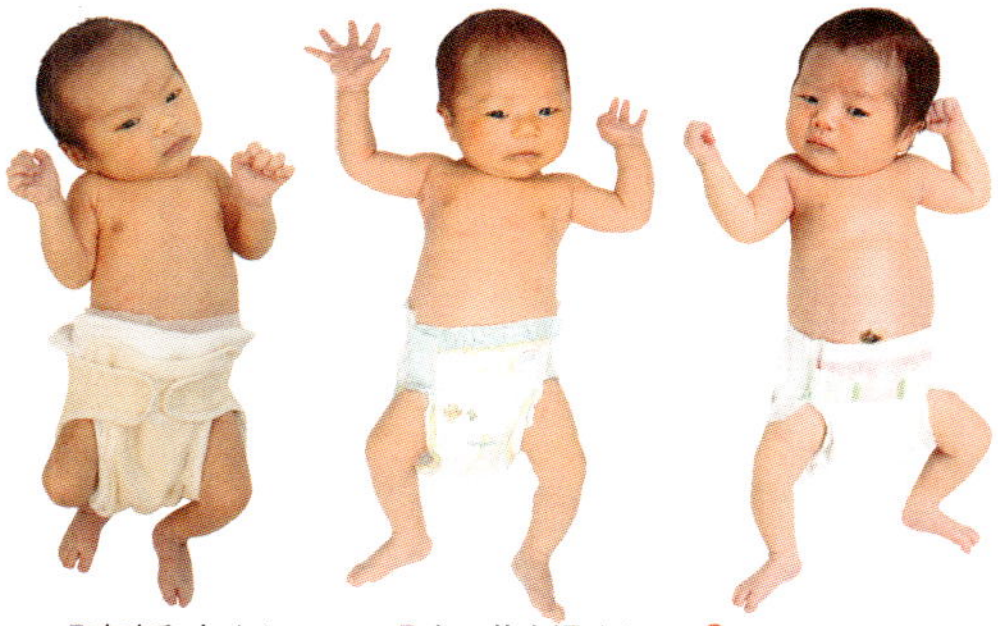

♂宮森和志くん 50.0cm・3200g　♂山ノ井大惺くん 53.0cm・3650g　♀和田 心ちゃん 43.0cm・2320g

	身長	体重
BOY	44.0～57.4cm	2100～5170g
GIRL	44.0～56.4cm	2130～4840g

※0～1カ月未満の身長と体重です。

やっと会えた赤ちゃんと新生活の始まりです

ママのおなかの中ではへその緒を通して栄養や酸素をもらい、成長してきました。しかし、おなかの外に出たとたん、赤ちゃんの環境は大きく変わります。出産後すぐ、赤ちゃんは空気にふれ、産声を上げ、自分で呼吸をして肺に空気を取り込みます。そして、自分でおっぱいを吸って栄養をとるようになるのです。これから1カ月間は、「新生児」と呼ばれます。たくましい成長の始まりです。

運動能力の発達

「原始反射《げんしはんしゃ》」は新生児期だけに見られる動き

新生児期の赤ちゃんは、起きているときは、いつも手足を伸ばしたり、ギュッと縮めたりの運動をしています。でもこれは、大人が意思を持ってしているような自発的な運動ではありません。

新生児期の運動は、外からの刺激に対して反射的に体が動いてしまう「原始反射」と、「ゼネラルムーブメント」と呼ばれる無意識に起こる一定リズムの運動が組み合わさったもの。たとえば右手だけ伸ばすといった部位ごとの動きはできず、両手が同時に開く、右手右足がいっしょに伸びるなどの全身的な動きです。

「原始反射」は、脳が発達してくる3～4カ月ごろには消えていきます。体のいろいろな部位で見られ（左ページ参照）、おっぱいを探すために備わっている「口唇《こうしん》探索反射」、大きな音や急な動きに反応して、両手を広げて抱きつくようなしぐさをする「モロー反射」などがあります。

体の発達

生後3～4日間は一時的に体重が減ります

生まれてすぐの赤ちゃんは、おっぱいを飲むのがへたなので、飲む量よりも、おしっこや便、汗で出ていく水分量が多く、一時的に体重が減ります。これを生理的体重減少といいます。しかし、それは生後3～4日間のこと。その後は、生まれたときの体重に戻り、生後2カ月ごろまでは1日30～40g、1カ月で500g～1kg体重が増加していく子が多いようです。もちろん個人差がありますから、ゆっくりのペースでも少しずつ体重がふえていれば問題ありません。1カ月健診で体重もチェックしますから、1週間で70gほどしかふえていない場合は保健師や小児科医に相談しましょう。

心の発達

泣くことで〝不快〟だと伝えています

生まれたばかりの赤ちゃんは、不快を感じると、泣くことで「暑い」「おむつがぬれた」「おなかがすいた」といった気持ちを表現します。ママ・パパは赤ちゃんの要求を満たしてあげましょう。そうすると赤ちゃんは、この人は自分を心地よくしてくれると理解し、信頼関係が生まれていきます。

なお、ときおり見せるニーッとしたほほえみ（新生児微笑《しんせいじびしょう》）は生理的なもので、心地よいから笑っている、というわけではありませんが、家族をなごませてくれます。

0カ月の赤ちゃん

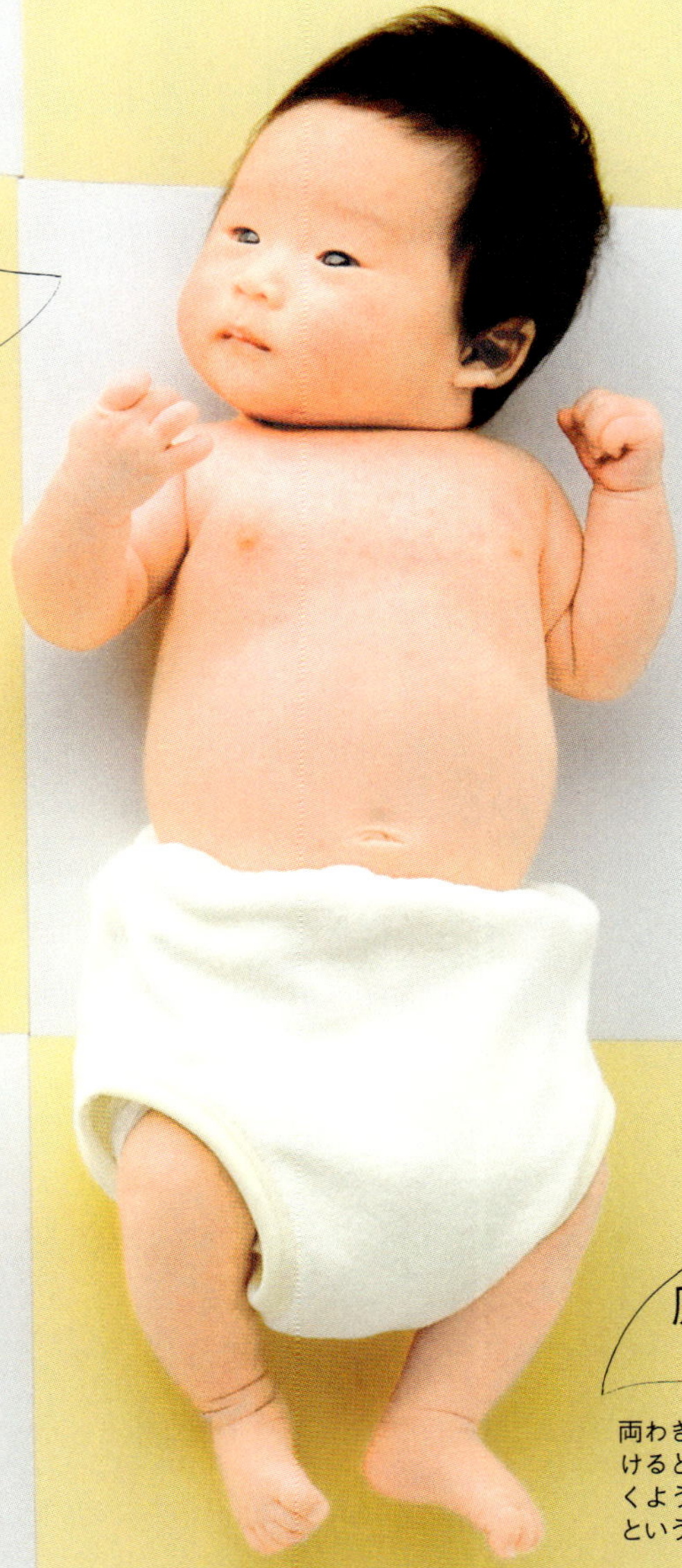

表情

基本的には無表情

無表情とはいえ、泣き顔、不機嫌な顔、まぶしい顔なども見られます。「ふにゃ～」とした笑顔は生理的なもので、楽しいという感情からではありません。

口

じょうずには吸えません

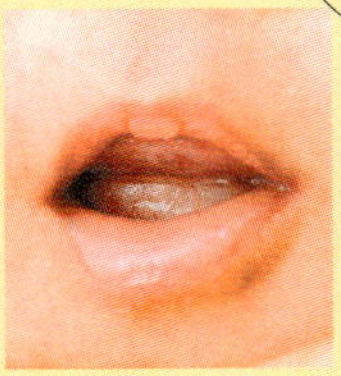

生まれてすぐに、ママの乳首を探して吸いついてきます。甘い味を好み、苦いもの、すっぱいものはいやがるという性質も。

手

ギュッと握りしめています

ひじを曲げ、手をギュッと握ったポーズが基本。驚いたときにパッと手を広げる、ビクッとする動きは、意思によるものではなく、生まれつきの反射のひとつです。

足

原始反射によってバタバタ

両わきを支えて立たせ、足の裏を床につけると、左右の足を前に踏み出して、歩くような動きをします。これは原始歩行という新生児期だけに見られる動き。

0カ月の飲む・食べる

- 授乳回数は頻回
- 欲しがったら授乳して OK

じょうずに飲めず途中で眠ってしまうことも

生後間もない赤ちゃんは、おっぱい初心者。じょうずに飲めず、途中で疲れて眠ってしまうこともあります。ママも母乳の出が安定しませんが、授乳を頻回に行い、赤ちゃんに吸わせることでたくさん出るように。間隔は気にせず、ほしがるときに授乳しましょう。

0カ月って、こんな感じ！

唇にふれたものに、吸いつく

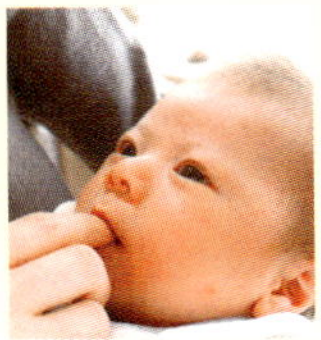

原始反射の一つである吸てつ反射により、指を口元に近づけると、強い力で吸いついてきます。おっぱいを吸うために必要です。

手のひらに何かがふれればギュッ

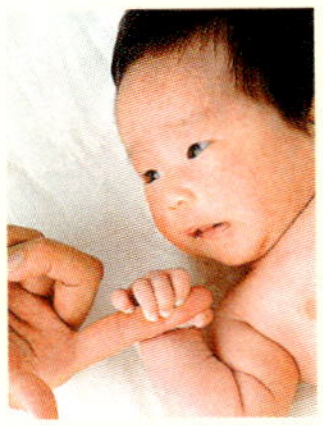

把握反射により、手のひらに大人の指などをそっとふれると、握り返してきます。足の裏でも同じ反応が起こります！

思うように体を動かせない

自発的に体を動かせるようになるのはもう少し先。この時期は原始反射により、外からの刺激に対して、無意識に動いています。

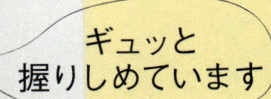

0カ月の生活
どんなふうに過ごしている?

こんなふうに成長します!

永田凌子ちゃんの場合
身長51.5㎝★体重3006ｇ
撮影日／0カ月29日目

まとめて眠ってはくれないので、ママは育児に専念を

ねんね、おっぱい、おしっこ、うんち。このくり返しが新生児の暮らしです。睡眠時間は一定ではなく、昼夜の区別もついていません。そういえば、おなかの中にいるときも、ママが寝ているときにキックされたりしませんでしたか。〝寝ては飲み〞のくり返しなので、なかなかまとめて眠ってはくれないでしょう。物音や光にビクッと反応して起きてしまうこともしばしばです。眠っている間は静かにしてあげたいですね。

おしっこは1日10～20回、うんちの回数も7～8回ほどです。授乳回数は1日10～15回という子も珍しくありません。おむつ替えと授乳だけでも、ママはたいへんなので、家族の協力をあおいで、体力の回復と育児に集中できる態勢をつくりましょう。

「おっぱい・ミルクをゴクゴク！唇には大きな吸いだこが」

生後２週間で布団をけってしまいます

生後2週間ごろからベビー用の布団をけり上げるようになりました。足と腰の力が強いみたいで、下半身をひねるような動きもしています。

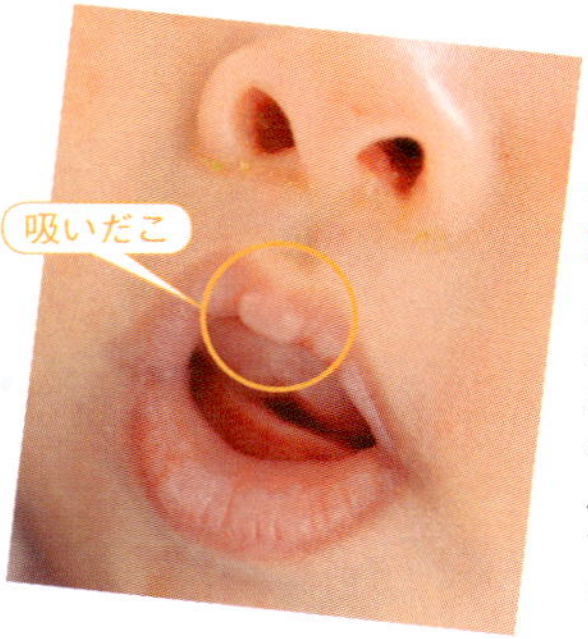

一生懸命に飲んでいる証拠！

おっぱいをチュウチュウ飲み、上唇に大きな吸いだこが！　飲み方がじょうずになってくると、上唇がアヒルの口のようにめくれるので、吸いだこはできなくなります。

雅子ママの育児ダイアリー

この世界にようこそ！と迎えた“わが家のプリンセス”です

赤ちゃんが生まれたときの、私の第一声は、なぜか「いらっしゃい♪」でした。予想外の言葉が出たことに、自分でもびっくりしましたが、「パパとママがいる世界にようこそ」という気持ちがこの言葉につながったのかな、と思っています。

赤ちゃんのいる生活は“たいへん”とは思っていたけれど、予想以上にグズグズ泣く時間が多くてびっくり。夜中、授乳をしても寝なくて、グズグズです。寝たとしても１～２時間ほどで起きてしまうので、私のほうが寝不足ぎみ。でもパパが沐浴を手伝ってくれるので、助かっています。

凌子ちゃんの一日

AM 1	ねんね（1〜2）		
2			
3	グズグズ		
4	グズグズ+おっぱい+ミルク		
5	グズグズ		
6	ねんね	パパ・ママ起床	
7	おっぱい+ミルク	パパ朝食	ママ家事
8	ねんね（8〜9）	出勤	朝食
9			
10	おっぱい		ママ家事（10〜11）
11	ごきげん		
0	おっぱい		ママ昼食
PM 1	ねんね（1〜2）		
2			
3	おっぱい		PC 昼寝
4	グズグズ		
5	ねんね+おっぱい		夕食準備
6	ねんね		
7	沐浴	パパ帰宅 沐浴させる	沐浴手伝い
8	おっぱい	パパ・ママ夕食	
9	グズグズ		ママお風呂
10	ねんね（10〜11）	パパお風呂	寝かしつけ
11			就寝
0	おっぱい+ミルク	パパ就寝	

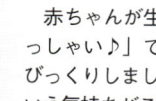

0カ月の生活

“原始反射”が残っているかも!?

自発的な動きではなく、外からの刺激に対して無意識に体が反応する原始反射。すべての新生児に見られますが、終わる時期には個人差があり、生後3〜4カ月ごろには見られなくなります。

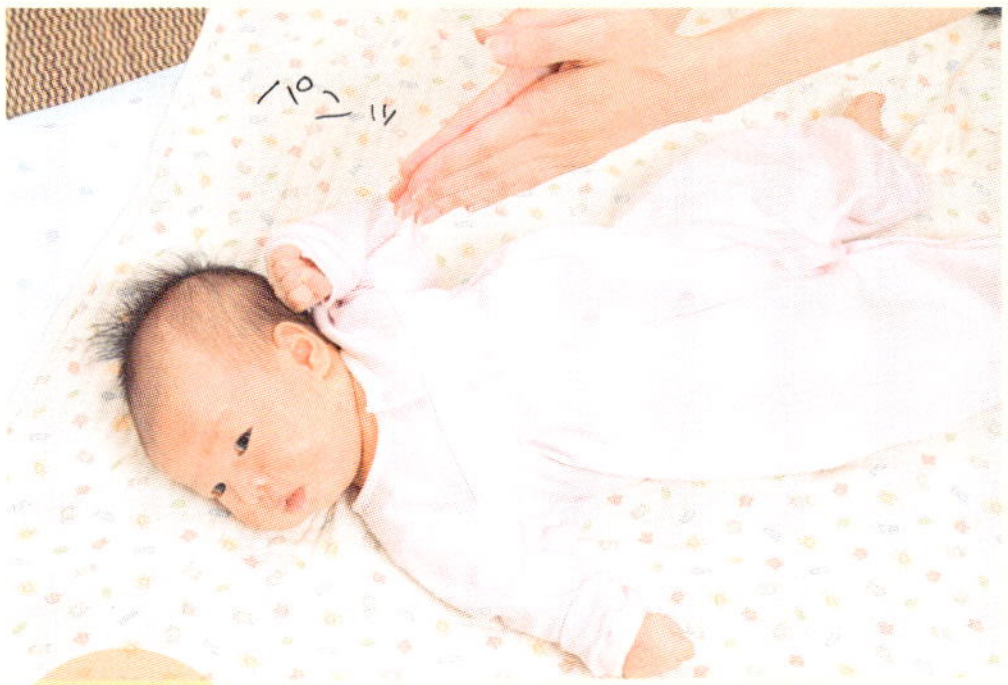

モロー反射

大きな音にビクッとする反射

大きな音や振動を感じると、体をビクッとさせて、空をつかむように両手を広げる動作をする反射。凌子ちゃんはモロー反射が出る時期は終わったようで、特に反応しませんでした。

把握反射

ママの指をギュッと握ってくれる

手のひらにママの指をのせると、ギュッと握ってくれました。把握反射とはいえ、コミュニケーションができているようでママは幸せ♥

抱っこをするとギャン泣きがピタッ

ギャン泣きしていても、ママが抱っこしてトントンしてあげるとピタッと泣きやみ、おとなしくなります。ママの体温や鼓動を感じて安心しているのかな？

泣く声、泣く顔さえかわいい♡

ギャン泣きでも、新生児の泣き声はフニャーフニャーとかわいい。ママに甘えているように聞こえます。

「コロコロ変わる表情に ママは癒やされています」

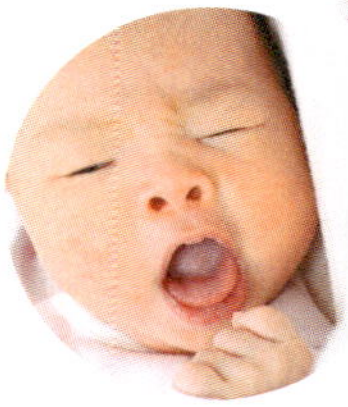

七変化する表情を見ているとあっという間に時間が！

あくびして眠いのかな？と思ったら、エヘッと笑って、何かをジィーッと見つめて……、くるくる変わる表情を見ていると、あっという間に時間がたちます。癒やされる〜♪

みんなの0カ月 泣いた！笑った！がんばったSTORY

夜は7〜8時間ぐっすり。私も眠れてラッキーと思っていたのですが、授乳時間があきすぎて、乳腺がつまってしまい、乳腺外来に行くはめに。乳房に針を刺す処置を数回しました。完治するまで1カ月。頻回授乳は母にも必要だと実感！（豪希くんママ）

退院して2週間、夜中に授乳したあと、泣いて泣いて、何をしてもダメで3時間が経過。隣で寝ていた実母が寝ぼけながら抱いてくれて、ようやく泣きやみました。安心と申しわけなさと感謝の涙がボロボロ流れました。（菜月ちゃんママ）

おっぱいを飲むのに1時間かかり、やっと寝たと思ったら30分もたたないうちに泣いてまた飲む日々……。私は眠れずつらくて、泣き声が恐怖でした。義母に泣きながら相談すると、ミルクを足したらと言われ、ラクになりました。（さくらちゃんママ）

初めての育児だったので何かと心配でした。せっかく寝てくれているのに、何かあったらと、ずーっと寝顔を観察していて、寝不足になり、私がたいへんでした（笑）。母乳なので、とにかくおなかが減って、ずっと食べていたっけ……。（颯真くんママ）

おっぱいを深くくわえさせるのがむずかしくて、入院中、両乳首とも血が出るくらい傷ついてしまいました。毎回の授乳が激痛！ 退院後も授乳のたびに薬を塗る毎日。1カ月ほどで傷が治り、おっぱいを飲むのもじょうずになりました。（りくくんママ）

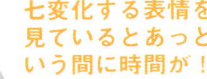

0カ月の赤ちゃん

気になることQ&A

Q 昼に寝ていて夜は起きています

A 生後4～5カ月ごろにはリズムが整ってきます

日中はほとんど寝ていて、夜はずっと起きている昼夜逆転。それにつきあう大人は睡眠不足でつらいですね。実は、赤ちゃんに「朝は起き、夜は眠る」という人間本来の生活リズムができてくるのは、だいたい生後4～5カ月ごろ。それまでは昼夜関係なく、眠ったり起きたりをくり返します。

リズムを早くつけるには、朝になったら部屋を明るくし、洗濯や掃除などの生活音を聞かせてみたり、抱っこをしたりという刺激を与えてみて。夜は室内を暗く静かにして、必要以上につきあわなくてかまいません。危険がないように、赤ちゃんをベビーベッドや布団に寝かせて、大泣きしたら抱くつもりで、ママはそばでウトウトしていればいいでしょう。

Keyword

昼夜逆転って？

体内時計と1日（24時間）のズレが原因で、夜に寝なくなる

人間の体内時計は25時間といわれていますが、一日は24時間なので、大人は自然に24時間に合わせて生活をしています。しかし新生児がそれに合わせるのは無理。そのため、昼と夜が徐々にズレていき、昼夜逆転が起きてしまうのです。たいていの赤ちゃんは、4～5カ月ごろには、昼夜が区別できる睡眠に変わってきます。

昼夜逆転になりやすい!? ココをCheck

- ☑ 寝室が夜も明るい
- ☑ 夜遅くに沐浴、入浴している
- ☑ テレビをずっとつけている
- ☑ 昼でも静かで、昼寝が長い
- ☑ 朝になってもカーテンを開けない
- ☑ パパが帰宅後に遊んでしまう
- ☑ パパ＆ママが夜型で朝遅い

Q 室内犬を飼っています

A 赤ちゃんの部屋には入れないほうが安心

動物アレルギーの症状は、犬よりも猫のほうが重い傾向にあります。しかし、生後すぐに発症することはないでしょう。ただ、室内犬として清潔に飼っていても、犬の体には寄生虫が存在することが多く、犬にふれて、赤ちゃんに寄生虫がうつる可能性が。また、しつけをきちんとしていれば問題ありませんが、万が一、赤ちゃんにかみついたりしては危険です。赤ちゃんの部屋には入れないほうがいいでしょう。

Q ゲップしないまま寝かせても平気？

A トントンしても出ないなら寝かせてOK

生後間もない赤ちゃんは、母乳やミルクをじょうずに飲むことができず、いっしょに空気を飲み込んでしまうために、飲んだあとはゲップをさせて、空気を出す必要があります。ただ、じょうずに飲めていて、ゲップをあまりしない子もいるので、しばらくトントンして出ないなら、寝かせてかまいません。ゲップが出にくい場合には赤ちゃんののどを伸ばすようにあごを軽く上げ、少し前かがみの姿勢にしてトントンしてあげると出やすいようです。

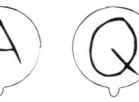

Q 退院後も黄《おう》疸《だん》が続きます

A 母乳による黄疸は心配いりません

黄疸は、赤ちゃんの血液中にビリルビンという色素がふえることで起こります。ビリルビンは肝臓で分解されて消えますが、母乳に含まれるホルモンが肝臓の働きを抑えるため、1カ月くらい黄疸が続くことも。ただこれは、「母乳性黄疸」といい、よく見られることなので心配いりません。黄疸があっても食欲があり、機嫌もよければ様子（黄、茶、緑など）で、うんちの色が正常を見ていいでしょう。もし、うんちの色が白っぽいときはすぐ小児科へ。

受診の目安

様子を見てOK
- ☑ おっぱい・ミルクが飲めている
- ☑ うんちの色が正常（黄・茶・緑など）
- ☑ 機嫌がいい

診察時間内に受診を
- ☑ 黄疸以外に気になる症状がある
- ☑ うんちが白っぽい

Q おへそがジュクジュク、受診すべき？

A 周囲まで赤い、うみが出ているなら小児科へ

へその緒がとれてからしばらくの間は、完全に乾かず、汗をかいたときやお風呂上がりにジュクジュクして見えたり、出血したりすることもあります。おそらく心配ないと思いますが、気になっているなら小児科でみてもらうと安心できるでしょう。まれにへその緒がとれたあとに菌などが入り、臍炎《さいえん》や臍周囲炎《さいしゅういえん》という感染症を起こすことがあります。おへそのまわりまで赤くなっていたり、うみが出ている場合には早めに受診しましょう。

Q かさぶた状の湿疹、どうすればいい？

A 強くこすらず洗い、かゆがるときは受診を

眉毛や髪の生えぎわに湿疹ができて、黄色いかさぶたのような状態になっているのですね。これは皮脂の分泌が多い新生児期に見られる「乳児脂漏性湿疹《にゅうじしろうせいしっしん》」というもの。ベビーオイルなどをつけてしばらくおき、やわらかくなったら、そっとふきとってあげましょう。無理にはがしたりするのはNGです。沐浴のときには石けんで洗ってあげて。かゆがって赤ちゃんがかきこわしたりジュクジュクするときは受診し、薬を処方してもらいましょう。

Q 女の子なのに毛深くて心配です

A 成長とともに薄くなっていきます

赤ちゃんの髪やうぶ毛の量、生え方などには個人差があります。生まれたばかりの赤ちゃんの背中や胸にうぶ毛がぎっしり生えていたり、耳にもふわふわした毛があるなど、予想以上に毛深くて、驚いてしまうママ・パパもいるようですね。しかし、赤ちゃんの体の表面は、皮膚を保護するために濃いうぶ毛におおわれているのが自然な状態です。成長するにつれて、少しずつ薄くなっていき、やがて目立たなくなるので、女の子でも心配ありません。

Q 頭の形がいびつです

A 頭の形は少しずつ変化していくもの

ずっとこのままだったら、と心配するご両親も多いようですが、ほとんどは治るので心配しなくて大丈夫。赤ちゃんの頭の骨は、狭い産道を通りやすいようにいくつかに分かれ、骨と骨が重なり合うような形にできています。出産のときの影響で、産後すぐは頭が細長くなっていたり、骨と骨がつくときにいびつな状態でくっついてしまうこともあります。成長するにつれ少しずつ頭の形も変わり、気にならなくなるので様子を見ましょう。

私たちも1カ月Babyです

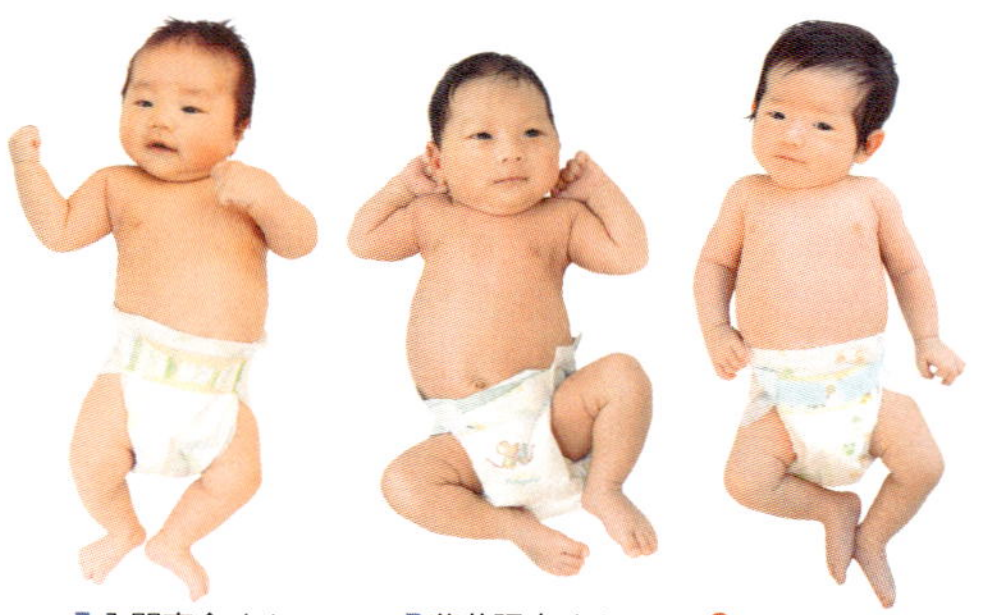

♂入門亮介くん 57.4㎝・5010ｇ
♂藤井陽太くん 55.0㎝・4200ｇ
♀沖 杏奈ちゃん 52.8㎝・3765ｇ

	身長	体重
BOY	50.9～59.6㎝	3530～5960g
GIRL	50.0～58.4㎝	3390～5540g

※1～2カ月未満の身長と体重です。

1カ月

起きている時間が少し長くなり ねんねや授乳のリズムができ始めます

ママの姿がぼんやり見えて、顔をじっと見つめます

生後1カ月が過ぎました。もう「新生児」ではありません。呼吸の仕方も、体温調節も、栄養をとり込むこともスムーズになってきました。おっぱいの飲み方も上達し、授乳回数が減ってきます。気になることがあれば、1カ月健診で相談しましょう。視力も発達してきてぼんやりと見えるので、ママの顔を20～30㎝ぐらいの距離に近づけると、じっと見つめます。

運動能力の発達

首を自発的に動かせるようになります

体の動きがとても活発になります。まだ自発的な動きではなく、左右の手足が同時に動く状態ですが、このバタバタした動きが大切なのです。「さわりたい」「つかみたい」「足で地面に立ちたい」という行動は、このバタバタした動きを経て、学んでいきます。服装は、手足の動きを妨げないようなものを選んであげましょう。長肌着やベビードレスだとはだけやすいので、股下が分かれているコンビ肌着やカバーオールのような服がおすすめです。

また、赤ちゃんの運動機能は、脳に近い部位から順番に、手、腰、足の末端へ発達していきます。この時期には脳の首の運動をつかさどる部分が発達してくるので、自分の意思で首を左右に動かせるようになります。腹ばいにすると自分で顔の向きを変えようとする子もいます。新生児のときは、頭が左右どちらかに傾いていましたが、左右に頭を動かしていくうちに、頭を体の中心の位置に保てるようになるでしょう。

体の発達

体重がグンとふえ、赤ちゃんらしい体型に

生後1カ月たち、多くは出生時の体重より1～2kg増加します。体脂肪もふえて、ふっくらした体つきになったのではないでしょうか。視力が飛躍的に発達して、色のはっきりしたものを見つめたり、目の前で動くものを目で追うようにもなります。音の出るガラガラやベッドメリーを使って、赤ちゃんとの時間を楽しめるといいですね。

皮脂の分泌が盛んになるので、顔や頭に脂《し》漏《ろう》性《せい》湿疹《しっしん》ができる赤ちゃんも珍しくありません。ベビー用石けんできれいに洗い、ジュクジュクするときは、小児科で薬を処方してもらいましょう。

心の発達

言葉やしぐさでコミュニケーションを楽しんで

ママ・パパが声をかけたり、抱っこしてあげると喜びます。甘えるように「あ～」「く～」と声を出すことも。これは「クーイング」という言葉の芽です。ママも「あーあー」「うんうん」と返事をしてあげましょう。ママが顔を近づけて、口をあけたり、舌を出すと、赤ちゃんも同じようにする「新生児模倣《もほう》」をすることもあります。

また、そろそろ赤ちゃんの個性が出始めるころです。甘えん坊だったり、あまりぐずらない子だったり。そんな赤ちゃんの個性を受け入れてあげましょう。

1カ月の赤ちゃん

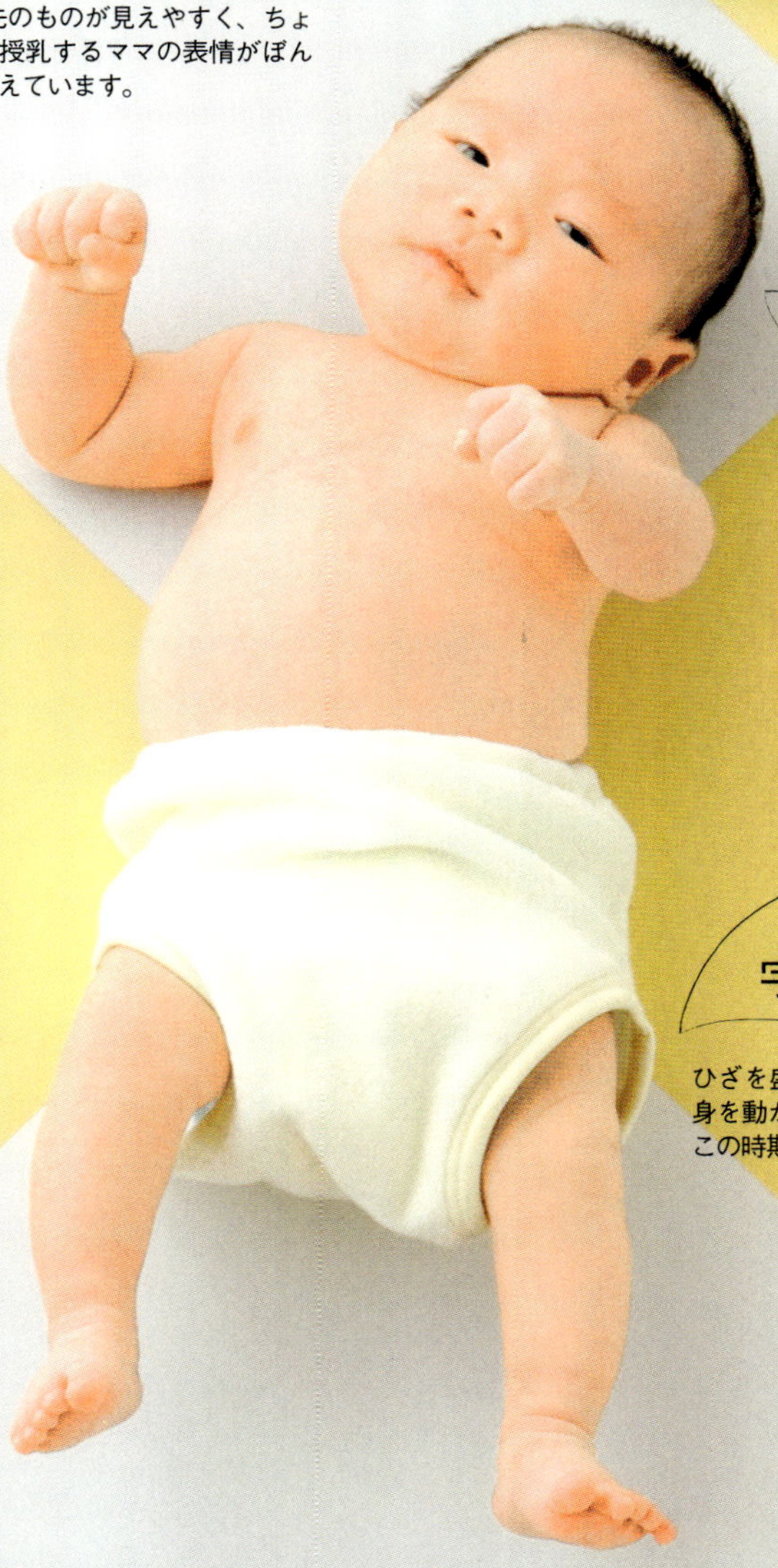

表情

焦点が合うように

ぼんやりしていた視界が開け、焦点が合うようになります。20〜30cm先のものが見えやすく、ちょうど、授乳するママの表情がぼんやり見えています。

手

こぶしを少し開くように

まだ左右同時に動く段階ですが、強く握りしめていた手がほんの少し開くようになります。ひじの曲げ伸ばしも覚えて、リズミカルに動かすこともあります。

口

泣き声以外の声も出します

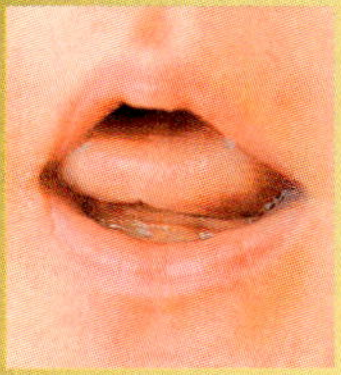

泣き声を出すときとは違う口や舌の動きを発見し、「あ〜」「く〜」などの声が出せるようになります。これが言葉の始まりです。

足

よく動いて宇宙遊泳みたい

ひざを盛んに曲げ伸ばしして、活発に全身を動かします。宙を歩くような動きは、この時期ならではのかわいい姿です。

1カ月って、こんな感じ!

顔の前で動くものを目で追うように

視力が発達し、顔の近くでものを動かすと追視します。目と連動して首を動かす子も。色は、はっきりした赤などが見やすいようです。

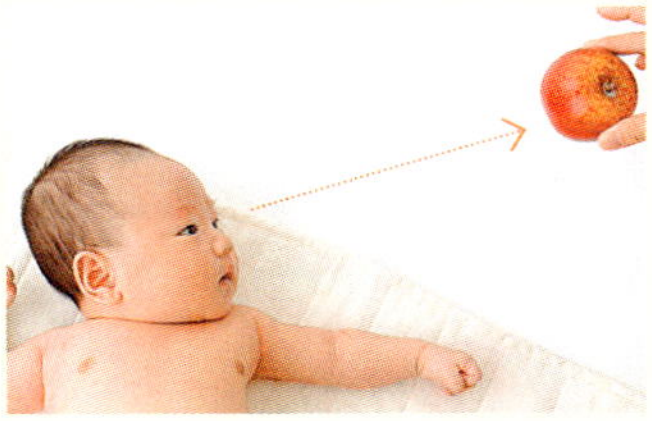

自力で首を動かし始めます

首の運動をつかさどる脳の中枢が発達してきて、自力で頭を左右に動かせるように。光や音、ママのいるほうを向こうとします。

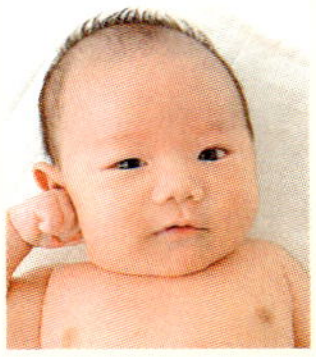

1カ月の飲む・食べる

- 吸う力が増し、飲める量が増加
- 授乳の間隔が少しずつあいてくる

新生児のときよりもまとめて量が飲めるように

一度に飲める量がふえるので、授乳間隔があいてきます。とはいえ、まだ授乳のリズムは整わないので、ほしがるときに飲ませてあげて。母乳不足が心配でミルクを足すママもいますが、必要のないこともあるので、体重のふえ方をチェックし、健診などで相談を。

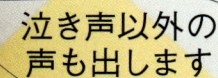

1カ月の生活
どんなふうに過ごしている?

こんなふうに成長します!

沼田 礼ちゃんの場合
身長54.1㎝★体重3570g
撮影日／1カ月24日目

大人とお風呂に入れるように。外気浴にも慣れさせて

昼間に起きている時間が少しずつ長くなります。でも、昼夜の区別がつくのはもう少し先です。この時期は、昼夜逆転が起きて、夜中にグズグズ泣くことに悩まされるママ・パパもいます。そんなときは抱っこしてゆらゆらしたり、ベランダに出るなど気分を換えたりして、じっくりと気長に相手をしてあげましょう。

1カ月健診で医師からOKが出れば、沐浴を卒業し、大人と同じお風呂に入ることも可能です。その場合は、一番風呂に入れ、湯冷めには注意してください。外気浴も少しずつとり入れ、慣れてきたら10分程度のお散歩をしてみましょう。外の空気や風、光が赤ちゃんの五感を刺激して、発達の手助けとなるはずです。

「豊かな表情に、ママも思わず笑顔に」

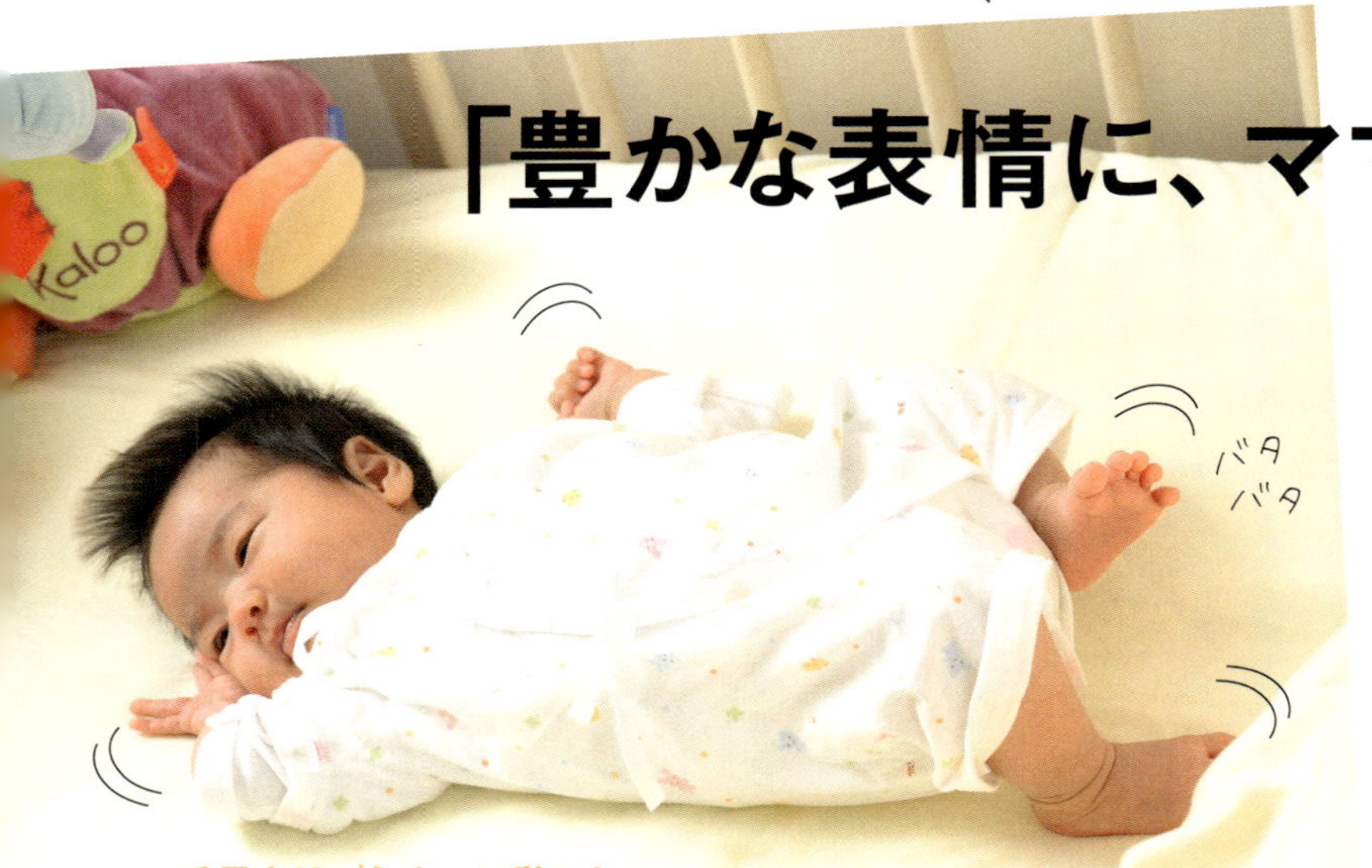

手足をリズミカルに動かし、踊っているみたい♪

手足を交互に元気よく動かし、最近は腰をひねる動きも始まりました。一定のパターンで手足を動かす、このような動きは生後2カ月ごろまで見られます。

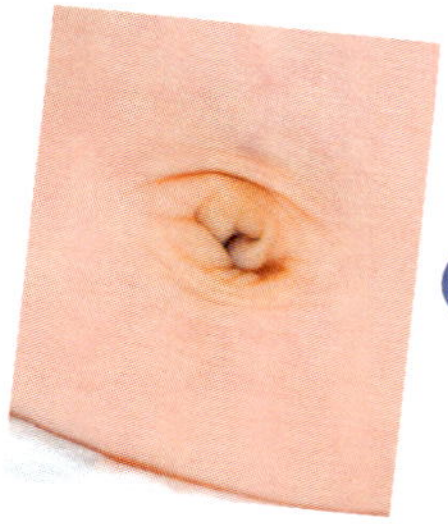

おへそが完全に乾きました

生後1週間ぐらいでへその緒がとれたあと、少しジクジクしていたおへそ。今は、しっかりと乾きました。

湿疹＆あせもが発生！

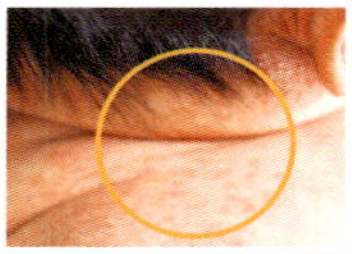

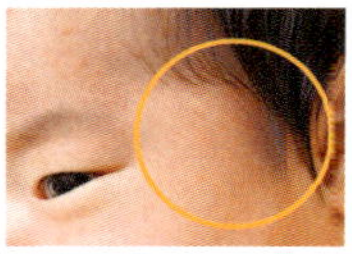

首（後頭部）と肩には、あせものような湿疹がびっしり。生えぎわには乳児湿疹がちょっぴり出ています。

亜由美ママの育児ダイアリー

次女のせいか、甘えん坊。ばあばがいなくてもがんばるぞ！

1カ月で体重が680gふえ、身長が4㎝伸び、ふっくらした体つきになって、キック力も強くなってきました。最近は午後2時ごろになるとぐずり始め、夜10時ごろに寝るまでグズグズ＆おっぱいのくり返し。なので、夕食の準備中も、手伝いに来てくれている私の母に見てもらったりしてたいへんな毎日です。お姉ちゃんの相手もままなりません。まもなく母が帰ってしまうので、そのあとはどうなる⁉　ぐずったときは授乳して、機嫌をとっているのですが、効果がないみたい。甘えん坊で、かまってほしいのかもしれませんね。

礼ちゃんの一日

時刻	礼ちゃん	家族
AM 1〜2	ねんね	
3	おっぱい	
4〜5	ねんね	
6	おっぱい	
7〜8	ねんね	ママ起床 朝食／パパ起床
9		ママと姉を幼稚園へ送る
10〜11	ごきげん	ママ家事
0	おっぱい	
PM 1〜3	ねんね	ママ昼食
4〜9	グズグズ おっぱい お散歩 おっぱい おっぱい お風呂 おっぱい おっぱい	ママずっと抱っこ／夕食
10〜0	ねんね	パパ帰宅／ママお風呂／パパ・ママ就寝

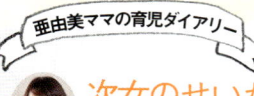

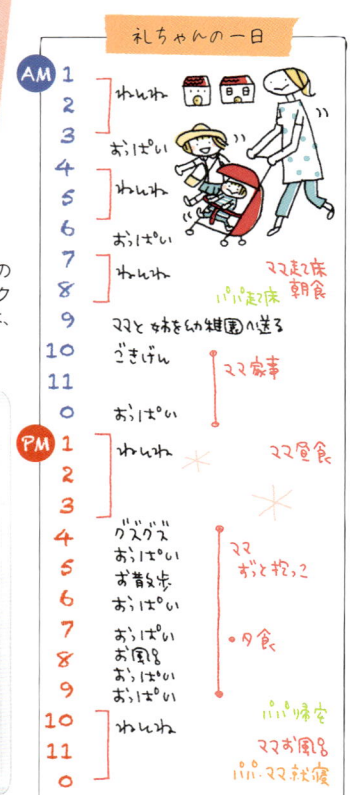

「魔の午後2時はぐずって泣きやみません!」

寝つくまでは号泣の午後です

眠くなるとグズグズで、眠るまで泣きやみません。それが毎日午後2時。外に出ると落ち着きますが、暑い日はそれもダメ。室内と外を行ったり来たりして寝かしつけます。

お出かけ大好き！幼稚園のお迎えに出発だ☆

ベビーカーに乗って、お姉ちゃんの幼稚園へお迎えへ。グズグズのときも、これに乗ると笑顔になります。ゆれたり、風にあたるのが気持ちいいのかな。

ADVICE

使う期間の短い育児グッズはレンタルを利用しても

使う期間が限られているベビーベッドやベビーカーはレンタルサービスを利用しました。「カタログだといろいろ選べるし、荷物がふえないのがうれしい」とママ。

お昼寝はベビーベッドの中でスヤスヤ。
上の子のいたずらからも守れて安心です。

みんなの1カ月 泣いた！笑った！がんばったSTORY

「産後の肥立ちがよくなるように」と、母に言われて、1カ月は外出できませんでした。家の中で、育児と食事以外はボーッとする日々。1カ月後にやっと外出でき、まず行ったのが近所のケーキ屋。ひと口食べてなぜか涙が出ました。（えみちゃんママ）

授乳に1時間かかり、抱っこしないと寝てくれなくて、眠れないことがつらかったです。ある日、おなかの上でうつぶせにしてみたら、寝てくれました！その後しばらくは、私のおなかの上で寝ていてかわいかったです。（湊也くんママ）

1カ月健診へ行く途中、ベビーカーに乗せていたらひどく泣きだしたので抱っこを。首もすわっていないので両手で……。ベビーカーを腕とおなかで押して病院へたどり着きました。帰りは電車にも乗れず、タクシーに乗りました。（怜ちゃんママ）

一日中母乳のことを考えていたので、2つ並んだみかんがおっぱいに見えたり、「いっぱい」という字が「おっぱい」に見えました（笑）。その後、混合にして、幸せそうにミルクをあげるパパや祖母を見て、よかったと思いました。（菫ちゃんママ）

おむつ替えのとき、おむつをパッと開いたとたん、おしっこもうんちも勢いよく飛ばし、1mくらい離れたアイロン台をうんちまみれにしてしまいました。それ以来、おむつを替えるときはそっと開くようにしています。（歓太くんママ）

1カ月の赤ちゃん 気になることQ&A

Q 毎日、夕方になるとグズグズ

A 生活リズムができるとおさまってきます

夕方から夜にかけてずっとグズグズが続くと、ママも困ってしまいますね。パパが仕事で帰りが遅ければ、家事もできないし、抱っこしている手もつらいでしょう。でも、ママの不安感は赤ちゃんにも伝わるので、ママがイライラするほど赤ちゃんのグズグズがひどくなってしまうことがあるかもしれません。そのためには、ママがなるべく不安やイライラを抱え込まないことも大切といえます。赤ちゃんがグズグズし始めたら、散歩して外の空気を吸ったりして、ママも気分転換をしましょう。

生後4～5カ月ごろになれば、朝明るくなると起きて、夜暗くなると眠る、というように生活リズムが整ってきます。そうなれば、グズグズも減ってくるはずです。長くてもあと数カ月のことなので、夕方の家事は午前中にすませるなどして、おおらかな気持ちで、赤ちゃんにつきあってあげられるといいですね。

Keyword

生活リズムって？

朝、明るくなると起きて活動し、夜はしっかり眠って休むこと

赤ちゃんは、生後4～5カ月ごろから体内時計が整ってきます。その時期に早寝早起きの生活リズムをつくってあげるのはママ・パパの大切な役目。夜にしっかり眠ることにより、成長ホルモンやメラトニンが分泌し、脳と体が休息し、記憶の整理や定着も行われます。家族そろって早寝早起きの習慣をつけましょう。

Q 「心雑音《しんざつおん》」って何もしなくて大丈夫？

A 検査で問題なければ心配しないで

この時期の心雑音の多くは、心臓に異常はなく、「機能性《きのうせい》（無害性《むがいせい》）雑音」と呼ばれるものです。その原因の多くは、「肺動脈弁《はいどうみゃくべん》狭窄《きょうさく》」と考えられます。赤ちゃんの肺は生まれた瞬間に空気が入ってふくらみ、肺呼吸が始まります。それによって肺動脈にも血液が流れるようになりますが、この血管が狭いために、血液が流れるときに雑音が生じることがあるのです。超音波検査で異常がないなら、心配ないと考えてかまいません。

Q “うーん”といきんでいます

A 苦しいわけではなく、よくあること

これは、0～2カ月ごろの赤ちゃんにはよく見られること。うんちを出そうとしていきむことが多いようですが、理由がないのにしていることもあります。真っ赤な顔をしていきんでいる姿を見たママ・パパはびっくりするでしょうが、苦しいとか痛いというわけではないので、心配しないで。あまりに長くいきんでいるようなら、うんちが出やすくなるよう、おなかをやさしくさすってあげてもいいでしょう。そのうちにしなくなります。

Q 緑色のうんちは何かの病気？

A 赤ちゃんには珍しいことではありません

赤ちゃんのうんちは、多くは黄色っぽい色をしています。これは、赤ちゃんの肝臓で作られたビリルビンという胆汁色素が、消化された母乳のカスとまざり合うことで黄色くなるため。このビリルビンは元は緑色のビリベルジンという物質で、それが肝臓でビリルビンに変化するのです。たまたま色素が変化しないと、そのまま緑色のうんちが出ることがあります。これは珍しいことではなく、病気ではないので心配いらないでしょう。

うんちについて

赤黒白のうんちは小児科を受診して！

赤 肛門にやや近い大腸に出血がある兆候。腸重積症や腸炎、食物アレルギーの疑いが。ドロッとした血液が混じっていたら即受診を。

黒 口や胃から出血があるサイン。胃や十二指腸に炎症を起こした場合に見られ、注意が必要。「新生児メレナ」という病気の疑いも。

白 ロタウイルスによる下痢症は白いうんちが特徴で、嘔吐も伴います。胆道閉鎖症や新生児肝炎でもうんちが白、灰白色、淡黄色になります。

うんちは病気や不調のサイン。右のようなうんちのときは、うんちのついたおむつを持って小児科へ。

Q おむつかぶれの対策を教えて！

A こまめにおしりを洗い、乾かしてからおむつを

生後6カ月ごろまでは、うんちの回数が多い赤ちゃんもいて、おしりがかぶれやすいことがあります。おむつ替えのときは、おしりふきで強くこすったりせず、ぬるま湯で洗い流し、おしりをしっかり乾かしてから、おむつをつけてあげるといいでしょう。ケアしてもよくならない場合、赤くただれるなど症状がひどい場合は、カンジダというカビによる皮膚炎の可能性も。その場合は受診して、治療薬を処方してもらうとよいでしょう。

Q 沐浴のとき、耳をふさがなくて大丈夫？

A 水が奥まで入ることはありません

耳をふさぐ必要はありません。以前は、赤ちゃんの耳に水が入らないように「沐浴のときに耳をふさぐ」と指導されることもあったようですが、耳に水がかかっても、耳の奥に入り込んで鼓膜に達しはしないので、心配しないで。沐浴後に耳をふいてあげるときも、入り口付近を軽くふくだけでじゅうぶんです。綿棒などを使って奥までふこうとすると、耳の中を傷つけたり、汚れを押し込むこともあるので、やめましょう。

Q 外気浴は必要？

A メリットがあるので短時間でも外気浴を

日中、赤ちゃんを外の空気にふれさせてあげることは大切です。外気が肌にふれることで自律神経を刺激し、寒いときに体内の血管が収縮し、暑いときには拡張するという働きを促進したり、体温調節の訓練になるというメリットもあります。また、赤ちゃんだけでなく、ママにとっても、外に出ることは気分転換になるはず。雨や雪、強風の日は別として、天気のよい日は、短時間でいいので、なるべく外気浴の時間をつくってあげましょう。

Q ちょっとした音で起きてしまいます

A 神経質になりすぎず、生活音に慣れさせて

赤ちゃんが眠っていると、テレビの音を消したり、忍び足で歩いたりということもあるでしょう。ただ、あまり静かにしすぎると、かえって音に敏感になり、ちょっとした物音でも起きてしまうということもあるようです。音に慣れさせるためにも、普通の生活音は抑えないほうがいいかもしれません。最初は起きるかもしれませんが、だんだん慣れていくはず。赤ちゃんは少しくらい騒がしくても眠れれば眠るので、心配は不要です。

2カ月

表情が豊かになってきて あやすとニッコリ こたえてくれます

私たちも2カ月Babyです

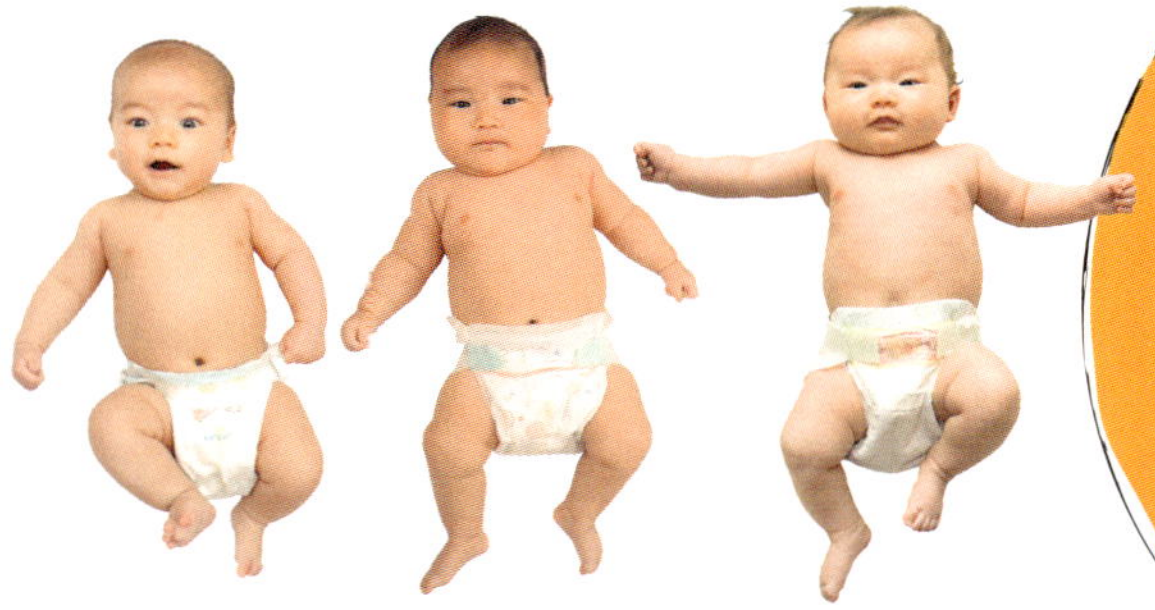

♂矢野健斗くん 55.0㎝・6000ｇ

♂大森凜空くん 61.0㎝・6800ｇ

♀川原 翠ちゃん 60.1㎝・5940ｇ

	身長	体重
BOY	54.5～63.2㎝	4410～7180g
GIRL	53.3～61.7㎝	4190～6670g

※2～3カ月未満の身長と体重です。

たて抱きにしても姿勢を保てるようになります

新生児のころとは見違えるほど、体が大きくなり、むちむちした赤ちゃんらしい体型になってきました。首すわりは完全ではありませんが、グラグラすることが減り、少しの間ならたて抱きにしても姿勢を保てるようになります。これでずいぶんラクになりますね。目もよく見えるようになってきて、あやすとニッコリほほえんだり、声を出して喜んでくれるので、育児の楽しみがグンと増すことでしょう。

運動能力の発達

原始反射が消え、自発的な動きができるように

新生児のころから見られた「原始反射」はしだいに消えていきます。その一方で、自発的な行動が見られるようになるのが、このころ。そのひとつが「ハンドリガード」という、自分の手を見つめる行動です。最初はおそらく、たまたま動かした手が目に入り、ママの手と同じく「よその何か」と思って見ているのでしょう。しかし、その手を口に運んだりしゃぶったりするうちに、「これは自分の体の一部だ！」という発見をします。その瞬間から、手は赤ちゃんにとって、自分の意思で動くものとなり、自発的な行動が始まるのです。

首が安定してくるので、うつぶせにすると、頭を持ち上げようとする子もいます。ただ、うつぶせをいやがり泣きだす子も。これも個性の一つなので、できないと決めつけず、受け入れてあげましょう。

口の動きも発達して、「あっく～」「うっく～」といったクーイングも、前月に比べて大きく、はっきり発音できるようになります。

体の発達

皮下脂肪がふえ、ふっくらした体つきに

生後3カ月ごろまでは、体重がめまぐるしく増加する時期で、おっぱいやミルクをたくさん飲み、皮下脂肪がふえます。皮脂分泌はまだ盛んなので、顔を中心に乳児湿疹や脂漏性湿疹が出やすいので、きちんとケアしてあげましょう。また、排便の回数が減ってきて、便秘を気にするママもいます。排便にはその子のペースがあり、たとえば3日に1回だけでも、スムーズに出ていれば心配いりません。

心の発達

感情が育つことで「社会的な笑い」が出るように

首が動かせるようになり、自分の意思で興味のあるものを見られるようになると、知能がぐんぐん発達し、身のまわりのものに興味が出てきます。抱っこして外に出て、動物や鳥、バスや電車、植物などいろいろなものを見せてあげましょう。

感情も複雑になってきて、あやすとよく笑います。これは、新生児のころの微笑とは異なり、「社会的な笑い」と呼ばれます。大人が声をかけると、答えるように「あーうー」と声を出すことも。かまってほしいときに声を出すこともあります。赤ちゃんの好奇心を伸ばすためにも、積極的にかかわってあげましょう。

2カ月の赤ちゃん

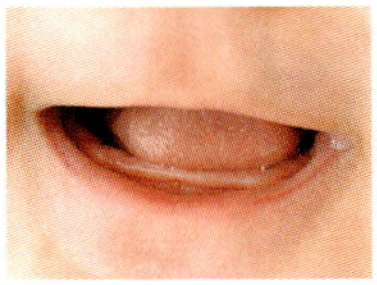

口

指しゃぶりが始まる子も

手を顔の正面に持っていくようになり、指やこぶしをしゃぶる子も。クーイングは活発に。発音がはっきりしてきます。

表情

楽しいときに笑顔が！

視覚や聴覚が発達して、あやされる＝楽しいと思えるようになり、笑顔が出るようになります。ママがほほえむと、赤ちゃんもうれしい♪ そんな笑顔の交わし合いができるように。

手

これは何？ 手を見つめます

顔の前に手を持っていき、じーっと見つめる「ハンドリガード」という動作をします。これは、手が自分の体の一部だと、初めて認識しているのです。

足

力強く足を曲げ伸ばし

ひざの屈伸運動が力強さを増し、おむつ替えがたいへんになるほど！ あやされると喜んで、ピョンピョン曲げ伸ばしをする子もいます。

2カ月って、こんな感じ！

うつぶせから頭を上げられる

首がだいぶ安定してきて、うつぶせにすると数秒なら頭を上げられる子も。ひじで体を支える力や、バランス感覚も養われてきます。

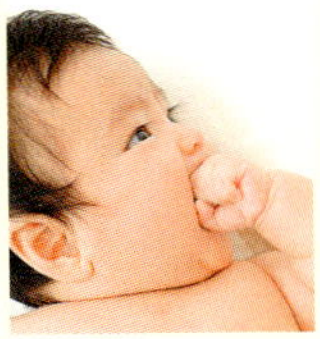

こぶしを口に入れ、しゃぶります

口元に手を持っていき、グーのままなめたり、盛んにしゃぶってみたりします。こうして自分の手の存在を確認しているのです。

2カ月の飲む・食べる

- 授乳間隔が3～4時間あいてくる
- 夜中の授乳がなくなる子も

口まわりの筋肉が発達してじょうずに飲めるように

飲み方が上達し、一度に飲める量がふえるので、次に飲みたがるまでの間隔が長くなる子がふえてきます。間隔があくと、足りているか心配なママもいるかもしれませんね。4～5時間の間隔でも、しっかりと授乳できていれば、栄養面は問題ないでしょう。

2カ月の生活
どんなふうに過ごしている？

朝日を浴び、散歩をするなど、メリハリのある生活を

そろそろ昼夜の区別がつくようになり、授乳の間隔もあいてきます。昼間起きている時間が少しずつ長くなり、夜まとめて眠る赤ちゃんもふえてきます。そうなると、「昼でも夜でも、ランダムに寝たり起きたりして、就寝時間は赤ちゃん次第」という生活はもう終わり。意識的に赤ちゃんの生活リズムを整える工夫が必要な時期になります。朝はカーテンを開けて、朝日を浴びて起床し、日中は散歩や遊びの時間をふやし、夜は一定の時間に入浴、部屋を暗くして寝かしつける暮らしにシフトしましょう。夜中の授乳で、夜型になっているママもいるかもしれませんが、大人がリードして、生活にリズムをつくってあげるといいですね。

こんなふうに成長します！

伊藤 晴くんの場合
身長57.3㎝★体重4990g
撮影日／2カ月19日目

んでいます」

ママが「あーあー」というと「うーうー」と返事が♥
ママの口元をじっと見ながら「うーうー」と返事をします。声を通じて、ママやパパなど、親しい人とのやりとりを楽しんでいるみたい。

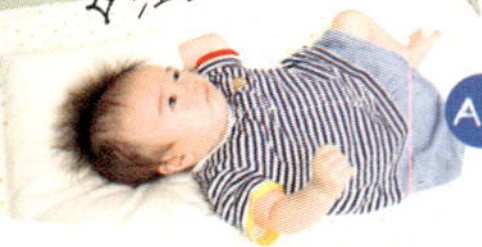

動くメリーに夢中！ジーッと見つめます
ベビーベッドの柵につけたメリーに夢中。クルクル動く人形を目で追います。よく見えているのですね！

綾子ママの育児ダイアリー

ひとり遊びができるようになってママは家事ができて助かります

1カ月の終わりごろからひとりでメリーを見つめたり、こぶしをチュパチュパなめて遊ぶようになりました。15分ほどであきてくると「アーイ」と声を出してママを呼びますが、場所を移動してあげると、またひとり遊びを始めるので、私も家事をする余裕ができて、助かっています。最近は、ベビーマッサージ教室に参加していますが、集団の場ではぐずってしまうことも。場所や雰囲気がいつもと違って、不安になるのでしょうね。今月はお宮参りにも行きました。本人はずっと眠っていたけれど、家族の大事な記念日になりました。

晴くんの一日

AM 1	ねんね おっぱい	
2		
3	ねんね	
4		
5	おっぱい	
6	ねんね	ママ起床
7		
8	おっぱい ごきげん	パパ起床 パパ・ママ朝食
9		
10	ねんね おっぱい	ママ家事
11		
0	外気浴	
PM 1	ねんね	ママ昼食
2	おっぱい	
3	ねんね	ママ 散歩. ママ会. ベビー教室 買い物 etc.
4	おっぱい	
5	外気浴	
6	おっぱい	ママ 夕食準備 夕食
7	ごきげん＋ママとお風呂	
8	おっぱい	
9		
10	おっぱい	ママ就寝
11	ねんね	パパ帰宅. 夕食 就寝
0		

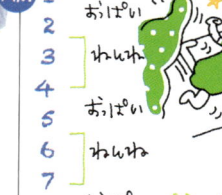

2カ月の生活

「ママの読み聞かせる声が大好きみたい(うれしい♪)」

ADVICE

話しかけてくれる“人”の声、特にママの声が大好き

赤ちゃんはおなかの中にいるときから、ママの声を聞いています。ぐずっていてもママの声で落ち着くのはそのため。「聞く」ことは脳の発達面でもとても重要なので、どんどん話しかけてあげて。

紙に厚みがあり、仕掛けがあったり、赤ちゃんでもめくりやすいボードブックは絵本デビューにぴったり。

こぶしチュパチュパ→よだれベトベト

このころ始まった指しゃぶり。吸う力が強くなり、よだれもふえてきました。楽しそうに、チュパチュパと音を立てて、こぶしをしゃぶっています。よだれで手もベトベトに。

「声を出してやりとりを楽し

うつぶせは苦手!?目がウルウルでした

そろそろうつぶせで首を持ち上げる時期かな、と思って、うつぶせにしてみました。でも、まだ早かったみたい……。少し泣きそうに、目をうるませていました。

足でグイグイと布団をけとばします

ベッドに寝かせると、足を動かして、じっとしていません。足の力も強くなり、タオルケットをかけても、すぐにけり上げちゃいます。将来はサッカー選手かな（笑）。

みんなの2カ月 泣いた！笑った！がんばったSTORY

娘が急に入院して、私も疲れで母乳の出が悪くなりました。がんばろうと思うと出なくなり、ある日、ミルクでも育つ、と割り切ったら出るように！　義母が「ミルクか母乳か気になるのは今だけ」と言ってくれて心強かったです。（春菜ちゃんママ）

朝、ベビーがまだ寝ていたので、私だけ起きて家事をしていたら突然、寝室でギャン泣き。あわてて行くと、枕が顔にかぶさっていました。あせった！　動かないと思って油断していたのです。それ以来、枕を使うのはやめました。（たつきくんママ）

育児にも慣れてきて、そろそろ家事をがんばり始めた時期です。抱っこひもやベビーカーで赤ちゃんを連れて、スーパーに行くことさえ、慣れるまでたいへんでした。夫が忙しかったので、料理も洗濯もおんぶしながらしていました。（湊也くんママ）

低月齢のころ、あやしても泣きやまないとき、「ぞうきんの歌」を歌いながら、手遊びしてあげると、なぜかいつも笑ってくれました。10カ月になった今は、もう笑いませんが……。月齢によって好みって変わるんですね。（たくまくんママ）

お風呂に入れるのも慣れてきたころです。週に１度のパパがお風呂に入れる日、ベビーが、私と入るときとは違う、ほわーんと安心しきった顔をしていました。「こんな表情もするんだ～」と発見して、笑っちゃいました。（菜月ちゃんママ）

2カ月の赤ちゃん 気になることQ&A

Q 背中やおしりに湿疹が！

A まずは湿疹の原因を探ってみましょう

おしりの湿疹はおむつかぶれの可能性がありますし、冬でも室内の温度が高すぎたり、着せすぎるとあせもができることがあります。まずは、左にあげたようなことがないか、原因を探ってみましょう。原因をとり除くことですぐに解消することもあります。解消しない場合や原因がわからない場合は、小児科で相談を。

肌トラブルについて

肌トラブルが起きた！ ココをCheck

- ☑ 着せすぎていない？
- ☑ おむつをこまめに替えている？
- ☑ 刺激になるようなものが衣類についていない？

じんましんなど、受診時までに消えてしまう湿疹もあるので、カメラなどで撮影し、診察時に見せると、より有効な診療が受けられます。

Q いつも同じほうに顔を傾けています

A 向きぐせや頭の形、筋性斜頸《きんせいしゃけい》の可能性も

首の筋肉にしこりができて、いつも左右どちらかに首が傾いた状態になることを筋性斜頸といいます。筋性斜頸は乳児健診で見つけることができ、その多くは成長するにつれて治っていきます。また、向きぐせや頭の形によって、同じ方向を向いていることもあります。気になるなら次の健診で相談しましょう。

Q 光の刺激はよくない？

A 日中は大人と同じような明るさで過ごさせて

赤ちゃんは、昼は明るく、夜は暗く静かなところで過ごす生活で少しずつ、「昼起きて夜眠る」という睡眠リズムをつくっていきます。昼寝をしている間は部屋を少し暗くしてもいいですが、日中はカーテンを開けて太陽の光を取り入れるなど、大人が過ごすのと同じような明るさにしてあげるといいでしょう。

Q 立って抱っこしないと大泣きします

A トントンして寝かせ、多少泣かせてもOK

眠くなると、抱っこでゆらゆらされないと泣いてしまう赤ちゃんもいます。きっとママのおなかの中を思い出して安心できるのでしょう。でもずっと立って抱き続けるママはたいへんです！　泣かれることをこわがらず、横にして寝かせる方法を試してみて。声をかけてトントンすると、ママの心臓の鼓動を思い出して泣きやむことも。泣くことには腸の運動を助けるメリットもあるので、少しぐらいなら泣かせてもいいかもしれません。この状況がいつまで続くかについては個人差がありますが、必ず、横になって眠るときがきますよ！

わが家はこうやって乗り切っていました！

1. おくるみでくるんで抱っこ→置く
2. 抱っこしてバランスボールに座る
3. ラッコみたいにおなかの上に抱っこ

手までくるんであげると、布団に下ろしても起きにくい。バランスボールの縦ゆれ、ママの鼓動も寝かしつけに効果的。

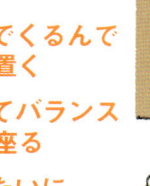

Q お風呂上がりに白湯や麦茶は必要？

A 水分は母乳やミルクで足りています

基本的に、赤ちゃんに必要な水分は母乳やミルクだけでじゅうぶん足りているので、お風呂上がりの白湯や麦茶は「絶対に必要なもの」ではありません。5～6カ月ごろ離乳食を始める準備の一つとして、「おっぱいやミルク以外の飲み物を、初めて与えるタイミングは、いつがいい？」と考えたときに、「あげるならお風呂上がりの、のどが渇いているときに与えてみたら？」というぐらいのもの。必ず飲ませなければならない、というものではありません。

Q あまり声を出さないけど大丈夫？

A 健診で問題がなければその子の個性

乳児健診で問題がないといわれているなら、泣く以外にあまり声を出さないのは、その子の個性と考えていいでしょう。同じ赤ちゃんでも、おとなしい子、よく泣く子、活発な子、寝てばかりいる子などいろいろなタイプがいて、いずれも個性のひとつ。将来の言葉の発達とは関係ないので、心配せずに、日常生活の中で「おはよう」「おいしいね」など、たくさん言葉をかけてあげるといいでしょう。

Q 6カ月未満でもかぜをひく？

A ママがうつる病気は赤ちゃんもうつります

よく「6カ月まではかぜをひかない」といいますが、これは生まれてから6カ月ぐらいの間は、おなかの中にいたときにママからもらった免疫が働くから。ママと同じ免疫を持っているというだけなので、ママがうつるかぜは赤ちゃんもうつる可能性があるということ。ですから2カ月でも感染症にかかることはあります。残念ながら万全な予防策はありませんが、人混みなど、うつされやすい場所には長居しないようにしましょう。

Q 低体重で生まれた子が注意することは？

A 呼吸器系の疾患に注意が必要です

出産予定日より早く、低体重で生まれた赤ちゃんは、体のさまざまな機能が未熟なため、合併症を起こしやすくなります。特に、肺などの呼吸器が未熟な状態で生まれることが多いため、生後は呼吸器系の病気に注意が必要です。なかでも、RSウイルスによる細気管支炎を起こすと重症化しやすいため、低出生体重児はRSウイルスの重症化予防のための抗体接種をおすすめします。出生週数などの条件に応じて保険が適用されることもあるので、近くの小児科で確認しましょう。また、早く生まれた分、運動発達などは遅れがちですが、成長するにつれて追いつくことがほとんどなので、あまり心配せずに様子を見ましょう。

Keyword

低体重って？

2500g 未満	低出生体重児
1500g 未満	極低出生体重児
1000g 未満	超低出生体重児

低出生体重児の多くは、早産で生まれた赤ちゃんです。なかには、満期産で生まれても、なんらかの理由で低体重になってしまう赤ちゃんもいます。

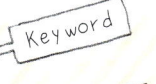

近場から、ちょっと遠出、旅行まで

楽しい思い出、つくりましょ♥ 赤ちゃん連れのお出かけ

column 1

近所の公園、車や電車でショッピングモール、家族で初めてのお泊まり旅……、お出かけにはベビーの心を刺激するワクワクがいっぱい。でも油断すると、思わぬアクシデントにあたふたしちゃうかも!? 基本ルールを知って、お出かけを100%楽しみましょう！

親子で楽しむコツを伝授！

距離を少しずつ延ばし、経験をふやしていって

1カ月健診が終わったら、赤ちゃんとのお出かけが解禁に！ 最初は、家のまわりをゆっくり歩いたり、スーパーに買い物に行ったり、児童館に遊びに行くなど、ご近所散策から始めましょう。近場でのお出かけ経験を重ねることで、「どんなアイテムが必要か」「何を調べておけばいいか」といったことのほか、「ベビーカーは10分が限界」「おむつ交換台をいやがる」など、ベビーの性格を知ることができます。

近場に慣れてきたら、出先での滞在時間を延ばしたり、電車やバス、車移動に挑戦してみましょう。距離を徐々に延ばすことで大きな失敗を防ぐことができ、ママも安心して出かけられるようになります。無理のない余裕をもったタイムスケジュールで、お出かけならではの体験をたっぷり味わって。経験値を積めば、帰省や旅行などのお泊まりだって楽しめます！

お出かけ前にチェック

\スケジュール/

1 ベビーの生活リズムをくずさない

お出かけは、赤ちゃんの負担にならないことが大事。授乳や離乳食、お昼寝のタイミングが大きくズレないように、お世話する場所も含めて予定を立てて。長時間のお出かけは避け、夕食時間までには帰宅するのが理想です。

\下調べ/

2 移動中&目的地のリサーチをしっかり

電車や車で移動するときは、混雑する時間帯や、ベビーがぐずったときに立ち寄れるお世話スポットなどを事前にチェック。目的地の赤ちゃんサービスは、ホームページやお問い合わせ電話で確認しておきましょう。

エレベーター、授乳室は？
お出かけ前には、駅のどこにエレベーターがあるか、授乳室やベビーベッドの有無、施設の見取り図などをウェブで確認。ネットの口コミも参考になります。

ベビーカーの貸し出しは？
ベビーカーの貸し出しサービスがあるところなら、抱っこひもだけでお出かけすることも可能。目的地のサービスや施設によって、持っていくアイテムも変わります！

子連れOKのレストランは？
ランチをはさむなら、食事場所のチェックも必ず！ 予約ができるレストランがあれば、赤ちゃん連れであることを伝え、予約しておくと安心♪

＼持ち物／

3 持ち物は書きだして、必要なものをチェック！

持ち物の基本は、おむつ替えセット、着替え、授乳＆ミルクセットの3つ。さらに、ピクニックなど外で過ごす時間が長いなら外セットを、昼食をはさむなら離乳食セットを追加！　行き先や目的によって荷物を調整しましょう。

持ち物リスト

飲み・食べ
- 粉ミルク（１回分ごとに小分けに）
- 哺乳びん
- 熱湯・湯ざまし
- ベビーフード
- 離乳食用スプーン
- お食事スタイ
- 飲み物・マグ
- おやつ

移動
- 抱っこひも
- ベビーカー

外
- 帽子
- 日焼けどめ
- 靴（あんよ以降）
- 日がさ・日よけ
- 敷きもの
- 虫よけ・虫刺され薬

お世話
- ガーゼ（１～２枚）
- 着替え（１セット）
- 羽織りもの
- ポケットティッシュ
- ウェットティッシュ
- ハンドタオル
- 大きめタオル

おむつ替え
- 紙おむつ（ふだん＋１枚）
- おしりふき
- ビニール袋（多めに）

そのほか
- 小さなおもちゃ・絵本
- カメラ・ビデオカメラ
- 母子健康手帳・健康保険証・乳幼児医療証・お薬手帳
- ばんそうこう

みんなのお出かけDATA

Q 移動手段で多いのは？

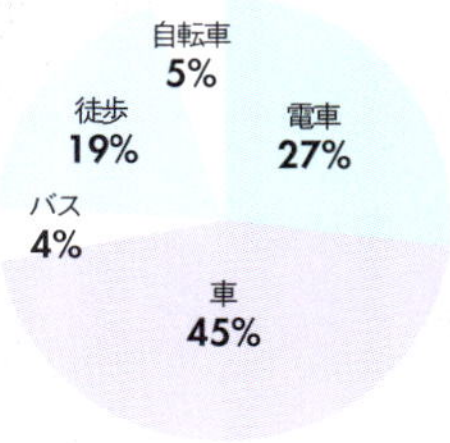

大都市圏のママは電車や地下鉄、郊外のママは車やバスの利用率が高い結果に。「公共機関の乗り物はベビーがぐずったときにつらいので、お出かけはほぼ自転車」「ふだんは電車が多いけど、ベビーの機嫌が悪い日は迷わずタクシー」という人も。

Q ベビーカーは持っていく？

ねんね期（0～6カ月ごろ）

ベビーカー派**31%**　併用派**14%**　抱っこひも派**55%**

おすわり期（7～11カ月ごろ）

27%　**54%**　**19%**

たっち～あんよ期（1才以降）

56%　**35%**　**9%**

ねんね期は抱っこひも派が多く、ベビーの成長とともに「移動＆お昼寝にはベビーカー、ぐずったら抱っこひも」という使い分けが一般的に。

Q 1週間のうち、何日くらいお出かけしてる？

1日	2%
2日	4%
3日	29%
4日	40%
5日	15%
6日	5%
7日	5%

「雨が降らなければ毎日」というアクティブ派を筆頭に、スーパーへの買い出しや児童館、子育て支援センターなどへのお出かけも含め、週3～4日が多数派に。お出かけの理由の1位は「ママの気分転換」、2位は「いろいろな経験をさせたい」、3位は「のびのび遊ばせたい」でした。

＼時期別／

持っていってよかったものランキング

ねんね期（0～6カ月ごろ）

1位　多めの着替え
2位　ブランケット
3位　おしゃぶり

ねんねのうちは授乳後に吐いたり、うんちモレも多いため、予備の着替えが大活躍！「ブランケットはひざかけとしてだけでなく、おくるみやおむつ替えマットの代用にもなって便利」との声も。3位のおしゃぶりは、グズグズ対策に重宝！

おすわり期（7～11カ月ごろ）

1位　おもちゃ
2位　抱っこひも スリング
3位　着替え

1位は、グズグズしたときに気分転換になるおもちゃ。続いて、ベビーカーを使いつつも「グズったときは結局、抱っこになるので」と抱っこひも、スリングがエントリー。汗やうんちモレのほか、この時期はよだれも増量！　スタイを含めた着替えが3位に。

たっち～あんよ期（1才～）

1位　おやつ
2位　着替え
3位　抱っこひも スリング

主張がはっきりしてきて、大人はたいへんな時期。パッと気をそらすのに効果絶大のおやつが1位に。「食べる、飲む、遊ぶ」で服が汚れやすい理由から、2位は着替え。グズグズしたとき用に、抱っこひも、スリングもまだまだ活躍！

3カ月

体重は生まれたときの約2倍に！
首がすわる赤ちゃんもふえてきます

私たちも3カ月Babyです

♂小川陽太くん 63.0㎝・8025ｇ
♂宮森和志くん 64.0㎝・5520ｇ
♀和田 心ちゃん 57.0㎝・5500ｇ

	身長	体重
BOY	57.5～66.1㎝	5120～8070g
GIRL	56.0～64.5㎝	4840～7530g

※3～4カ月未満の身長と体重です。

好奇心や意欲がぐんぐん育ち始めます

ぐんぐん体重がふえていた時期は終わり、ゆるやかな増加になります。発達では、首がほぼすわり、手を自分の意思で動かせるようになるという2つの大きな変化が見られます。この発達によって、目に入ったものを「さわりたい」「手にとりたい」という赤ちゃんの意欲や好奇心が育っていくのです。3～4カ月健診も忘れずに。発育・発達や授乳のこと、予防接種のスケジュールなど、気になることがあれば相談しましょう。

運動能力の発達

首がすわると、手を自分の意思で動かせるように

首がしっかりしてきて、腹ばいにすると、ひじで体を支え、首をグイッと持ち上げられるようになります。首すわり完成の目安は、たて抱きにしたときに、後頭部に手をそえなくても頭がグラつかないこと。まだ完全にすわらない子もいますが、少しずつでも首に力が入るようなら、心配はありません。首がすわると、抱っこがしやすくなり、外出もラクになるでしょう。

手の動きも器用になります。両手を胸の前で、もみ手をするように動かしたり、見つめたりします。軽くて持ち手が細いガラガラなどを握らせると、持って、口に運ぶこともできるようになります。これまで、手の動きは原始的な反射だったため、右手を上げると左手は下がるといった、パターンがありました。それが、「目で見て、興味を持って、手が出る」という自発的な動きができるようになったのです。これは、脳に近いところから始まった発達が、首から手まで進んだという証拠でもあります。

体の発達

視力が発達し、少し離れたものも見えます

ほとんどの赤ちゃんの体重が出生時の約2倍になります。身長も約10㎝伸び、ますます赤ちゃんらしい、丸々した体型に。体重の急激な増加が一段落するので、おっぱいやミルクの飲み具合が減ってくる子もいますが、心配いりません。視力が発達して、30㎝以上離れたものも少しずつ見えるようになります。首を自由に動かせるようになるので、視野に入ったものに興味を持ち、じーっと目で追うことも。オルゴールメリーやガラガラ、外の景色など、いろいろなものを見せてあげましょう。

心の発達

感情表現が大胆に！気に入らないと大泣き

表情が豊かになり、うれしいときは満面の笑みを見せてくれます。感情表現も大胆になり、こちょこちょ遊びに笑い声をあげる子もいます。これは、くすぐったいから笑うのではなく、楽しいという感情表現！半面、気に入らないときの泣き方も激しくなります。また、夕方になると泣く赤ちゃんも出てきます。これは「たそがれ泣き」「3カ月コリック」と呼ばれ、原因不明ですが、病気ではありません。ママはたいへんですが、数カ月もすればおさまります。抱っこであやしてあげて。

3カ月の赤ちゃん

3カ月の飲む・食べる

- 授乳のリズムが整ってくる
- 寝る前に飲むと、朝まで眠る子も

おなかがすいたら飲み、満腹になるとやめるように

授乳の回数や間隔が一定になってきて、多くの場合、3～4時間の間隔になります。夜中の授乳が減ると、ママの生活も落ち着くでしょう。また、大脳が発達し、満腹感がわかるようになるので、飲む量が減る子もいますが、心配はいりません。

表情

表現力が豊かに

あやすとよく笑い、かわいらしさが全開です。半面、気に入らないことがあると、大声で泣くなど、全身で気持ちを表現します。

口

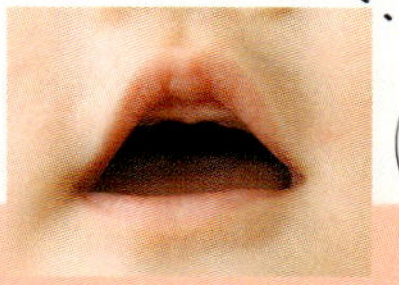

これは何？口で確認

喜ぶと、かわいい声を出すようになります。つかんだものを口に入れて、かたさや食感を確認するので、舌や唇の感覚も発達します。

手

ふれたときの“触感”が発達

手のひらの感覚が発達します。つるつる、ザラザラ、ふわふわなどの感触を実感し、楽しめるようになります。

足

バタバタ動いたり腰をひねったり

足はまだ思うように動かせませんが、下半身をひねるような動作ができるようになる赤ちゃんもいます。

3カ月って、こんな感じ！

下半身をひねって寝返りの練習!?

首がすわり、体がしっかりしてくると、動きがますます活発に。寝返りはもう少し先ですが、下半身をひねる子もいます。

腹ばいで首を持ち上げます

腹ばいの姿勢にすると、腕で上体を支えて、頭を持ち上げられるようになります。キープして首を自由に動かせれば、首すわり完成！

3カ月の生活
どんなふうに過ごしている?

こんなふうに成長します!

脇田 環くんの場合
身長52.7㎝★体重6000g
撮影日／３カ月9日目

昼夜の区別がつき、生活リズムが整ってきます

昼間起きている時間が長くなり、夜まとめて眠るようになります。昼夜逆転だった赤ちゃんも、3～4カ月ごろには、昼夜の区別がつくようになり、就寝や起床時間がほぼ一定になります。昼寝は1日に2～3回。起きている時間は遊んで過ごすことが多くなります。天気のいい日は、抱っこやベビーカーで、お散歩や買い物に連れ出し、外気にもふれさせてあげましょう。

一度にまとめておっぱいを飲めるようにもなるので、授乳の回数や量が定まってきます。授乳間隔が3～4時間くらいあいて、お出かけもしやすく、寝る前に飲むと朝までぐっすりなど、夜中の授乳が減ってくる子も。寝不足ぎみだったママの生活もようやく落ち着いてきますね。

「おもちゃをギュッと握ったりつかんだりできるように」

おもちゃを渡されると握って、なめて、遊びます

お気に入りのおもちゃはオーボール。ネット状になっていて、太さもちょうどよく、つかみやすいようです。渡してあげると、握って、なめて遊んでいます。

握力がついてきて握られた指が痛っ！

左右の手の力が強くなってきて、ギュッと握られた指先が紫に変色するほど……。たくましく成長していてうれしい♥

世以子ママの育児ダイアリー

反応がいいので、ついついかまいすぎちゃったり(笑)

３カ月になってから、話しかけると「あーうー」と声を出すことがふえました。あやすと笑ってくれるので、やたらとかまってしまいます♪　産後ずっと家に閉じこもりきりでしたが、首がすわったので、たて抱きにしてお出かけもできるようになりました。見つめたり笑ったり、少しずつできることがふえてきて、日々の育児を楽しんでいます。

体重は急増中で、この１カ月で1100gプラス！　先月まではジャストサイズだったスタイがきつくなってしまい、趣味のソーイングで手作りしています。これもママの気分転換に。

環くんの一日

AM	1	おっぱい	ママ就寝
	2	ねんね	パパ帰宅 お風呂・夕食
	3		就寝
	4	おっぱい	
	5	ねんね	パパ・ママ起床
	6	おっぱい	パパ朝食
	7	ごきげん	ママ朝食 パパ出勤
	8	おっぱい	
	9	ごきげん	ママ洗濯・片付け
	10	おっぱい	
	11	ねんね	そうじ・休憩
	0	おっぱい	
PM	1		昼食
	2	おっぱい	
	3	グズグズ	夕食準備
	4	おっぱい	
	5	グズグズ	
	6	おっぱい	
	7	ママとお風呂	
	8	おっぱい	ママ夕食 家事
	9	ねんね	
	10	おっぱい＋ねんね	
	11	ねんね	
	0		

3カ月の生活

ぬいぐるみを目で追います

なめこのぬいぐるみがお気に入り。これを見ると目で追ってニヤッと笑い、「あーあー」と喜びの声を出します。そんな表情がかわいらしくて、あやすときは、なめこがマストアイテムに★

“声を出して”笑うように

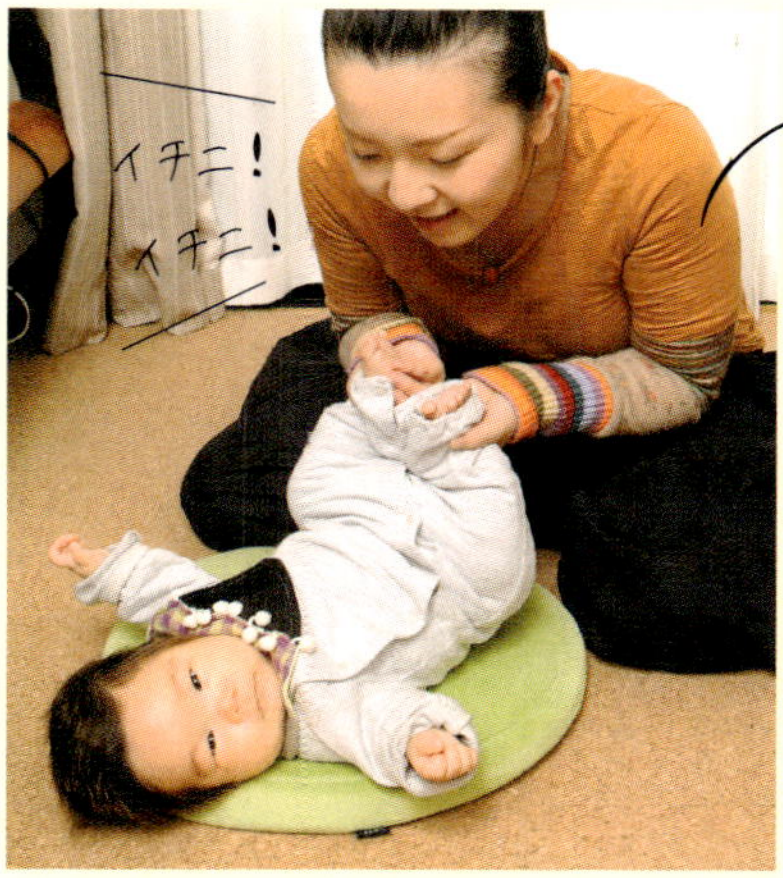

生まれてすぐは、生まれつきそなわっている反射で笑ったように見えましたが、生後２～３カ月ごろになると、心地よい、楽しいときは、自分の意思で声を出して笑うようになります。

こちょこちょ遊びが好きみたい

「くすぐったい」という感覚はまだですが、おなかや足をこちょこちょすると、笑い声をあげて喜びます。

「こちょこちょ遊びやお散歩を楽しんでいます」

お出かけは抱っこひもを使って

首がグラグラしなくなり、抱っこがラクになったので、お散歩に出かけたり、カフェデビューしてみたり。この体勢が好きみたいで、気づくと寝ています。

腹ばいで、首に力を入れて数秒間、頭をグイッと持ち上げられるようになりました。腕とひじで体を支えるので筋力もつきます。腹ばいが苦手な赤ちゃんは無理しないで！

みんなの3カ月 泣いた！笑った！がんばったSTORY

とにかく寝ない赤ちゃんで、ちょっとした物音にもびっくりして目が覚めて泣く……のくり返しでした。おっぱいも大好きで、おっぱいをくわえている間はスヤスヤ寝るのに、はずしたとたん号泣！ ママはほとんど眠れなかったな。（みはるママ）

寝返りが比較的早かったのですが、あおむけから寝返りして、うつぶせになっても、戻ることができませんでした。寝返り→戻れず号泣→ママが戻すというのをくり返す日々でした。成長はうれしいけどちょっとたいへんだった！（豪希くんママ）

まだ声は出さず、表情だけで笑っていたころです。お風呂に入れるとき、はだかのおなかに、ママの口を当ててブーッと息を吹いて鳴らすと、キャッキャッと声を出して笑いました。笑い声を初めて聞けたのがうれしかったです。（大翔くんママ）

予防接種で前の子がギャン泣きしても、うちの子は針が刺さった瞬間に「ウッ」と言っただけで、あとはケロッとしていました。先生もほかのママたちもびっくりで、「あの赤ちゃんは泣いていないよ！」と注目されまくりでした。（悠哉くんママ）

みるみる体重がふえて、成長曲線をはみだしそうに！おっぱいもすごく飲み、泣くたびにあげていたら、「あげすぎですね」と健診で言われてしまいました。回数を制限したり、量を気にしたり。毎日へこんでいたな～。（おうたくんママ）

3カ月の赤ちゃん

気になることQ&A

Q
指ではなく、げんこつをしゃぶっています

A
興味を持って確かめているのでしょう

赤ちゃんが指ではなく、大きく口をあけてげんこつをしゃぶっているので、ママは驚いたのかもしれませんね。この時期の赤ちゃんは、自分から20～30㎝離れたものが見えています。それはちょうど、授乳のときのママの顔や自分の手がよく見える距離。そして赤ちゃんにとって、興味を持ったものがどんなものなのかを確かめる方法が、口に入れることなのです。この赤ちゃんも自分の手に興味を持ち、なめたりしゃぶったりすることで、温度やにおい、味、感触などを確かめているのですね。赤ちゃんが成長するうえで大切な過程のひとつなので、やめさせる必要はありません。そのままやらせてあげましょう。

Q
ママがいないと大泣きします

A
〝今だけ〟と思ってこの時間を楽しんで

ママが離れると泣いてしまうのですね。医学的な根拠はありませんが、赤ちゃんはママが「何かしたい」「早く寝てほしい」と思うときほど、なかなか寝てくれないようです。むずかしいでしょうが、「赤ちゃんとの時間を楽しもう」くらいに思えるといいですね。ママがそう思うと赤ちゃんも落ち着くこともあるようですよ。

Q
うつぶせ寝が心配です

A
気づいたときはあおむけに

ふわふわしたやわらかい布団に寝かせていると、うつぶせになったときに口や鼻がふさがれて、呼吸ができなくなる危険性があります。また、うつぶせ寝の赤ちゃんのほうが、あおむけ寝より乳幼児突然死症候群（SIDS）になる確率が高いという報告もあるため、この時期はあおむけで寝かせるのが安心です。寝相が悪く、睡眠中にうつぶせになってしまうときは、気づいたときにあおむけに戻してあげましょう。

生後5～6カ月になれば、首もしっかりすわり、苦しければ自分で頭を持ち上げられるようになります。それまではまわりがこまめに様子を見て、睡眠中の危険を遠ざけてください。

Keyword

SIDSって？
（乳幼児突然死症候群）

元気だった赤ちゃんが、突然、睡眠中に亡くなってしまう

乳幼児突然死症候群（SIDS）は、日本での発症頻度は赤ちゃんの6000～7000人に1人と推定され、生後2～6カ月に多いとされています。原因はわかっていませんが、①うつぶせ寝を避ける、②できるだけ母乳で育てる、③赤ちゃんのまわりでは禁煙にする、ことなどでリスクが減らせるのでは、といわれています。

Q 頭皮からフケが出ます

A 原因を見きわめたうえ、水分と油分を補って

フケの原因は、①洗いすぎて皮脂が失われている、②汚れがきちんと落ちていない、という2つが考えられます。洗いすぎている場合は、洗髪を2日に1回にするなど、回数を減らすと改善できることも。また、体用の石けんではなく、頭髪用のシャンプーを使ってみましょう。保湿はローションなどサラッとしたものを先に塗り、水分をたっぷり与えたうえで、クリームやオイルなどの油分で皮膚を保護して。洗うときはガーゼよりママの手が◎です。

肌の乾燥について

フケがポロポロ落ちる！
ココをCheck

- ☑ 洗いすぎて皮脂が失われている
- ☑ 汚れがじゅうぶんに落ちていない

頭には頭皮と頭髪の汚れがあって、体の皮膚の汚れとは異なります。石けんよりも、頭髪用のベビーシャンプーを使うとしっかり汚れが落とせます。

Q 大泉門《だいせんもん》はいつ閉じる？

A 1才半ごろまでには閉じる子が多数

頭の骨は、大きな一枚ではなく何枚かに分かれています。出産時は骨と骨を重なり合わせて、頭を細くして産道を通り、出生後は重なりがなくなって、すき間をつくります。これは脳の成長に対応できるよう、準備しているのです。そのすき間のうち、頭頂部にあるのが大泉門です。脈拍に合わせてペコペコしたりします。個人差はありますが、頭蓋骨が発達する1才半ごろまでには閉じると考えられています。今はかたい骨では保護されていないので、強く押さないようにしましょう。

Q つめを切っているのにひっかき傷が！

A こまめに切り、やすりでなめらかに整えて

まだ3カ月なので、「かゆくて、かく」というよりは、たまたま手が顔に当たって傷ができたのでしょう。赤ちゃんのつめは意外と速く伸びるので、こまめに切ってあげることが大切です。ひっかき傷がたくさんできるような場合は、ミトンをしてもいいでしょう。ただ、傷ができてもいずれ治るので、あまり心配しないで。つめを切ったあとは、やすりなどでなめらかに整えてあげるといいですね。

Q 首がグラグラしてすわりません

A もう少し様子を見て、4カ月ですわればOK

3カ月で首がすわる赤ちゃんは、全体の50～60％で、まだ半分ぐらいといえます。3～4カ月健診のときに首がグラグラしていて、「様子を見ましょう」と言われることも多いはず。すると、「うちの子は遅い？」と心配になってしまうママもいるでしょうが、発達のスピードには個人差があるもの。まだ首が完全にすわっていなくても、心配することはありません。4カ月ですわれば問題ないと考えられるので、もう少し様子を見ましょう。

3～4カ月健診へ行こう！

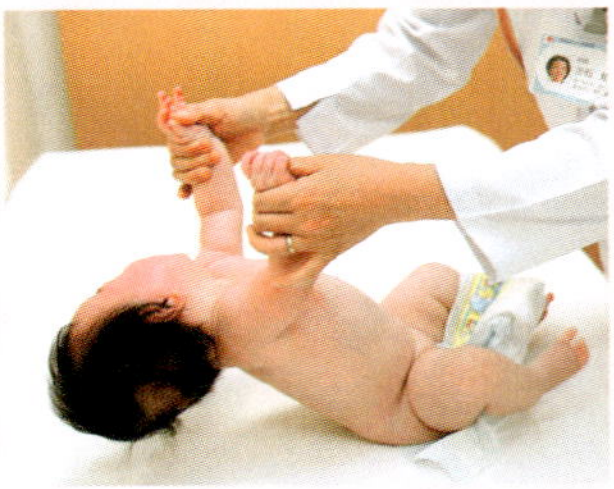

ポイントは首すわり。このほか、声の発し方、筋肉の様子などから、発達や病気の有無を総合的に判断します。

どうかな？

★ 首すわりの様子

赤ちゃんの両手を持って引き起こし、首がついてくるかを見て、神経的な発達を確認。

★ 股関節の開き

１カ月健診に続き、先天性股関節脱臼の有無を調べます。X線撮影がすすめられることも。

★ 耳の聞こえ

耳の横でガラガラを振り、音のするほうを向くかどうかで聴力を調べます。

★ 追視

光などを見せ、目で追うかを確認。ぐずってできなくても、家でママを目で追うならＣＫ。

など

4カ月

首すわりが、ほぼ完成！
自分でふれてなめて五感が発達します

私たちも4カ月Babyです

♂藤井陽太くん 63.0cm・6500ｇ
♂加瀬結人くん 65.0cm・7440ｇ
♀沖 杏奈ちゃん 61.2cm・6015ｇ

	身長	体重
BOY	59.9〜68.5cm	5670〜8720g
GIRL	58.2〜66.8cm	5350〜8180g

※4〜5カ月未満の身長と体重です。

聴覚と視覚など、感覚を関連づけられるように

ほとんどの赤ちゃんは首すわりが完成します。どんな姿勢でも自由に頭を動かせるようになるので、ただ寝かせているだけではなく、たて抱きで視界を広げ、いろいろなものを見せてあげると喜ぶでしょう。それとともに、五感がぐんと発達します。たとえば声をかけると、「ん？」というように、声のしたほうに顔を向けます。これは、聴覚と視覚という異なる感覚を、脳の中で関連づけて、首を動かす動作と連動できたということ。音についても敏感になり、テレビやドアの開閉の音に興味を持ちます。感覚機能が発達することにより、知的好奇心が広がっていくのです。

運動能力の発達

興味のあるものを握ったり口に運んだり

ハンドリガードで自分の手の存在に気づいた赤ちゃんは、ものをつかむという動作を学んでいきます。最初は大人が手渡したおもちゃを握る程度ですが、しだいに自分から手を伸ばし、握ったり、振ったり、なめたりするようになります。

大人にとってはあたりまえの一連の動作ですが、これは「興味を持ったものに働きかける」「確認する」「情報を脳に送る」という高度な作業です。首すわりが完成して視野が広がり、手でものをつかめるようになり、五感が発達してきたというさまざまな条件がそろった今だからこそ、できることなのです。

また、上（頭に近い部分）から始まった運動発達がさらに進むので、足や腰がしっかりしてきます。下半身を動かすことを覚え、腰をひねったり、足を交差することができるようになります。

２カ月ごろから始まった追視は、このころから範囲が広がり、１８０度の範囲まで追って見られるようになります。

体の発達

腕や胸などに筋肉がついてきます

少しずつ腕や胸に筋肉がつき、腹ばいにすると上体をグイッと持ち上げキープできるようになります。

よだれの量もふえてきます。まだ離乳食のスタートは先ですが、そろそろ念頭におき、大人が食事する姿を見せるなど、興味を持たせるといいですね。

心の発達

赤ちゃんの個性がますますはっきり&豊かに

探究心が旺盛で、興味を持ったものをつかもうとします。感情の幅がますます広がり、表情が豊かに。気に入らないと、体をそらせて泣いたり、手足をバタバタさせて抗議することもあります。逆に、あやされると声を出して笑い、ママ・パパの声を聞いて喜んで笑います。赤ちゃんの個性の違いも、さらにわかりやすくなるでしょう。ひとりで遊んで、バブバブと声を出していることもあります。そんなときは大人は見守ってあげましょう。

4カ月の赤ちゃん

表情

微妙な感情も表現！

感情表現がさらに豊かになります。快、不快、空腹、満腹といった単純な気持ちだけでなく、恐怖や不満、喜び、悲しみといった、微妙な感情も表現できるように。

4カ月の飲む・食べる

- 好奇心が増し、遊び飲みする
- 口をモグモグさせ、よだれがふえる

3〜4時間の間隔で授乳リズムを整えてあげて

授乳間隔は３〜４時間あくようになります。泣いてもおなかがすいているとは限らないので、あやすなどして気分を変えてみましょう。よだれの量がふえたり、家族の食事を見ながら口をモグモグさせる子も出てきます。離乳食に向けて準備しているサインです。

手

見えた、聞いたものに手を

目と耳、手が連動し、興味をひかれたものに手を伸ばします。ものをつかむことはできますが、まだ指先ではつまめません。手のひら全体で握る「わしづかみ」です。

足

快も不快も足をバタバタ

両足をそろえて持ち上げたり、腰をひねって寝返りの前段階のような動きを見せる子も出てきます。うれしいときや不快なときは足をバタバタさせて感情表現！

口

子音も発音できるように

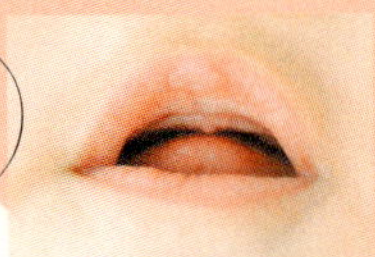

「あー、うー」という母音だけでなく、「ブー、バブー」と唇を使った子音の発音もできるようになります。

4カ月って、こんな感じ！

ほしいものに手を伸ばす

目で見たものにみずから手を伸ばします。それにふれたりすることで、自分自身と、それ以外のものの立体的な位置関係などを学びます。

なめて見つめてよーく調べます

つかんだものを、顔の前に運び、なめたり、ながめて確かめます。興味の対象の情報を脳へフィードバックしているのです。

☆☆ 4カ月の生活 ☆
どんなふうに過ごしている?

こんなふうに成長します!

石見奏多くんの場合
身長60.4cm★ 体重5535g
撮影日／4カ月10日目

気候に合わせた服装でお出かけしましょう

夜まとめて眠るようになり、朝までぐっすりの赤ちゃんも多くなります。もちろん個人差があって、夜中の授乳が続く子もいます。ママは赤ちゃんといっしょにお昼寝するなどして、体を休めましょう。

生活のリズムが整い、日中に長く起きているので、ベビーカーや抱っこでのお散歩もふえてきます。夏なら帽子をかぶせて紫外線対策を。冬なら防寒用に帽子やおくるみを忘れずに。室内でも暑さ、寒さに合わせて、衣類の調節をしてあげましょう。

離乳食のスタートに向けて、麦茶や白湯を与えたり、スプーンに挑戦してみるのもいいでしょう。ただし、おっぱいしか飲んだことのない赤ちゃんは、いやがることも。無理じいはしないで!

「ママ・パパがあやすと大きく口をあけてニッコリ」

パパの声にニッコリ反応します

ママやパパの声がわかってきました。「おーい、かなた〜」とパパが呼ぶと、顔を向け、口を大きくあけて笑顔が満開。日を追うごとに豊かになる表情にママもパパもメロメロ♥

首がすわったのでヘアカットへ
髪が伸びてきたので、首がしっかりしてきた3カ月の後半にサロンデビュー。ママのひざの上で切ってもらいました。

恵ママの育児ダイアリー

笑いのツボが日々違います！今日はどうやって笑わせよう♪

夜は眠り、昼は起きているという生活リズムが定着してきました。おかげで、新生児のころに比べると、私の気持ちに余裕ができたような気がします。夕方に少し昼寝をするので、その間に家事ができるのも助かります！　そのせいか親子で笑って過ごせる時間がふえました。私が笑うと、笑い返してくれたり、「あーうー」と声を出してくれたり、サービス精神旺盛です。日によって笑うツボが違うので、“高い高い”をしてみたり、鼻をくっつけてアワワワーッとあやしたりと、私は、笑わせることに一生懸命です。こんなの人生で初めて！

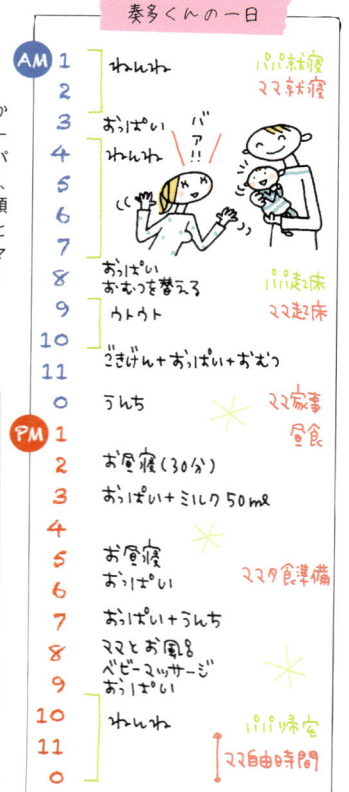

奏多くんの一日

AM 1	ねんね	パパ就寝
2		ママ就寝
3	おっぱい	
4	ねんね	
5		
6		
7		
8	おっぱい おむつを替える	パパ起床
9	ウトウト	ママ起床
10		
11	ごきげん＋おっぱい＋おむつ	
0	うんち	ママ家事
PM 1		昼食
2	お昼寝(30分)	
3	おっぱい＋ミルク50mℓ	
4		
5	お昼寝	
6	おっぱい	ママ夕食準備
7	おっぱい＋うんち	
8	ママとお風呂	
9	ベビーマッサージ おっぱい	
10	ねんね	パパ帰宅
11		ママ自由時間
0		

4カ月の生活

立たせると足を突っぱります

両わきを持って立たせると、足を突っぱったり、曲げ伸ばすように。運動発達が下半身へと進み、自分の意思で動かせるようになってきたためです。

手をモミモミがお気に入りのしぐさ

両手の指をさわったり、もみ合わせたり、手をながめるしぐさをするようになりました。自分の手を調べているんですね。指やこぶしをなめることもあります。

興味の対象が人から物へ

これまで、物よりは人、生活の音よりは人の声が好きだった赤ちゃんも、興味の対象を少しずつ物へと広げていきます。おもちゃでも遊ぶようになる時期です。

ふれる！引っぱる！ 遊び方も進化

ひとり遊びでも、おもちゃをながめているだけなく、手を伸ばして引っぱるようになってきました。五感が発達し、視覚と触覚が関連づいて、運動能力と連動している証拠です。

なめて感触を確かめます

知的な興味が広がる時期。おもちゃを見て興味を持つと、手を伸ばして握り、口に持っていきます。なめて感触を確認し、情報を収集しているのです。

頭を持ち上げて姿勢キープ！

うつぶせにすると、胸から体を起こし、顔を上げてキープ！ 腕に力を入れ、両足を浮かせ、体をまるごと使います。真剣な表情に、ママも思わず応援♪

「上体を起こせるように……。寝返りまでもう少し」

みんなの4カ月 泣いた！笑った！がんばったSTORY

パパの実家へ初めて娘を見せに帰省。無事に到着して、さぁ、抱っこしてもらおうと、娘を渡したところ、人見知りが始まりギャーッ！ 何も、じいじ、ばあばに会った瞬間から人見知りしなくても……とあせりまくり。(菜月ちゃんママ)

初めての便秘で病院へ。1度の浣腸では出なくて、2度目をしてもらうと、数分後、池どころか海ほど多量のうんちが出てきました！ 替えのおむつが1枚しかなく、とても間に合わない。あわてて家に帰りました。(しんちゃんママ)

初寝返りの瞬間を撮ろうと、パパは常にビデオカメラを構えていました。ある日、一瞬、娘から離れたあと、ふと見ると、あおむけからうつぶせになって、ニコッ！ 初寝返りは見られなかったけど、得意げな顔はカメラに収めました。(菫ちゃんママ)

大きめに生まれたのに、4カ月のころ体重がほとんどふえなくなり、成長曲線からはずれそうに！ でも元気だし、パパがやせ型だから遺伝かな⁉と考えたら気がラクに。スマートな体型も“個性”ととらえるようにしていました。(聡亮くんママ)

ある夜、初めての鼻かぜをひき、ズルズルして寝づらそう。私もパパも、夜間救急に行くべきかと悩みながら、鼻水を吸ったりして一夜を過ごし、朝イチで病院へ。先生には「大丈夫よ」と言われましたが、あたふたした思い出です。(蓮香ちゃんママ)

4カ月の赤ちゃん

気になることQ&A

Q 児童館に連れていけるのは何カ月から？

A 生後2カ月過ぎから少しずつ外出してOK

1才前の赤ちゃんにとっては、児童館などでほかの赤ちゃんとふれあうことは、「絶対に必要なこと」ではありません。とはいえ、赤ちゃんと2人きりで家にいることで、ママがストレスや不安を感じているのなら、リフレッシュのために児童館に行くのもいいでしょう。

生後2カ月を過ぎれば、ママの体も回復し、授乳リズムもでき始めます。万が一、赤ちゃんが先天性免疫不全のような感染症に敏感な病気を持っていても、そのころにはわかるはず。児童館など、人の集まる場所への外出は2カ月過ぎから、と考えるといいですね。短時間から始め、少しずつ慣らしていきましょう。

Q テレビを見せてはダメ？

A 家事中など短時間なら、心配ありません

生後4カ月で、短時間見せる程度なら、悪い影響はないでしょう。一日中ずっとテレビをつけっぱなしにするなど、無制限に見せ続けると、赤ちゃんの言語発達が遅れるおそれがあるといわれています。ただ、ママが家事をしたり、上の子が幼児番組を見るのといっしょに30分程度であれば心配いりません。

長時間にならないように注意して、赤ちゃんとコミュニケーションをとりながら見るといいでしょう。

Q ベビーカーにまっすぐ座れません

A 4カ月だと、体が支えられないことも

ベビーカーに乗せると、体が右や左に寄ってしまうのですね。一般的に、おすわりができるようになるのは、6～7カ月ごろ。4カ月だと、自分の体を長く支えることはできないので、ベビーカーなどにまっすぐ座れないのは自然なこと。ほかに心配な症状がなく、ふだんから体がくにゃくにゃとやわらかい（低緊張）、もしくは突っぱっている（高緊張）などの様子がなければ、心配はないでしょう。

Q 「ゆるめ」と「下痢」、便を見分けるには？

A においや色がいつもとどう違うか

うんちの回数や状態は個人差が大きく、一般的に母乳栄養の赤ちゃんの便はゆるいのがふつうです。「心配な下痢」か「ふつうのゆるめ」かを区別する基準は、かたさ以外にいつもと違う点があるかということ。「今日はイヤなにおいがする」とき、便の色が茶、黄、緑色以外（赤、白、黒など）のとき、おむつにすべて吸収されるほど水っぽいときは「心配な下痢」です。便のついたおむつを持参して、小児科を受診しましょう。

Q おしり周辺のブツブツはおむつかぶれ？

A 長引く場合はカビの可能性も

股の前の部分にだけブツブツができるなど、おしりや股の一部だけ湿疹が出る、赤くなるのもおむつかぶれです。おしっこの刺激や、おしりを強くふきすぎる、おむつが合わないなどの原因が考えられます。まずは、こまめにおむつを替える、おしりをやさしくふく、おむつのメーカーを替えるなどの改善をしてみましょう。それでもよくならない場合は、カビが原因の可能性もあるので、受診が必要です。

Q ママのかぜは赤ちゃんにもうつる？

A うつる可能性あり！ でも、免疫もつきます

ママがかぜをひいても、パパが留守の間はママが赤ちゃんのお世話をすることになります。そうなると、マスクや手洗いをしていても、赤ちゃんに感染しやすくなりますね。生後6カ月ごろまでの赤ちゃんは、ママからもらった免疫があるので、かぜをひきにくいもの。ただし、ママと同じ免疫なので、ママがかぜをひけば、赤ちゃんも同じかぜをひく可能性はあります。

苦しい思いをさせるのはかわいそうという気持ちはわかります。でも、赤ちゃんは病気を治すたびに新しい免疫を獲得し、丈夫な体ができていくのです。ママはなるべく体を休め、早く元気になり、赤ちゃんの看病をしてあげてください。また、インフルエンザ菌など重症化しやすい感染症は、予防接種をおすすめします。

ママのかぜについて

ママがインフルエンザやかぜに感染したら？

- ☑ マスクをつけ、うつさない
- ☑ 赤ちゃんとは違う部屋で寝る
- ☑ できれば育児を代わってもらう

インフルエンザはせきやくしゃみなどで1～2mの範囲に飛び散る飛沫に含まれるウイルスから感染。パパやまわりの人に育児をまかせて、早く治して。

Q 斜《しゃ》視《し》って何？

A 黒目の位置が左右上下違うほうを向く状態

健診で斜視の疑いがあるといわれる赤ちゃんもいることでしょう。斜視とは、左右の視線が同じほうを向いていない状態。つまり黒目の位置が左右上下にズレて見える状態です。原因はさまざまですが、ほかに病気があって斜視になることもあります。また、乳幼児期には斜視のように見えても、実際は正常である「偽内斜《ぎないしゃ》視《し》」のことも。斜視があると、左右どちらかの目だけでものを見るため、見ていないほうの目の視力が落ちることがあります。早めに眼科を受診しましょう。

Q 熱が何度以上になったら受診するべき？

A 熱だけでなく、全身状態を見て判断を

6カ月未満で熱が出た場合は受診するのが望ましいでしょう。ただ、受診の目安は、熱の有無だけではありません。たとえば38度あっても、機嫌も飲みもよいなら緊急性はないかもしれません。一方、37度でもぐったりしていて、下痢や嘔吐がある、水分がとれない、呼吸が苦しいなら、すぐ受診したほうがよいでしょう。全身状態を見て判断し、おかしいと思ったら早めに受診するのが大切です。

Keyword

赤ちゃんの平熱って？

大人よりも高く、37.5度までは平熱の範囲です

小児科では、赤ちゃんは37.5度までを平熱としています。大人の平熱より高いのは、赤ちゃんが日々成長し、細胞分裂の際にたくさんのエネルギーが出るため。ふだんから熱をはかる習慣をつけておくと、熱を出したときもすぐわかりますね。体温計によって数値の出方が異なるので、いつも同じものを使いましょう。

私たちも5カ月Babyです

♂大森凜空くん
64.0cm・7912g

♀山崎蓮果ちゃん
63.3cm・6130g

♀川原 翠ちゃん
66.2cm・7350g

	身長	体重
BOY	61.9〜70.4cm	6100〜9200g
GIRL	60.1〜68.7cm	5740〜8670g

※5〜6カ月未満の身長と体重です。

5カ月

多くの赤ちゃんが離乳食を開始！ ゴロンと寝返りする子もいます

寝返りという移動手段を得て世界がグングン広がります

早い子は寝返りをするようになります。これは赤ちゃんにとって新しい世界への入り口。なにしろ、「動く」という冒険ができるようになるのです。

　最初の寝返りはおそらく偶然でしょう。赤ちゃんは、首がすわって遠くのものが見えるようになり、ほしいものに手を伸ばします。でも届かない。もうちょっと、と思ったとき、赤ちゃんの体がくるんと回転！　目撃したママ・パパはびっくり、感動するでしょう。赤ちゃん自身だってびっくりして、泣いてしまう子もいます。寝返りによって行動範囲が広がり、ほしいものに近づけることを覚え、赤ちゃんの好奇心はさらに広がっていきます。

運動能力の発達

寝返りはできなくても心配いりません

寝返りは、腰をひねり、その反動で上半身を回転させて行います。できてしまえば簡単ですが、いろいろな部位をタイミングよく連動させる必要があるので、実はなかなかたいへんな運動です。あおむけからうつぶせ、うつぶせからあおむけのどちらかができれば完成です。

　寝返りするようになる時期には個人差があります。小柄な赤ちゃんのほうが早い時期に完成するなどの傾向はありますが、一概には言えません。寝返りをしなくても、うつぶせにしたとき、両手で上体を胸までぐっと持ち上げることができれば、神経の発達が背中まで達しているという証拠です。

　手の動きはますます盛んになり、手を伸ばして物を口に運ぶ動作をよくします。握る力も強くなり、いったん握るとなかなか離しません

体の発達

ママからの抗体が切れ、感染症にかかることも

赤ちゃんの体にも大事件が起こります。胎内でママからもらった抗体が底をつき始めるのです。しかも外出の機会がふえ、家族以外の人とふれる場面も多くなるので、感染症にかかるリスクが高まります。でも、赤ちゃんは病気の体験を積み重ねて、強く丈夫な体をつくっていくもの。予防接種をきちんと受け、人混みを避ける、手洗いをさせる、家族はかぜをひいたらマスクをする、など常識的な配慮をしたうえでの感染であれば、「かぜをひかせてしまった」と落ち込むことはありません。きちんとケアしてあげましょう。

心の発達

ママ・パパに遊んでほしくて声を発します

声を出すことが盛んで、声を出して注意をひこうとします。ママ・パパが赤ちゃんの声をまねすると、赤ちゃんはその声を聞き、さらに声を返します。こうして自分の発声を少しずつ理解していきます。ママ・パパと遊ぶのも大好きです。「たかいたかい」や「いないいないばあ」などの、単純で少しだけ緊張感があり、すぐに安心できる遊びを好みます。

5カ月の赤ちゃん

表情

親しい人には笑顔

人の顔が識別できるようになり、ママ・パパなど親しい人にはニッコリ。親しくない人には不安そうな顔や、不思議そうな顔を見せるなど、表情に違いが出てきます。

口

舌は前後しか動きません

離乳食がスタート。口を閉じて飲み込むことはできますが、舌が前後にしか動かないため、スプーンが口に入ると押し出すことも。

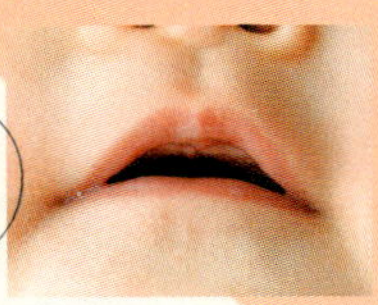

手

しっかりつかめるように

ほしいものをつかむ練習は続行中。一回でつかめなかったものでも、2～3回とくり返すうちに、方向や距離感がわかり、しっかりつかめるようになります。

5カ月の飲む・食べる

- 授乳のうち1回を離乳食に
- 離乳食はゴックンと飲み込めるポタージュ状から

離乳食後の授乳はほしがるだけ飲ませて

よだれの量がふえたり、大人の食事を見て口をモグモグさせていたら、離乳食をスタート。機嫌も体調もいい日に、ゴックンと飲み込めるポタージュ状のおかゆ1さじから始めましょう。離乳食後は授乳タイム。ほしがるだけ飲ませてOKです。

5カ月って、こんな感じ!

足をつかんでユラユラする

あおむけに寝ているときや、おむつ替えのときに、目の前にきた足を持ったりします。まだ「自分の足」だとはわかっていません。

足→腰→上体の順に寝返り

大人は腕を動かして上体をひねって寝返りしますが、赤ちゃんは順番が逆。最後に上体を回転し、腕が抜ければ成功です。

足

クルンと寝返りする子も

腰をひねる力がつき、寝返りをする子もいます。脚力も強くなって、両わきを支えて立たせ、足を地面につけるとピョンピョンします。

5カ月の生活

どんなふうに過ごしている？

富田凛咲ちゃんの場合
身長65.5cm★体重6900g
撮影日／5カ月24日目

社会とのかかわりに興味が！外遊びで世界を見せてあげて

この時期の赤ちゃんに、外遊びは欠かせないもの。ただ、おすわりはできないので、公園で砂遊びをするといった、自発的な活動にはなりません。でもベンチでママ・パパのひざに座って、お友だちの様子をながめていたり、児童館でほかの赤ちゃんとふれあうだけでも、赤ちゃんにはよい刺激になります。新しい世界に興味津々のはずです。食欲も増し、お昼寝もよくできるでしょう。

また、大きな変化は、離乳食のスタートです。少しずついろいろな食材を経験させていきましょう。母乳やミルクしか飲んだことのない赤ちゃんは、慣れるまでは吐き出すこともありますが、あせらず、ゆっくり進めてかまいません。

「絵本や歌が大好き！遊びの幅が広がっています」

絵本を読み聞かせるとニコニコ笑顔に

ママのひざにすっぽりとおすわりして、絵本タイム。絵をジーッと見つめ、ページがめくられるたび、ニコニコほほえみます。

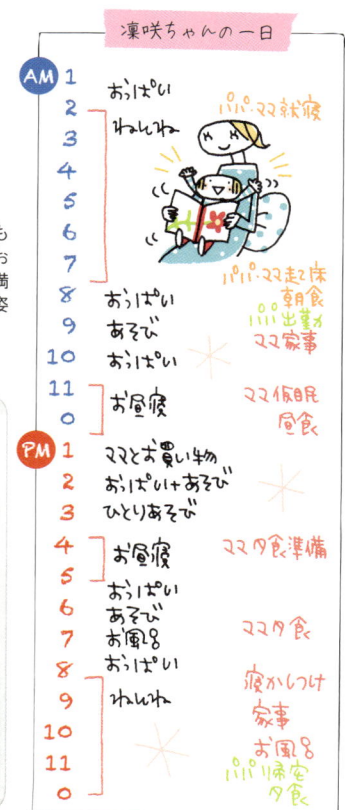

バンボチェアでおすわり体験

いとこのお兄ちゃんからもらったバンボチェアに、おすわり。視線が高くなり満足そう。ふんぞり返った姿も愛らしい♥

凛咲ちゃんの一日

AM 1	おっぱい	
2	ねんね	パパ・ママ就寝
3		
4		
5		
6		
7		パパ・ママ起床
8	おっぱい	朝食
9	あそび	パパ出勤
10	おっぱい	ママ家事
11	お昼寝	ママ仮眠
0		昼食
PM 1	ママとお買い物	
2	おっぱい＋あそび	
3	ひとりあそび	
4	お昼寝	ママ夕食準備
5	おっぱい	
6	あそび	
7	お風呂	ママ夕食
8	おっぱい	
9	ねんね	寝かしつけ
10		家事
11		お風呂
0		パパ帰宅 夕食

純ママの育児ダイアリー

ママの話をジーッと聞いている姿、顔がかわいい

ママのことをしっかり認識していて、トイレなどでそばを離れると、泣き声が追いかけてきます。動けるようになったら、これがあと追いになるのかしら、とうれしいような不安なような気持ちです。絵本やママの声を聞くのも大好き。話しかけるとジーッと聞いていて、わかったような顔をしているのがかわいいです。言葉を話せなくても、コミュニケーションはとれていて、育児がいっそう楽しくなってきました！ このごろは寝る前に耳をひっかくクセが出てきたので、傷ができないようにつめはこまめに切っています。

「歯ぐきがかゆいみたい!? 歯が生えるのかな?」

ADVICE

大好きなママは特別な存在！

いつもお世話をしてくれるママは“特別な存在”だということがわかり、特別な反応を示すようになります。たとえばママの姿が見えなくなると、大声で泣いて呼びます。

歯がためをカジカジ

お気に入りの歯がためが決まってきました。かみ心地がいいのかな。ひとり遊びのときには、歯がためを両手でしっかり持って、無心にカジカジしています。その間にママは、ササッと家事をします。

歯ぐきを押しています

もうすぐ歯が生えるサインなのか、歯ぐきがかたくなってきて、むずがゆいみたい。指しゃぶり中も歯ぐきをギュッギュッと指で押して、感触を確かめています。

名前を呼ぶと振り返ります

バンボでおすわりにも慣れてきて、上半身を自由に動かせるようになりました。後ろから名前を呼ぶと体をくるっとひねって、「何？」という表情でこちらを向きます。

赤ちゃん番組に夢中♪

ママ＆ベビーに絶大な人気を誇る『いないいないばあっ！』を見せたら、5カ月にして、すっかり夢中。バンボチェアに座って見ています。アップテンポの曲になるとうれしそうな表情に。

みんなの5カ月 泣いた！笑った！がんばったSTORY

生まれてから毎日バタバタして、目の前のことを片づけるので精いっぱい。50cmサイズのコンビ肌着を着せたら、股のスナップが留まらなくなっていました。この瞬間、成長したな、とうれしくなり、ホッとしました。(春菜ちゃんママ)

離乳食をスタート。初日は不思議そうにしていましたが、2日目からは、手を出して自分でスプーンを握って口に運びました！ 食いしん坊で、足りないと怒るくらい食べてくれたので、とても作りがいがありました。(菜月ちゃんママ)

もともと髪が薄かったうえ、寝返りしたり、後頭部をズリズリしながら動くので、後頭部が薄毛に！ 女の子なのに大丈夫!? と心配な日々でした。その後、おすわりが始まると、毛が抜けることもなくなり、元に戻りました。(愛音ちゃんママ)

初めてベビーマッサージに。なぜかギャン泣きでしたが、先生がバランスボールを貸してくれて、しっかり抱っこしながら、ボヨンボヨンと縦ゆれでエクササイズしたら、ピタリと泣きやみました。楽しいうえに、一石二鳥！(瑚心ちゃんママ)

高年初産だったので、ママ友ができるかドキドキしながら離乳食講習会へ。結果、20～40代の友だちができました。育児のたいへんなときを乗り越えてきたママ友とは、今でも悩んだら語り合う仲間。子育てが運んできた友情に感謝。(柚衣ちゃんママ)

5カ月の赤ちゃん 気になることQ&A

Q あせも対策、どうしたらいい？

A 汗をかいたらこまめにふき、着替えも頻繁に

赤ちゃんは大人よりも汗っかきのうえ、皮膚は大人よりも弱く、刺激に対して敏感です。そのため、ちょっとしたことで、肌トラブルが起こりやすいのです。汗の刺激であせもができることもよくあります。

予防策としては、肌に汗がついたままにしないこと。汗をかいたら、こまめにふいたり、シャワーで洗い流して、着替えさせましょう。授乳中、頭や首筋に汗を多量にかくときはガーゼを当てておくといいですね。

あせもをかきこわして、炎症を起こした場合（あせものより）は、受診して薬を処方してもらいましょう。

肌ケアについて

スキンケアの基本は清潔と保湿

清潔 **泡でやさしく洗う**
肌と同じ弱酸性の洗浄剤をたっぷり泡立て、肌を包み込むように洗いましょう。

↓

保湿 **水分・油分を補う**
汗をふいたり、汚れをふき取ったあとは、保湿する習慣をつけましょう。

Q よだれでかぶれた口まわりのケアは？

A 保湿剤で保護し、やさしくふいて

離乳食が始まる5～6カ月ごろになると、よだれがふえる赤ちゃんも多く、それ自体は健康な証拠です。ただ、1才ぐらいまでの赤ちゃんは肌が敏感なので、よだれや食べこぼしでかぶれることもめずらしくありません。汚れたときは、ぬらしたガーゼなどで強くこすりすぎないようにやさしくふきとってあげましょう。飲んだり食べたりする前に、口のまわりやほおにベビー用の保湿剤を塗り、肌を保護してあげるとかぶれにくくなります。

Q かぜの症状はないのにせきが出ます

A 乾燥や冷たい空気が刺激になり出ることも

せきが出ても、飲みがよく、機嫌もよく、熱や鼻水などの症状がなければ、様子を見てかまいません。室内が乾燥していたり、窓を開けて急に冷たい空気にふれたときなどに、刺激でせきが出ることもあります。部屋の湿度や温度が適正かを確認してみてもいいでしょう。もし日中にせきがふえたり、ほかのかぜ症状がみられるときは、小児科を受診して胸の音を確認してもらいましょう。

Q 片耳だけプーンとにおいます

A 耳掃除をしすぎず、におうときは耳鼻科へ

耳あかを気にして毎日、綿棒などで耳掃除をするママもいるようです。でも赤ちゃんの耳掃除は、強くやらない、頻繁にやりすぎないのが基本です。耳あかには、ジュクジュクして湿ったタイプと、カサカサした乾燥タイプがあります。ジュクジュクタイプだととりにくいこともあり、炎症を起こしやすいようです。耳がにおったり、うみが出ている場合は、外耳炎を起こしている可能性もあるため、耳鼻科を受診しましょう。

Q おむつ替えをいやがります！

A おもちゃなどで気を紛らせて替える工夫を

おむつ替えで動かれると手間どるのでたいへんですね。赤ちゃんもおむつ替えで寝かされ、押さえつけられ、自由を奪われるのがいやなのでしょう。まずはすばやく替えられるように、おむつ替えの前に必要なものを準備しておき、さらに、お気に入りのおもちゃや音のするビニール袋や広告の紙などを持たせて、ほかに注意を向けさせてみて！　あれこれ試しながら赤ちゃんのお気に入りの方法で気を紛らわせ、すばやく替えましょう。

Q ものを「握る」ことをしません

A 個人差があるのでまだ心配いりません

赤ちゃんは生後4カ月ごろから、ものを「握る」動作ができるようになってきます。ただ発達には個人差があって、5カ月では握れない子もいます。この時点で「発達が遅れている」「握れない子」と考える必要はありません。軽くて持ちやすいおもちゃを目の前で振ったりすると、興味を持って、手を伸ばすかもしれませんよ。6～7カ月を過ぎても、ものを握る気配がない場合は、幼児健診のときや小児科に相談してみましょう。

Q 夜中のグズグズは夜泣きの始まり？

A このぐらいの時期から夜泣きが始まる子も

夜中に起きても授乳すれば寝てくれるのとは異なり、グズグズ泣いて、なかなか寝ないのが夜泣きです。夜泣きの苦労は多かれ少なかれ、どの親子も通る道。時期や程度には個人差がありますが、5～6カ月ごろから始まる子もいます。

夜泣きを止める方法はないので、「一時的なもの」「数カ月のしんぼう」と割り切って、つきあうしかありません。夜中に何度も起こされたり、なかなか寝られなかったりと大人はたいへんですが、たまには家族に代わってもらい、赤ちゃんといっしょに昼寝をするなどして、乗り切りましょう。また、夜でも寝室が明るかったり、家族の物音が赤ちゃんを起こしている可能性も。睡眠環境も見直して。

Keyword

夜泣きって？

夜中に起きて、おっぱいでもあやしても泣いて眠らない

夜泣きの原因は解明されていません。日中、赤ちゃんの脳は情報収集でフル回転し、夜もその記憶が残っているために、夜泣きが起こる、ともいわれています。また、来客があったり、昼寝しなかったなど、生活リズムがくずれた日に多い傾向もあるようです。発達の一つととらえて、前向きにつきあえるといいですね。

Q パパとの時間が少ない子のためにできることは？

A いっしょにいる時間を大切にしましょう

5カ月なら「パパに会えなくてさびしい」という感情はまだないですし、もし仕事が忙しくてたまにしか会えなかったとしても、それで家族の関係がはぐくまれないということはないので、安心を。ママはあまり心配せず、休日などパパがいっしょにいられる時間に、なるべく家族で過ごせるようにすればいいでしょう。

家族みんなで祝いましょう

Column 2

一生の記念になる思い出がいっぱい
お祝いごと★3years

赤ちゃんが笑った、はいはいした、歩いた……。日々の成長の喜びを写真におさめるのはもちろん、
ここいちばんのビッグイベントでは準備から楽しんで、ステキな記念写真を撮りたい！
古来から伝わるお祝いごとのいわれや正式な祝い方、どこまで知っていますか？

生後1カ月ごろ お宮《みや》参《まい》り

赤ちゃんの誕生を土地の守り神に報告

土地の守り神である産土神《うぶすながみ》に赤ちゃんの誕生を報告し、そのすこやかな成長を祈願するもの。氏子《うじこ》の仲間入りをさせてもらうために、おはらいを受けます。

＼どんなふうに行う？／

地域によって差はありますが、一般的に男の子は生後32日目、女の子は生後33日目に行います。神社でおはらいを受ける場合は、事前に予約し、初《はつ》穂料《ほりょう》（お礼）が必要です。最近は生後１カ月を目安に、家族の都合がよい日に行うことが多いようです。お宮参りしたあとに、写真館などで記念撮影をして、会食をするのが一般的です。

生後7日目 お七《しち》夜《や》

命名をして、無事に生まれたことを祝う

赤ちゃんが無事に生まれたこと、名前が決まったことを祝う儀式。昔は乳児の死亡率が高く、赤ちゃんの生命が安定した七日目ごろに行う、重要なお祝いでした。

＼どんなふうに行う？／

名づけ親が奉書紙に、赤ちゃんの名前、生年月日を書き、それを三方（神事で使うお盆）にのせて、神棚や床の間に飾ります。赤ちゃんは盛装し、名づけ親を主賓に、両家の両親や近親者を招き、お祝い膳を囲むのが正式なやり方です。最近は、市販の命名紙に両親などが名前を書く簡易式が主流のようです。

生後100〜120日目 お食《く》い初《ぞ》め

一生、食べ物に困らないように願う

「一生、食べ物に困らないように」という願いを込めて、箸を使って食べさせるまねをする儀式。地域によって「お箸初め」「歯固め」などと呼んだり、行われる時期や習慣も異なります。

正式

鯛など尾頭つきの焼き魚

魚は鯛のほか、イシモチやカナカシラなどでも。ほかに、「喜ぶ」の意味で昆布を使ったり、りっぱな歯が生えるようにと小石や勝ち栗を、しわを長寿に見立てて梅干しなどを添える地域もあります。

略式

＼どんなふうに行う？／

時期は生後100日、110日、120日に行うところが多いですが、両家の両親や祖父母に確認しましょう。代々伝わるしきたりがあるかもしれません。お食い初めでは、祝い膳の食べ物を赤ちゃんの口元に運び、食べさせるまねをします。名づけ親や親戚の中の長老が、男の子なら左ひざ、女の子なら右ひざに抱いて行うのが正式なやり方です。昔は親戚を招いて盛大にやることも多かったのですが、最近はパパ・ママだけで祝う場合も少なくありません。

内《うち》祝《いわ》い

出産祝いをいただいた方へのお返し

もともとは、近所の人や親族、助産師さんなどを家に招いて飲食をともにして、赤ちゃんの誕生を祝うことが「内祝い」でした。最近では“出産祝いをいただいた方へのお返し”として定着しているようです。

お返し	20日〜１カ月を目安に 早すぎてもNG。
金額	1/2〜1/3が基本。 一律同じものを贈ってもOK。
表書き	赤ちゃんの名前に、 ふりがなをつけて。

＼どんなふうに行う？／

贈る時期は、お祝いをいただいてから20日〜１カ月前後。いただいた出産祝いの1/2〜1/3の金額を目安に、品物を贈ります。贈るときには、感謝の気持ちを添えるようにしましょう。

初節句《はつぜっく》

男の子、女の子 それぞれの成長を祈願

生まれて初めての節句は、これからの成長を願い、盛大にお祝いするのが一般的になっています。桃の節句3月3日と、端午の節句5月5日は、古代中国では「忌《い》むべき日」とされていて、そのけがれをはらうための行事がありました。それが平安時代に日本にも伝わり、厄よけのためとされていた人形やしょうぶが、やがて「節句のお祝い」に欠かせないものとして変化したのです。

5月5日「端午の節句」

これが「正式」という決まりはなく、神代からのめでたいものや、神様にそなえる供物として、巻き寿司やちまき、柏もちが一般的。

＼どんなふうに行う？／

江戸時代、武家に男児が生まれると、玄関の前にのぼりを立てて祝う風習が一般に広まり、こいのぼりが考案されたといわれています。五月人形は、鎧《よろい》や兜《かぶと》が子どもを災いから守り、たくましく育つようにと願いを込めて飾るようになりました。いずれも節句の2～3週間前から飾りますが、両方を飾らなければいけない、ということはありません。わが家に合った準備をしましょう。

3月3日「桃の節句」

ちらし寿司、はまぐりのお吸い物、春野菜の小鉢などが一般的です。ひな壇には、ひしもちやひなあられ、白酒を飾ります。

＼どんなふうに行う？／

ひな人形は、母方の実家から贈られるのがしきたりになっていますが、自分たちで購入する家庭もふえています。2月中旬ごろから飾り、節句の翌日には片づけます。飾り方も、地方によって異なることがあります。

3才・5才・7才 七五三《しちごさん》

成長への感謝と、これからの健康を願う

現代のように医学が進歩していなかったころ、7才までは神の子とされ、7才になるとようやく社会の一員として認められました。一般的に、3才の男女児の「髪置《かみお》き」、5才の男児の「袴着《はかまぎ》」、7才の女児の「帯解《おびと》き」を祝います。

＼どんなふうに行う？／

11月15日に神社に参拝して、これまでの成長に感謝し、これからの長寿を祈願します。七五三参りとして定着したのは明治時代になってから。最近は、数え年でも満年齢でも臨機応変に、11月15日前後の都合のよい日に行うことが多いようです。

生後6カ月 ハーフバースデー

ここ最近の、家族で祝う1/2誕生会

生まれてきてくれてありがとう＆ママ・パパも半年間よくがんばりました。お食い初めのあと、1才までお祝いごとがない時期に、生後6カ月（1/2才）の誕生日を祝う家庭がふえています。

＼どんなふうに行う？／

壁に「1/2 Happy Birthday」などと飾って、その前で記念撮影をすることが多いよう。赤ちゃんが好きな野菜を使って、ニコちゃん顔など特別な離乳食を作るママも。

1才 初誕生《はつたんじょう》

1年間、無事に育ったことを感謝する

誕生日を祝うのは欧米の習慣で、昔の日本では「お正月がくると、家族全員が1才年をとる」という数え年を使っていました。しかし満1才の誕生日だけは特別！ 死亡率が高かった昔は、赤ちゃんが満1才を迎えたことに感謝し、その後のすこやかな成長を祈願する意味を込め、初誕生を祝ったのです。

＼どんなふうに行う？／

地域によって祝い方が異なります。一升もちをついて、それを赤ちゃんに背負わせたり、踏ませたり。赤ちゃんの前に、そろばん、筆、ものさしなどを並べて、どれに手を伸ばすかで将来を占ったり。現在は、家族みんなで楽しめるイベントになれば、やり方などにはこだわらなくてもよいでしょう。

私たちも6カ月Babyです

♂橋爪鼓太くん
65.0cm・6600g

♂小川陽太くん
75.0cm・9500g

♀和田 心ちゃん
60.1cm・5760g

	身長	体重
BOY	63.6〜72.1cm	6440〜9570g
GIRL	61.7〜70.4cm	6060〜9050g

※6〜7カ月未満の身長と体重です。

6カ月

少しの間であれば、おすわりOK!

人見知りや夜泣きも始まります

おすわりへのチャレンジがこのころの大きなテーマです

生まれて半年がたちました。生後すぐは原始反射で動くしかなかった赤ちゃんも、自分の意思で手を動かし、ほとんどの子は寝返りで移動ができるようになります。次に重要な発達のテーマはおすわりです。寝ているときよりも高い地点で周囲を見渡し、しだいに両手を自由自在に動かせるようになるのです。

運動能力の発達

上半身の筋肉と神経が発達して、おすわりが完成!

おすわりし始めたころは、背中を丸めて、前に両手をついて体を支える格好です。上半身の筋肉と神経が発達してくると、背筋を伸ばして、ひとりでも長い時間座れるようになります。

また、おすわりの状態で左右にぐらつくと、ぐらついたほうの手がヒョイと伸びて、バランスをとろうとします。これは、体のバランスをじょうずに保つための防御的な反応。大脳が発達した証拠です。

手の発達にも重要な変化が見られます。それは、「左右の運動の分化」です。たとえば、右手でつかんだものを、左手に持ちかえたり、左側にあるものを左手でとるといった運動です。大人なら当然!と思う動作ですが、赤ちゃんが半年かけて育ててきた動作なのです。また、赤ちゃんの顔にハンカチをかけると、手でハンカチをとる行動をするようになります。ハンカチを目で見て、手でとる、目と手の協調運動です。

体の発達

聴覚が発達して小さな音を聞き分けるように

この時期は聴覚がさらに発達して、さまざまな音や家族の声などを聞き分けられるようになります。テレビやラジオから流れる音に反応し、そちらを見たり、にじりよって、手でさわったりします。離乳食が始まり、いろいろな味を体験することで、味覚も広がっています。

心の発達

ママ・パパは特別な人と認識し、人見知りします

生後6カ月間で、赤ちゃんの脳は大きな発達をとげています。それは心の発達にもあらわれます。

代表的なものは人見知りです。この時期の赤ちゃんは記憶力がついてきて、ママ・パパが特別な存在だと理解しています。慣れ親しんだ人とそうでない人を区別するので、知らない人を見て、泣いたり、不安そうな表情をしたりするのです。

また、生理的な欲求のほか、ほしいおもちゃに手が届かなくてイライラするなど、情緒的な欲求から泣く場面もふえます。そんなときは、できるだけ赤ちゃんの欲求にこたえ、甘えさせてあげましょう。この時期の赤ちゃんはわがままでいいのです。

早い赤ちゃんは夜泣きも始まります。原因はわかっていませんが、体内時計と24時間周期のずれや、日々新しい経験をするため、昼の記憶が夜まで残っているから、という説もあります。

6カ月の赤ちゃん

表情

わざと泣くことも

さらに表現が豊かになり、表情にメッセージが込められます。「ママ・パパに来てほしい、だから泣き顔に」にというように、表情を手段として使うことも覚えます。

手

左右の持ち替えも

ものを手にとるだけでなく、左手につかんだものを右手に持ち替えられるようになっていきます。

6カ月の飲む・食べる

- 1日1回の離乳食に慣らしていく
- 離乳食後の授乳量が減る子も

スタートが遅めの子も生後6カ月には離乳食を

離乳食がスタートして約1カ月がたちました。離乳食に慣れ、1日2回食に進むころには、穀類（主食）、野菜（副菜）・果物、タンパク質源食品を組み合わせた内容になるよう進めていきます。まだスタートしていない赤ちゃんも、そろそろチャレンジしてみましょう。

口

歯が生える子もいます

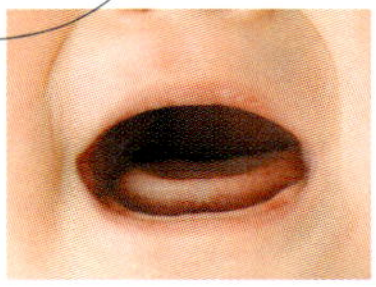

そろそろ歯が生え始める子もいます。生える時期は個人差が大きいのでまだでもOK。ベタベタ状の離乳食をゴックンと飲み込めます。

足腰

短時間ならひとりでおすわり

短時間ならひとりでおすわりできるほど、腰の力がついてきます。でも、おすわりは不安定で、背筋を伸ばして座れるようになるのはもう少し先です。

6カ月って、こんな感じ!

多くの子が寝返りで移動ができるように

寝返りができるようになります。じょうずな子は腕や足で勢いをつけなくても、左右どちらにもクルクルと回ります。

6カ月の生活
どんなふうに過ごしている？

こんなふうに成長します！

髙橋 琹ちゃんの場合
身長68.0cm
体重7100g
撮影日／6カ月22日目

着替えや家族との食事で規則正しい生活リズムに

自分で移動して、好奇心旺盛に経験して学ぶ時期です。転落や誤飲事故、指をはさむなどの危険もふえてきます。赤ちゃんの目線で一度、身のまわりを見直し、安全には気を配りましょう。

離乳食に慣れてきたら無理のない範囲で、家族いっしょに食事ができるといいですね。みんなで同じ食卓を囲むことで、親子の生活リズムがかみあってきます。

生活にメリハリをつけさせるためにも、眠る時間にはパジャマに着替えさせ、朝起きたらまた着替えましょう。昼はたっぷり遊ばせ、夜は決まった時間に寝かしつけるということを赤ちゃんにも教えてあげて。規則的な生活リズムは、心と体のすこやかな成長に不可欠です。

「早くもはいはい!? ますます目が離せません」

ずりばいからあっという間にはいはいへ

6カ月になって、最初はずりばいをしていたのに、それから2～3日で四つばいを始めました。スピードが速く、どこにでも行くので、部屋中に安全対策が必要になり、大人は大あわて。目が離せません。

琹ちゃんの一日

時刻	琹ちゃん	パパ・ママ
AM 1	ねんね	パパ・ママ仕事 就寝
2		
3		
4		
5		
6		
7	おっぱい	パパ・ママ起床
8	支度	身支度、朝食 保育園へ送り出勤
9	保育園	
10	・離乳食＋ミルク（おかゆ 野菜スープ）	
11	・ねんね	
0		
PM 1		
2	・離乳食＋ミルク（おかゆ 野菜スープ）	
3	ねんね	
4		
5		
6	おっぱい	ママお迎え
7	ママとあそぶ	家事
8	ママとお風呂＋おっぱい	夕食
9	ねんね	パパ帰宅 夕食　寝かしつけ
10		パパ・ママ仕事
11		
0		

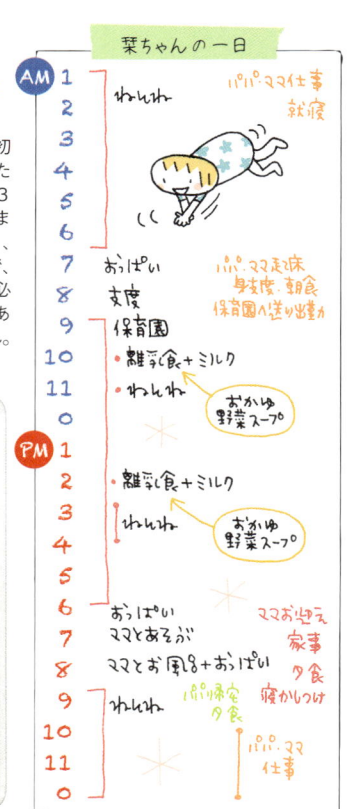

香里ママの育児ダイアリー

自己主張が始まり、自分の主張が通らないと泣いて訴えます

今までは人見知りもなく、いつでもニコニコと機嫌がよかったのに、6カ月を過ぎて変化が見えてきました。夜寝る前に自分の主張が通らないと、号泣して大暴れ。まだ遊びたいのに寝かしつけられたり、のどが渇いていたり、パパじゃなくてママがいい……など理由はさまざま。自我が出てきたと感心もするけれど、ちょっとたいへんです。

離乳食は順調で、1日2回になりました。比較的なんでも食べてくれますが、おかゆは残すことも。味のあるものが好きみたいです。

ベビーガードをつけました！
移動できるようになったので、リビングとキッチンの境目にガードを設置。これで廊下にも、勝手に出られません。

「リモコンが大好き！ かくしても見つけて、目をキラーン☆」

遅くとも6カ月には離乳食を開始！

離乳食の開始は、生後5～6カ月ごろ。母乳やミルクだけでは鉄分などの栄養が不足してきます。アレルギーが心配な子も、遅くとも6カ月のうちには始めましょう。

足りない栄養を離乳食で補います

母乳やミルクは理想的な栄養ですが、5～6カ月になると不足する栄養素も。それを補うために、離乳食が必要になります。

おかゆ以外の味も少しずつ試して

味覚が発達してくる時期なので、いろいろな食材にチャレンジ。りんごのすりおろしを食べると、ひと口目に、この顔……。

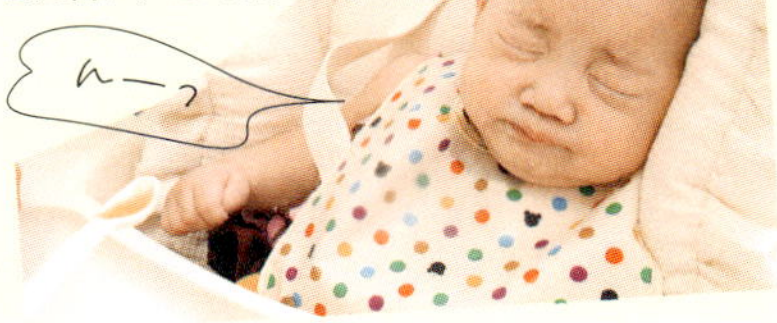

リモコンゲットにあの手この手

テレビやDVDのリモコンが大好きで、なめて遊びます。こわれないように手の届かないところにかくしても、見つけ出して、手を伸ばしたり、移動してとろうとします。このうれしそうな顔ったら……（笑）。

つかまり立ちができちゃった☆

ソファに手をついて「よいしょ」っと腰を上げ、つかまり立ちを披露。はいはいの完成より先でした。小柄で身軽なせいかしら!?

気づいたら前歯が2本！

6カ月健診で、「歯が生えましたね」と言われるまで気がつかなかった……。どうりで、最近なんでもかむと思った、とママ。

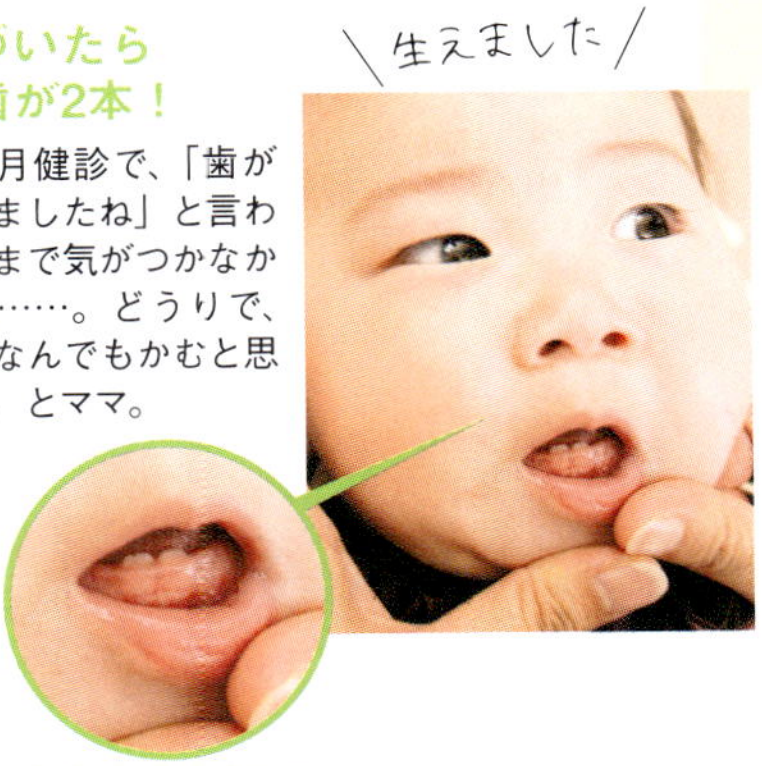

唇をブブ～ッ楽しいのかな!?

遊んでいるときに、ブブブ～ッとつばを飛ばすように、唇をふるわせています。このしぐさが楽しいようで、何度もくり返します。

みんなの6カ月 泣いた！笑った！がんばったSTORY

おすわりをするのがじょうずになってきたら、6カ月の後半には、はいはいをしようとがんばってました。まだうまくできずに、はいはいのポーズのまま、おしりを振ったり、前後にゆれていることが多くて、かわいかったです。（結菜ちゃんママ）

寝返りが自由にできるようになり、娘の寝相がすごすぎて、毎日笑っていました。畳に布団を2組並べて、親子3人で寝ても、娘が縦横無尽に動きまわるので、夫と私は小さくなって……、ときに畳の上で寝ざるをえないことも。（みゆちゃんママ）

もともと無愛想な息子ですが、若い女性にしか笑顔を見せなくなり、電車でおばあさんにあやしてもらっても、横目でちらーっと見て、プイッと顔をそむける……！「寝起きで機嫌が悪くて」と、言いわけする私はたいへんです。（しんちゃんママ）

ママからの免疫が切れると聞いていたこの時期、ノロウイルスに感染し、まる1カ月、ゆるゆるうんちの日々。12月だったのに、クリスマス会もできませんでした。ママって、ベビーが元気じゃないと何もできないと実感。（さくらちゃんママ）

児童館デビューしました。知らない土地での子育ては不安でしたが、児童館で行われる定期的な集まりにも行くようになり、友だちもできました。いろいろな情報も得られて、息子も私も楽しく過ごせるようになりました。（りくくんママ）

6カ月の赤ちゃん

気になることQ&A

Q なんでもなめるので衛生面が心配です

A 心配なときはふいておきましょう

これはどの赤ちゃんも同じで、手にしたものはなんでも口に持っていくのがこの月齢の赤ちゃんです。気にしていたらきりがありません。心配な気持ちはわかりますが、こういうことをくり返しながら赤ちゃんは免疫力を高め、丈夫な体をつくっていくので、発達の一過程ととらえ、あまり心配しすぎないで。どのくらいなら大丈夫という明確なラインはありませんが、どうしても心配な場合、家庭内のものなら、水ぶきか、重曹をとかした水などでふくようにすればじゅうぶんでしょう。児童館など公共の場所のおもちゃも、ママがどうしても気になるなら、使う前にさっと除菌シートなどでふいてあげるといいでしょう。

わが家はこうやって乗り切っていました！

1 除菌スプレーを持ち歩き、シュッ

2 誤飲しないように環境を整える

3 免疫がついて丈夫になったと考える

公共の場のおもちゃは返すときもさっと除菌というママも。また、なめる→誤飲につながる危険があるので、用心して。

Q 寝相が悪く、あちこちに頭をぶつけます

A 心配いりませんが、安全グッズを利用しても

頭をあちこちぶつけると、ママ・パパは心配になりますね。出血があるとか、ぐったりしているなど気になる症状がなければ、問題ありません。ベッドの柵につけるクッションや家具の角にはるガードなど、市販の安全グッズを使って対策する手もあります。

Q カンの虫が強いと言われ、不安に

A 生活リズムが整えば、おさまります

生後6カ月ごろから、赤ちゃんは激しく泣いたり、不機嫌になったりすることがふえてきます。昔の人はこの状態を「カンの虫」がいるせいと考えました。

でも今では、この虫の正体は、「赤ちゃんの体内時計と、実際の24時間周期のズレ」だと考えられています。赤ちゃんの体内時計が25時間なのに対して、生活リズムは24時間で、時差があります。それにまだ対応できない赤ちゃんが、夜中にパッチリと目が覚めたり、日中に眠くなったりして機嫌が悪くなるのです。朝、太陽の光を浴びて起き、夜暗くなると眠るというリズムが整えば、直っていきます。なるべく規則正しい生活をさせてあげて。

Keyword

赤ちゃんの体内時計は25時間

24時間のリズムに慣れるよう大人が整えてあげて

赤ちゃんの体内時計は25時間。規則正しい生活をすることで、自然に24時間のリズムに慣れてきます。そのためには、①夜眠れるように昼寝は3時まで、②早めの時間に入浴、③夜8時ごろには布団に入る、④テレビの視聴時間を減らし体を動かす、⑤親も早寝早起きする、などの工夫で、生活リズムを整えましょう。

Q 赤ちゃんのかぜを予防するには?

A 家族がかぜを持ち込まないこと

この時期の赤ちゃんは、自分でうがいや手洗いをしてかぜを予防することはむずかしいですね。家族にできることは、かぜをひかず、元気でいること。ママ・パパ、きょうだいがそれぞれ、帰宅時は手洗いとうがいをし、栄養のある食事とじゅうぶんな睡眠をとり、むだな外出を避け、人混みには出ないなど、かぜをひかないように注意することが何より大切です。また、児童館や公園で遊んで帰宅したあとは、ママが赤ちゃんの手をふいてあげましょう。

かぜについて

大人がかからない!
赤ちゃんにうつさない!

- ☑ 帰宅後に手洗い、うがい
- ☑ 栄養のある食事をとる
- ☑ 夜ふかしをしない
- ☑ 必要のない外出を避ける
- ☑ 人混みには出ない

感染症の経路は、飛沫《ひまつ》感染と経口《けいこう》感染。もしかかったら、マスクをしたり、石けんで手を洗ってから赤ちゃんにふれる、食事を作るなどの対策も。

Q 湯ぶねにつかると赤いポツポツが出ます

A 翌朝ひくなら様子を見て

赤ちゃんの体の表面温度と、お湯の温度との差が大きく、肌が敏感な場合に、このようなことが起こります。一晩寝るうちに発疹がひき、かゆがる様子もなく、機嫌もいいなら、様子を見てかまいません。入浴時はお湯にいきなり入れるのではなく、ぬるめのお湯を足先からかけ、少しずつ体の表面温度を上げてから、全身をお湯に入れてあげることをおすすめします。心配なら、湯温を少し下げてもいいかもしれません。

Q 後頭部の髪がからまり、薄いところも!

A 自然に生えてくるので大丈夫

布団にこすれる後頭部は、毛玉ができたり、髪が薄くなってしまうこともあります。ママとしてはずっとこのままだったら、と心配ですね。でも、寝ている時間が長い赤ちゃんにはよくあることです。髪は生えてくるので心配することはありません。必要なケアなどもないので、様子を見ていきましょう。おすわりができるようになり、起き上がっている時間が長くなれば、自然に生えそろうはずです。

Q 寝返りしないけど大丈夫?

A ぽっちゃりした子は寝返りが遅い傾向に

どちらかというと、体重の多い赤ちゃんは、首すわりや寝返り、おすわり、歩行など、運動面の発達がゆっくりという傾向があります。寝返りをしないことのほかに、発達について心配なことがあるなら、健診などで相談しましょう。ただし、赤ちゃんをうつぶせに寝かせたときに、頭をグンと上げて胸をそらせるような姿勢をとったり、手をよく動かす、おもちゃを握るなどの様子が見られるなら、まず問題ないはずです。もう少し見守ってあげてください。

6〜7カ月健診へ行こう!

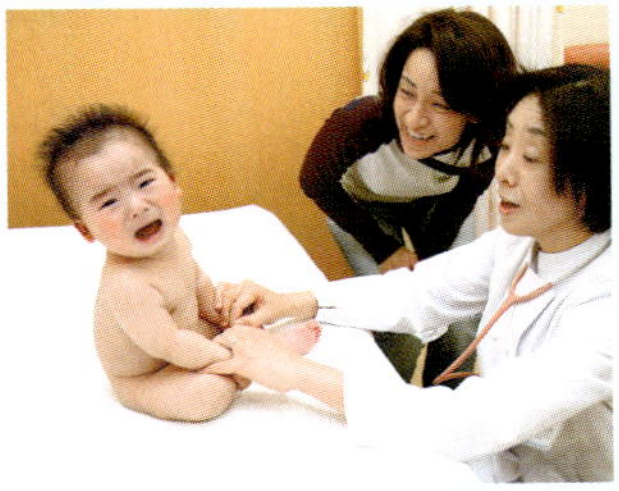

手指の動きや、寝返り、おすわりを確認します。周囲への関心の様子や、斜視、歯が生えたかなどを調べます。

どうかな?

★ おすわりの様子
体が傾いてしまう場合は、手をついて支えるかどうかをチェック。まだ不安定でOKです。

★ 寝返りの様子
あおむけに寝かせて寝返りするか見ますが、この時期にやらない子もたくさんいます。

★ 顔にかかったものをとり除く
顔にガーゼなどをかぶせて自分でとり除くか確認。手指の動きを観察します。

★ ほしいものに手を伸ばす
ものに対する興味と、それに向かって手を伸ばせるという目と手の協調運動をチェック。

など

7カ月

おすわりで遠くまで見渡せて あれは何？の気持ちが動く原動力に

私たちも7カ月Babyです

♂加瀬結人くん 67.0cm・8400g
♂藤井陽太くん 69.0cm・7300g
♀永田凌子ちゃん 68.7cm・8750g

	身長	体重
BOY	65.0〜73.6cm	6730〜9870g
GIRL	63.1〜71.9cm	6320〜9370g

※7〜8カ月未満の身長と体重です。

おすわりができたら はいはいで移動へ！

背筋を伸ばしておすわりができるようになると、赤ちゃんの視界は上下左右に大きく広がります。腕をついて体を支えなくても座れるので、両手が自由になり、手を伸ばしておもちゃをとったり、両手におもちゃを持って遊べるように。そして、より遠くにあるおもちゃがほしくなると、ずりばいを始める赤ちゃんもいます。視界が広がることで赤ちゃんの興味も広がって、動こうとする原動力になるのです。

運動能力の発達

つまんだり、新聞紙を破ったり 手指が器用に

これまでは「握る」という使い方だけだった指の動きも、親指とほかの4本の指で「つまむ」ことができるようになります。また、左右の手を別の方向に動かせるようになるので、新聞紙をビリビリと破るような遊びもお手のもの。片方の手で体を支えながら、もう片方の手でおもちゃをつかむといった、器用な動作も見せてくれます。

おすわりによって、見える範囲が広がり、手が自由になった赤ちゃんは、さらに遠いものをとりたくなります。たとえば、大人がいつもより少し離れた場所におもちゃを置いてみたら、赤ちゃんはどうするでしょうか？　はいはいは、おもちゃなどを「とりたい」と伸ばした手に体重を移動し、さらにもう一方の手を伸ばすことでスタートするといわれています。もちろん、はいはいができるように急ぐ必要はありません。遊びのひとつとしてとり入れてみるといいでしょう。

赤ちゃんの運動機能は脳に近い部分から順に発達してきています。足を自由に動かせるようになるのももうすぐです。

体の発達

歯が生えるので 歯みがきの習慣を つけましょう

このころ、下の前歯2本が生えてくる赤ちゃんがふえます。うれしい半面、生えたばかりの歯はむし歯になりやすいので、注意も必要です。「歯をみがく」という習慣に抵抗感を持たせないために、最初の1本が生えた時点で、歯ブラシを用意して、楽しく歯みがきしましょう。

体重増加は落ち着き、移動によって運動量がふえるため、少しスリムな体型になってくる赤ちゃんもいます。

心の発達

携帯電話やリモコン、大人の行動に 興味を持ちます

ごく初期の自我が芽生えてきます。要求が通らないときは大泣きして、自己主張をするようになる子も。その様子から温和、繊細など、赤ちゃんの個性が見えてきます。

大人の持ち物や行動に興味を示し、リモコンや携帯電話で遊びたがることも。危険のない範囲で遊ばせてもいいでしょう。

人見知りをする赤ちゃんもふえますが、成長の一過程なので、心配しすぎないで。逆に人見知りをしない子もいます。発達面で心配なことがなければ、個人差だと考えて見守りましょう。

7カ月の赤ちゃん

表情
人見知りで不安顔も

人見知りをする子も。ママ・パパなど親しい人にはニッコリですが、そのほかの人を見たときに、不安そうな表情をしたり、泣きだしたり、イヤイヤしたりします。

手
新聞紙を破れるように

親指とほかの４本の指を使って、小さなものをつまめるようになります。左右の手を違う方向に使い、新聞紙を破る遊びもできます。

足腰
足を力強くけります

おすわりのとき、腰がしっかりしてきます。足の力も強くなり、両わきを持って抱き上げると、足を力強くけります。

7カ月の飲む・食べる

- 離乳食は1日2回
- モグモグ押しつぶせる豆腐くらいのかたさに

モグモグすりつぶす動きができるように

離乳食をゴックンと飲み込めるようになったら、そろそろ次のステップに移行。モグモグした口の動きをするようになるので、絹ごし豆腐ぐらいのかたさにしていきます。母乳やミルクもまだまだ大切な栄養源なので、食後はほしがるだけ飲ませましょう。

口
小さな前歯が生えます

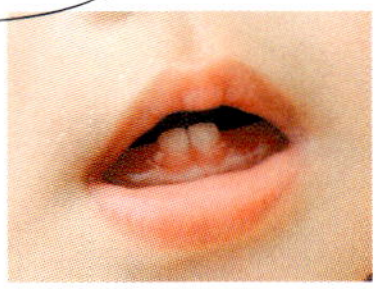

下の２本の歯が生え始める子がふえます。個人差があるので、まだでも順番が違っても、１才ごろまでは気長に見守りましょう。

7カ月って、こんな感じ！

「呼んだ？」って、振り返る

不安定だったおすわりも、だんだん慣れてじょうずになります。後ろから名前を呼ぶと、体をひねって、振り返ることもできるようになります。

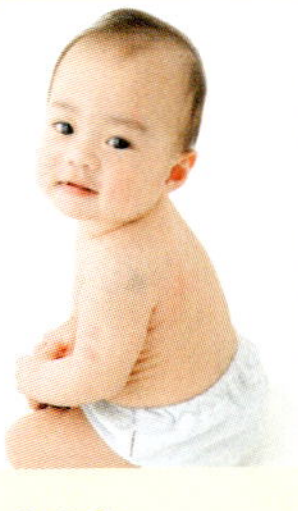

ほしいものを移動して獲得！

遠くにほしいものがあると、腹ばいでおなかを床につけたまま、ずりばいで進む子もいます。

7カ月の生活
どんなふうに過ごしている?

こんなふうに成長します!

亀山茶李くんの場合
身長69.6cm
体重10.02kg
撮影日／7カ月15日目

なんでも口に運ぶので誤飲に気をつけた環境を

おすわりができるようになると、頭からかぶせるタイプの衣類をラクに着せられるようになります。動きがますます活発になるので、衣類は大人より1枚少なめでいいでしょう。ずりばいが始まると、おなかがはだけやすいので、おなかの出ないロンパースなどを着せておくと安心です。

コミュニケーションもとりやすくなり、ママがおもちゃを「どうぞ」と渡すと、受けとってくれます。行動範囲が広がり、手にしたものはなんでも口に運んで確かめるので、誤飲にじゅうぶん気をつけて、安全な環境づくりをしましょう。

夜泣きをする赤ちゃんもいます。ママはたいへんですが、ときにはパパに相手を頼み、自分の体も休めましょう。

「食欲旺盛で、手づかみ食べも上達してきました」

手づかみ食べを完全にマスター
赤ちゃんせんべいを手づかみで食べられるように。食欲が旺盛で、どんどん食べて、体重も増量中です（笑）。

ストローで飲めます
ベビー用の野菜ジュースは大好物！ おやつの時間にあげると大喜びです。ストローでチューッと、じょうずに飲めるように。

食物アレルギー対応のBFをストック
食物アレルギーがあるので、離乳食は手作り。非常時用に、卵と乳が含まれていないレトルトベビーフードもストック。

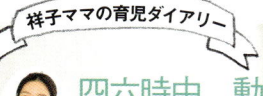

祥子ママの育児ダイアリー

四六時中、動き回るので安全対策のため模様替えを

起きている間は、ずりばいや歩行器で動き回り、眠っているときは寝返りをしながら移動。リモコンや新聞など、興味を持ったものはなんでもさわります。とにかくじっとしていなくて、お気に入りのDVDを見ているときでさえ、大声を出してはしゃぐことも。危険がないか、常に注意して見ていないといけないので、ママはとてもたいへん！ そこで最近、試みたのが、リビングの模様替えです。事故を防ぐために、行動範囲には大きな家具を置かないようにしました。これで無事に過ごせるといいなぁ〜。

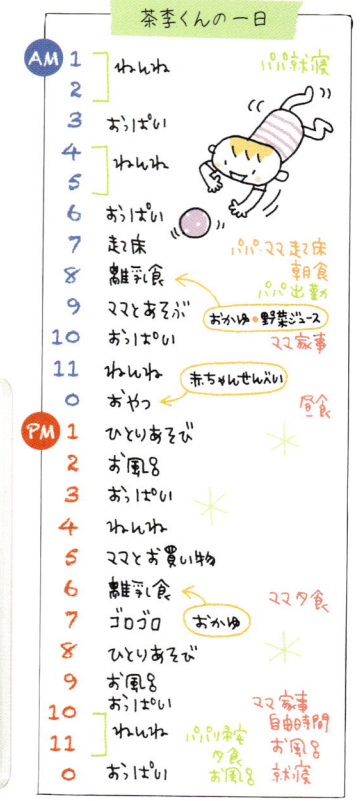

茶李くんの一日

時刻	茶李くん	
AM 1	ねんね	パパ就寝
2	（ねんね）	
3	おっぱい	
4	ねんね	
5	（ねんね）	
6	おっぱい	
7	起床	パパ・ママ起床
8	離乳食	朝食 パパ出勤
9	ママとあそぶ	（おかゆ・野菜ジュース）
10	おっぱい	ママ家事
11	ねんね	（赤ちゃんせんべい）
0	おやつ	昼食
PM 1	ひとりあそび	
2	お風呂	
3	おっぱい	
4	ねんね	
5	ママとお買い物	
6	離乳食	ママ夕食
7	ゴロゴロ	（おかゆ）
8	ひとりあそび	
9	お風呂 おっぱい	
10	ねんね	ママ家事 自由時間
11	（ねんね）	パパ帰宅 夕食 お風呂 ／ お風呂 就寝
0	おっぱい	

ADVICE
テレビの視聴は家族で“ルール”を決めて

赤ちゃんがくぎづけになるDVD観賞。でも、長時間のテレビの光の刺激は赤ちゃんによくないという報告もあります。テレビやDVDは「なるべくママといっしょに短時間だけ」など、ルールを決めましょう。

腕の力でズリズリっと進みます

はいはいもできますが、なぜか腕の力だけで足をひきずって動くずりばいのほうが多い。これから部屋じゅうを動き回るようになるのかな、と大人はヒヤヒヤ。

「行きたいところに自分で進めるのが楽しい♪」

鼻掃除はイヤ〜ッと号泣

鼻掃除は大の苦手。綿棒で鼻くそをとろうとすると、首を左右に動かして拒絶。押さえ込むと大きな声で泣きだします。ササッと終わらせようと、ママも必死なのだけど……。

うちの子、天才かも⁉

これも、テーブルの上からゲットした新聞。まるで本当に読んでいるみたいですが、向きが……。シャカシャカした音が好きなようです。

リモコンをさわりたい！

歩行器に入って立ち上がると目線が高くなるので、テーブルの上が気になるみたい。リモコンが好きで、必死に手を伸ばしてとろうとします。

みんなの7カ月 泣いた！笑った！がんばったSTORY

なかなか寝返りしなかった娘。うつぶせのまま向きを変えたり、ズリズリして後ろへ移動ができるように。発達が心配だっただけにうれしかったです。寝返りが嫌いでやらない子って本当にいるんだと、今なら言えます！（春菜ちゃんママ）

病院に行くと予防接種するということを理解してきたのか、ドクターの顔を見ると泣きべそ顔になるように。注射が終わってドクターがバイバイしてくれているのに、にらみつけていて、あまりに気まずくて困りました。（考祐くんママ）

おすわりがなかなかできず、いつかなと心待ちにしていました。ある日のお風呂上がり、いつものようにあおむけで絵本を読んでいたのに、ふと見ると、ひとりでちょこんと座っていたのでびっくり！　うれしかったな〜‼（そうくんママ）

「いい顔して〜」と言うと、顔をくしゃくしゃにして変顔するようになりました。たまらなくかわいかったです。１才過ぎの今もやってくれますが、ちょっとあごがしゃくれぎみです（笑）。やらせすぎたかな⁉ と反省しています。（諒介くんママ）

味の好みが出てきて、薄味の野菜だと口をブーッとさせて拒否し食べなくなりました。ママは離乳食の本を見てレパートリーをふやす一方で、ベビーフードのだしやソースをじょうずに使って、手を抜くことも覚えました。（佑柊くんママ）

7カ月の赤ちゃん

気になること Q&A

Q ずりばいをしないけど、するようになる?

A うつぶせが嫌いで ずりばいしない子も

赤ちゃんによって、「寝返りは好きだけど、ずりばいが嫌い」「はいはいが嫌いで、おすわりが好き」など、行動の好みがあります。うつぶせの状態が好きではなく、寝返りしてうつぶせになっただけで泣く赤ちゃんも。ずりばいをしないことが、ただの好みによるものなのかどうかは、今後の経過を見ての判断になるでしょう。ただ、これまでの乳児健診で、発達面について問題ないといわれているのなら、そのうちできるようになると考えられます。赤ちゃんが自由に動きやすいように、床をすっきりさせたり、赤ちゃんの好きなおもちゃを少し離れたところに置くと、ほしがってずりばいやはいはいを始めるかもしれません。心配せず、次の健診まで様子を見ましょう。

Keyword

ずりばいって?

床におなかをつけて、手の力でズリズリ進みます

腹ばいで床におなかをつけた姿勢で、手を伸ばして前に進むのが「ずりばい」。手に力が入りすぎて、あとずさりになる場合もあります。寝返りで移動していたころと違い、ほしいものが目の前にあれば、確実に近づけるようになるのです。ひざをついた四つばいで進む「はいはい」ができるようになるのはもう少し先です。

わが家はこうやって誘ってみました!

1. おもちゃの車を走らせて見せた
2. 足の裏に親の手を当ててけらせた
3. 床をやわらかいパズルマットに

足裏に親の手を当てて、ける練習をさせた人も。フローリングが冷たくて腹ばいをいやがる場合は、マットに替える手もあり。

Q おすわりに練習は必要?

A 自分では座れないので、ママが座らせて

ママが抱き上げて座らせてあげればおすわりできても、自分ではなかなかできないという赤ちゃんは多いもの。うつぶせの状態から、自分でおすわりの姿勢をとるのは、赤ちゃんにとっては難易度が高い動作なのです。首がすわって、寝返りができるようになり、背中や腰がしっかりしてきたら、おすわりをさせてあげましょう。大人のひざに座らせるなど、おすわりの姿勢をとらせていくうちに、自分でもできるようになってきますよ。

Q 人見知りしない子もいる?

A 時期には個人差があり、しないことはまれです

人見知りを全くしない子はあまりいませんが、時期には個人差があります。人見知りをするというのは、「人物認識ができるようになる」こと。赤ちゃんが五感を使い、自分にとって大切な人(ママやパパ)とそうではない人の区別がつくようになることで起こります。7カ月くらいではまだ認識できないこともあるため、これから始まる可能性も。じーっと見つめるのも人見知りです。もし人見知りをしなくても、ほかの発達に問題がなければ心配ありません。

Q 赤ちゃんも日焼け止めを塗るべき？

A 日常生活なら帽子や日よけで対策を

紫外線は赤ちゃんの肌によくありませんが、日焼け止めも肌に合わないことがあります。日常での散歩や買い物程度なら、大きなつばのついた帽子や、ベビーカーの日よけを使い、日陰を歩くなどの対策でよいでしょう。リゾート地に行って炎天下で長時間過ごさざるをえないなど、特別な場合に限って、赤ちゃん向けの日焼け止めを使ったほうが安心です。使用後は成分を肌に残さないようにしっかり洗い流してください。

日焼け止めについて

日焼け止めの選び方 3point

1. 「赤ちゃんOK」の表示がある
2. SPF値は用途に合わせる
3. 顔に塗る前に、体で試す

使用できる時期は各商品の表示を確認しましょう。選ぶときは、無香料、無着色、低刺激の表示があるものが安心。SPF値はレジャーならSPF20〜30が目安です。

Q とっても汗っかきです

A 赤ちゃんは新陳代謝が活発だからです

赤ちゃんは大人と比べて新陳代謝が活発で、体内の水分量も多いため、汗をかきやすいといえます。ちょっとしたことでびっくりするほどたくさんの汗をかく子もいますが、ほとんどは生理的な体の作用によるもので、心配ありません。汗をかいたらこまめに着替えさせてあげて。ごくまれですが、甲状腺の病気などが原因で、汗を多くかくことがあります。ママに甲状腺の病気がある場合や、ほかに気になる症状がある場合は、小児科で相談してみましょう。

Q 抱っこじゃないと寝ません

A 熟睡してから布団に寝かせてみて

ずっと抱っこしていてはママが疲れてしまいますね。寝つきは個人差が大きく、昼夜の生活リズムも関係するため、大人が思うようには寝てくれないこともあります。寝入ってすぐよりは、しばらく抱っこしていて、脱力し熟睡してから布団に置くと、そのまま眠ることもあるようです。寝ない子を寝かせるのは至難のわざ。「起きてしまっても仕方ない、そうなったら、明日は早寝するだろう」くらいに、ポジティブに割り切ったほうがいいかもしれません。

Q 奇声を発するのは、なぜ？

A 声を出すことや周囲の反応が楽しいのかも

「キ〜ッ」という声を出すのですね。はっきりした理由はわかりませんが、公共の場などでは、ママも困るでしょう。何か伝えたいことがあるのか、大きな声を出すことが楽しいのか、あるいは、まわりの人が反応することがおもしろいのか……。おそらく、赤ちゃんなりの理由があるのでしょうね。このような子は「カンが強い」などといわれることもあるようですが、一時期のことなので心配ありません。成長とともにおさまっていくので、おおらかに見守ってあげましょう。

Q うんちがかたくて排便時に泣きます

A ヨーグルトや果物で便を出やすくして

これまでは母乳やミルクで液体ばかりだった栄養が、離乳食が始まると固形物になります。そのため、うんちがかたくなる赤ちゃんも。便秘かどうかは回数ではなく、スムーズに出るかどうかが判断の目安になります。たとえば、1日2回出ていても、うんちがかたくて、出すときに苦しそうな場合は便秘と考えられます。なるべくラクに出せるように、ヨーグルトや果物などを食べさせてあげて。それでも改善しないときは、小児科で相談してみましょう。

8カ月

はいはいができると好奇心のおもむくまま移動します

私たちも8カ月Babyです

♂大森凜空くん 71.0cm・8700g
♀白井杏樹ちゃん 67.1cm・7865g
♀川原 翠ちゃん 70.0cm・8310g

	身長	体重
BOY	66.3～75.0cm	6960g～10.14kg
GIRL	64.4～73.2cm	6530～9630g

※8～9カ月未満の身長と体重です。

移動が始まると安全管理も大人の仕事に

ずりばいやはいはいができるようになり、行動半径が広がるこの時期、大人の最大の仕事は、赤ちゃんの安全管理です。誤飲しそうな小さなものは落ちていないか、転落しそうな場所はないか、お風呂にお湯は残っていないか、ポットや加湿器、シュレッダーを床に置いていないかなど、チェックしましょう。

「まだこれはできないだろう」という考えは禁物。昨日できなかったことが、今日はできたりするのです。大人は危険を見極める目と片づける力をみがきましょう。

運動能力の発達

“はいはい”は左右の運動の分化が完成した証拠

低月齢のころを思い出してください。手と足が左右同時に動いていました。でも今は、右手と左足を前に出し、次に左手と右足を前に出す、「はいはい」という左右別々の動きができるようになりました。これは、左右の運動の分化ができるようになったという証拠です。

発達の重要な通過点であるおすわりは、ますます安定します。赤ちゃんは遠くまで見渡せる高い位置から興味のあるものを見つけ、進んでいきます。今後、赤ちゃんの関心が向かうのはさらに高い位置。テーブルの上、ママ・パパの顔のある場所まで行きたい！　という気持ちが生まれます。次なる目標は、つかまり立ちとたっちです。赤ちゃんの意欲の芽は止まりません。

体の発達

運動量がふえ、体型が少し引き締まります

おすわりの完成は、脳の近くから始まった神経の発達が、背骨の末端まで行き渡ったことを示しています。最初は手を床について体を支え、背筋が丸まっていたおすわりも、じょうずになるにつれて背骨がまっすぐ伸びてきます。

また、はいはいを始めると、運動量が急にふえます。体重の増加よりも身長の伸びのほうが著しくなり、ぷよぷよしていた赤ちゃんの体が、どことなく引き締まった感じになるでしょう。少しずつ幼児体型に近づいていくのです。ぽっちゃり、小柄など体型の差が大きくなるのもこのころです。

心の発達

大人の言葉を理解して行動できるように

赤ちゃんとママ・パパとの「愛着関係（アタッチメント）」が完成し、人見知りやあと追いはピークになります。赤ちゃんが不安そうなときは突き放さず、ママ・パパがやさしく甘えさせてあげましょう。

知的な発達も進みます。「マンマ、食べようね」という言葉を聞いて、はいはいでテーブルまで行くなど、大人の言っている言葉の意味をなんとなく理解するようになります。少しずつ、お互いに伝えたいことがわかるようになってきています。

記憶力もついてきます。目の前から消えたものを探す、“いないいないばぁ”を喜ぶなど、「短期記憶」の発達が進みます。

8カ月の赤ちゃん

8カ月の飲む・食べる

- 7倍がゆから
  5倍がゆくらいのかたさへ
- 1食につき、子ども茶わん軽く
  1杯分食べるように

食べられる食材がふえても、栄養の中心は授乳から

ずりばいやはいはいで運動量がふえ、食べる量もふえてきます。1食につき、赤ちゃん茶わん軽く1杯分食べる子もいます。小食でも、その子なりの量を食べ、体重もふえているなら問題ありません。食後のおっぱい、ミルクは飲みたいだけ与えましょう。

表情

ママ、
行かないで!

人見知りの真っ最中。ママがいないと不安な表情になったり、泣いたりします。はいはいができる子なら、あと追いが始まります。

口

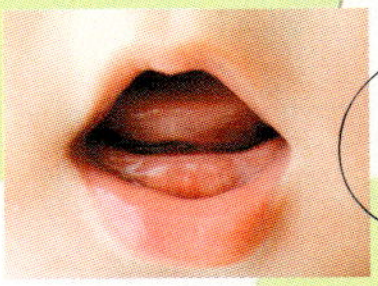

歯ぐきでつぶして食べます

口や舌のコントロールがじょうずになります。歯ぐきですりつぶして食べたり、少量ならコップやストローで飲める子も出てきます。

手

手づかみ
食べができる子も

手先が器用になるので、離乳食も手づかみで食べられる子も。そろそろスプーンを持たせてもいいでしょう。使えるのはまだ先ですが、興味を持たせてあげて。

足腰

自分で体を
起こせます

腹ばいの姿勢から、体を起こして座れるようになります。これは、頭から下半身まで、自分の意思で動かせる随《ずい》意《い》運動が発達したあらわれです。

8カ月って、こんな感じ!

はいはいで行動半径が広がる

はいはいはひざをついた四つばいではなくてもOK。自分で考えて行動できるようになるので、探究心がさらに高まります。

両手でおもちゃやマグを持てる

おすわりが安定すると同時に指先が器用になり、両手でじょうずに物を持てるようになります。ママが手伝えば、マグも両手で持って飲めるように。

8カ月の生活
どんなふうに過ごしている？

こんなふうに成長します！

山崎蓮果ちゃんの場合
身長65.0cm
体重7300g
撮影日／8カ月14日目

遊びのバリエをふやしてかかわってあげましょう

離乳食が始まって3～4カ月。2回食が定着してくるころでしょう。食べることに興味が出て、スプーンを自分で持ちたがったり、手づかみ食べをしたがる子もいます。まだじょうずにはできませんが、意欲を認めて、自由にさせてあげるといいですね。

昼夜の区別もはっきりついてきます。遅寝遅起きが続いている赤ちゃんは、日中に散歩や外遊びをとり入れ、きちんとした早寝早起きのリズムに整えていきましょう。ママ・パパのリードが大切です。

また、親子の愛着関係が完成し、ママ・パパといるのが楽しい時期です。「いないいないばぁ」や手遊び歌などで積極的に遊んであげると、言葉の発達を促すことにもつながります。

マスター中✧」

もう一歩で、ずりばいが完成しそう

おすわりしたままでまわりにあるものをつかんだり、なめたりして遊ぶことが多いです。目の前に物を置いたら、とろうとして、少しだけずりばいをしました。その調子でがんばろう～！

順子ママの育児ダイアリー

人見知りもあまりせず、人といるのが大好きみたい

最近、実家の近所に引っ越しました。実家の近くに着くと、「キャッキャッ」と大喜び。人見知りもあまりせず、人といるのが大好きで、特にいとこにはメロメロ。特別に遊んでもらっているわけではなくても、そばにいるだけで楽しそうにしています。おすわりの姿勢でいるのが大好きなようで、同じ年ごろの赤ちゃんと集まっているときにも、ジーッと同じ場所に座って、様子を観察しています。ずりばいがもう少しで始まりそうですが、安全対策が未着手なので、ゆっくりでいいよ、と見守っています。

蓮果ちゃんの一日

AM
1 ねんね
2 夜泣き＋おっぱい
3 ねんね
4 夜泣き＋おっぱい
5–7 ねんね
ミネストローネスープ
トマトとおかかのおかゆ
パパ・ママ起床
おっぱい
パパとシャワー
朝食
パパ出勤
8
9 朝食
おっぱい＋あそび
10–0 ねんね
ママ家事
昼食
PM
1 お散歩（実家へ）
おっぱい
2–3 ねんね
ほうれん草のおかゆ・にんじんとブロッコリーの白和え
4 いとことあそぶ
5 おっぱい
6 夕食
ママ夕食
7 いとことお風呂
8 帰宅
おっぱい
パパ帰宅
夕食
お風呂
9–0 ねんね
ママお風呂
自由時間
10
11
0
パパ・ママ就寝

8カ月の生活

「おすわりして、周囲をマイペースに観察☆」

小さなテントが昼間の居場所です

テントの中は、ぬいぐるみやボール、おもちゃがいっぱい。おすわりが安定してから、ここで過ごすことがふえました。小窓からのぞくと喜びます。

いとこのそばにいるだけで満足みたい

生まれたときからそばにいるいとこが大好き。横を独占して、絵をかいたり、宿題をしている間も、うれしそうにながめています。

お出かけは抱っこよりベビーカーで

抱っこは肩がこるので、お出かけのときはベビーカーが大活躍。実家から自宅まで夜道を歩くこともあるので、蛍光シールで安全対策を。

初プールも泣かずにニッコリ

初めてのプールでパチリ。お風呂が大好きなので、水をこわがることもなく、気持ちよさそうにプカプカ。この笑顔が出ました♪ そのあとの昼寝はぐっすりです。

「ずりばいを必死に

ADVICE

3回食になるころはフリージングを活用して乗り切る手も

今後、離乳食が1日3回ともなると、そのたびに少量を作るのはたいへん！ まとめて作り、フリージングがラク。『はじめてママ&パパのフリージング離乳食』(主婦の友社)を参考に修業中。

みんなの8カ月 泣いた！笑った！がんばったSTORY

腹ばいで後ろには進めるのに、なかなか前に進まなかったころ、お気に入りのおもちゃほしさに前進！ 3日もするとスピードアップ。その5日後、猫さわりたさに、ソファでつかまり立ちを。急成長した1週間でした。(そうくんママ)

なぜか、ずりばい→つかまり立ち→はいはいの順にできるようになりました。動きまわり、目が離せなくなってくると同時に、あと追いも激しくなってしまった～！ あのころはトイレにもゆっくり入れなかったな……。(花男くんママ)

離乳食が進んできたころ、便秘になって、私の頭の中はいつも、どうしたらうんちが出るかでいっぱいでした。3週間くらい綿棒浣腸に頼っているうち、自力で出せるようになりました。今なら「悩みすぎだった」と笑えるんですが。(Nくんママ)

育児のストレスがたまり、イライラ爆発。日中に2人でいるのが苦しくて、泣きながら夫に訴えました。1日フリーの日をもらい、ウインドーショッピングやカフェに行ってリフレッシュ。ひとりで子どもを見てくれた夫にも感謝。(悠人くんママ)

8カ月のときに軽井沢へ、初めての一泊旅行。部屋に入ってまずは、誤飲しそうなものがないかチェックし、破壊しそうなものは隠し……、大人2人の旅とは違うね～と、パパと笑いあいました。一方で、娘はうれしくてニコニコ。(佑茉ちゃんママ)

8カ月の赤ちゃん

気になることQ&A

Q 人見知りする原因はいつも母子だけで過ごすから？

A 関係はありません！ 発達の一過程です

ちょうど人見知りをするようになる時期ですね。自分の大好きな人と、他人の区別がつくようになったということなので、うれしい成長の一つと受け止めて。日中、母子だけでいることは、人見知りと直接の関係はありませんが、ママも息抜きを兼ねて、できれば、いろいろな人とふれあえるといいですね。もちろん今の時期は、泣いていやがるのを無理してまで、多くの人とふれあわせたり、抱っこをさせたりする必要はありません。ママが緊張する相手には、赤ちゃんも抵抗を感じることもあるようです。ママが安心していられる人と、気楽にふれあえばいいでしょう。

Keyword

人見知りって？

他人にはギャン泣きして ママにはピタッと泣きやむ！

人見知りにも個人差があり、「知らない人をじっと見つめる」というレベルから、「知らない人と目が合っただけで大泣き」まで程度はさまざま。自分にとって大切な人（親や家族）の存在がわかり、そうでない人と区別できるようになったという証拠なので、成長を喜んであげて。時期は7～9カ月がピークです。

わが家はこうやって乗り切っていました！

1. 親が相手と仲よくするのを見せる
2. 慣れるまでは親が抱っこしている
3. 親のせいではない、通過点と割り切る

相手と親しいところを赤ちゃんに見せて、安心感を与えるのがいちばん。成長の証しと割り切り、周囲にもわかってもらいましょう。

Q 激しい〝あと追い〟どうしたらいい？

A 声をかけるなど ママの存在を知らせて

あと追いは、人見知りと同じように、成長の大切なステップ。でも追われるママはたいへんですね。赤ちゃんにとって、大好きなママがいなくなるのはとてもこわいことで、この場合の泣きは「ママ、なんかこわいよ！」というサインなのです。ですから、ママの存在を感じさせることができれば安心することも。そばにいられないときは、「ママはここだよ、今行くね」と声をかけたり、家事の間はおんぶをしてしまうのも手。やがておさまるときがきます。

Q 夜泣きに対処法はある？

A ときには家族に対応を代わってもらって

夜泣きの期間や程度には個人差があって、なかには何カ月も続く子もいます。夜がくることさえ、ゆううつに感じるかもしれませんね。ママはたいへんですが、残念ながら「こうすれば夜泣きがおさまる」という秘策はありません。たまには家族に対応を代わってもらい、ママが続けて眠れる時間をつくってもらいましょう。添い乳はママが対応せざるをえないので、パパが休みの日は赤ちゃんの相手をしてもらい、ゆっくりと昼寝をするのもいいですね。

Q 一方向にしか寝返りしません

A くせのようなものでそのうち両方します

どの赤ちゃんも向きやすいほうから寝返りし、そのうち両方できるようになることが多いようです。練習しなければならないことはありませんが、気になるようなら、遊びのなかで、ママが歌でも歌いながら赤ちゃんの足や腕をやさしく押し、クルッと回らせてあげたりすると、喜んでやるようになることもあるようです。ふだんの手足の使い方、動かし方を見て、左右で大きな違いがある場合には、念のため、健診や小児科で相談しましょう。

Q していいこと、悪いことはいつから教える?

A まだ理解できませんがダメなことは伝えて

ダメと言われても8カ月では理解できませんし、また同じことをするでしょう。ただ、これをするとママが困った顔をする、いやな雰囲気になるということはだんだんと感じとれるようになります。たとえば、今はやっていいと言い、1才をすぎたらダメと言うのでは子どもは混乱するので、ダメなことは最初からダメと言ったほうがいいでしょう。伝え続けることで、少しずつわかっていくはずです。

Q テレビを近距離で見るのは目によくない?

A 光や音声が発達に影響する可能性も

つかまり立ちするようになると、テレビの台に手をついて、見ていたりしますね。テレビの光による刺激や音声は、赤ちゃんの発達によくない影響を及ぼす可能性が指摘されています。目に悪いだけでなく、テレビを長時間ずっと見続けることで、親子の会話が減り、赤ちゃんの言葉の発達の遅れにつながることもある、といわれているのです。もちろん、情報を得るためにテレビを視聴することもあるでしょう。しかし、なんとなくつけっぱなしにしていたり、DVDなどを赤ちゃんに見せっぱなしにすることには注意が必要です。

Q 鼻づまりやせきで起きてしまいます

A 寝苦しさが続くなら受診しましょう

赤ちゃんは大人のように鼻をかむことができないので、鼻づまりが解消されにくく、鼻水がのどの奥に落ちて、せきの原因になることがあります。寝苦しさを解消するには、「加湿」と「加温」が大切です。寝る前にお風呂に入るのもいいですね。長引くときは小児科を受診しましょう。

室内の環境について

鼻づまりには加湿＋加温

加湿 **50〜60%の湿度をキープ**
加湿器を使い湿度50〜60%を心がけると、たんや鼻水が出やすくなり、呼吸がラクに。

＋

加温 **入浴も効果あり**
浴室の空気はあたたかく、湿気もあるので、鼻づまりが解消しやすく、眠りにつきやすい。

Q 外出中の離乳食を抜いていい?

A やむをえない場合以外は食べさせて

赤ちゃんは食事や生活のリズムを練習している時期なので、外出するときも時間帯や行先を調節して、生活リズムを一定にしてあげたいですね。離乳食を抜いたり、大きく時間をずらしたりは控えたいものです。やむをえないときは、1日の合計の摂取量が足りるように、工夫しましょう。

私たちも9カ月Babyです

♂小川陽太くん 75.0cm・10.0kg　♂脇田 環くん 70.0cm・9000g　♀和田 心ちゃん 64.0cm・7400g

	身長	体重
BOY	67.4～76.2cm	7160g～10.37kg
GIRL	65.5～74.5cm	6710～9850g

※9～10カ月未満の身長と体重です。

9カ月

つかまり立ちを始める子も！ 親指と人さし指で物をつまめます

ダメと言わずにすむように危険なものは片づけて

はいはいが自由にできるようになった赤ちゃんは、目が離せないから要注意！　リモコンをなめていたと思えば、ペットのごはんに手を突っ込む、ティッシュペーパーを最後まで引っぱり出す……。ママはダメ、汚い、危ない、としかり続けてしまいますね。でも、この時期の赤ちゃんの探索行動は、今後の成長において、好奇心や意欲の源になります。「なんだろう」「不思議だな」という気持ちをはぐくむために、危険なものはあらかじめ片づけ、ママ・パパの「ダメ」を減らしましょう。

運動能力の発達

つかまり立ちして2本の足で体重を支えます

はいはいがますます上達し、あと追いしてトイレまでついてくる子もいます。ママは困ってしまいますが、赤ちゃんをひとりにするよりは安心と切りかえて、しばらくつきあってあげるといいですね。

つかまり立ちを始める子もいます。大人の足や低いテーブルにつかまって、グイッと体を持ち上げ、背骨を伸ばします。2本の足で全体重を支えるという、赤ちゃんにとって革命的な瞬間です。視線が高くなり、探究心はさらにかきたてられるでしょう。

指先はより器用になって、親指と人さし指の2本で物をつまめるようになります。これは、霊長類（ヒトとサル）だけに見られます。「道具を使う」という行動には欠かせない能力なのです。

体の発達

音に敏感になり、リズムに乗って体をゆらゆら

運動量がふえ、下半身に筋肉がついてきて、体つきが引き締まってきます。下の前歯から生え始めた歯は、下2本、上2本にふえます。乳歯はむし歯になりやすいので、食後はガーゼでふいてあげるなど、歯みがきの習慣をつけましょう。まねっこが好きな時期なので、大人が歯をみがく姿を見せるのも効果的です。

音にも敏感になり、リズム感のある曲や楽しい曲に合わせて体をゆらす子も多く見られます。ママもいっしょになって遊べば、赤ちゃんはさらに喜ぶでしょう。

心の発達

記憶遊びやまねっこなど遊びが広がります

「赤ちゃんが静かなときほど要注意！」ということを、先輩ママから聞いたことはありませんか？　この時期の赤ちゃんは好奇心でいっぱい。興味のあるものへ突進し、大人がどう思おうが気にすることなく、なめたり、ひっくり返したりするからです。探索行動は、この時期の特徴です。成長するにつれ、おさまってくるでしょう。

心の発達は、遊びの変化にも結びついています。「ちょうだい」「どうぞ」「ありがとう」などのやりとり遊びや、「いないいないばぁ」などの記憶遊び、大人のまねっこなど、かかわり方のバリエーションもふえます。赤ちゃんはママ・パパが大好き。積極的にかかわってあげましょう。

9カ月の赤ちゃん

9カ月の飲む・食べる

- 離乳食は1日3回に
- カミカミして押しつぶせるバナナくらいのかたさに

離乳食>授乳の栄養割合に! 栄養の6割以上を離乳食から

3回食になるので、家族と同じ時間に食べるなど、規則正しいリズムを心がけることが大切です。しっかり食べられているなら、授乳の量や回数を減らしていきましょう。野菜スティックなどを用意してあげると手づかみ食べの練習になります。

表情

“びっくり”が表情にも

この時期の赤ちゃんは、好奇心、探究心にあふれています。探索をするなかで、びっくりしたり、大喜びする気持ちは、表情にもあらわれます。見のがさないで！

口

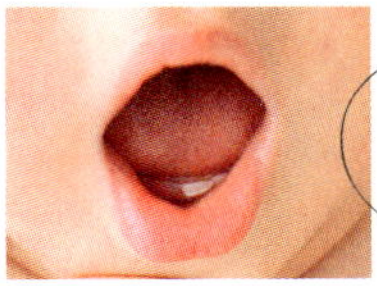

前歯の本数がふえます

10カ月近くなると、下の歯2本、上の歯2本の計4本の歯が生える子がふえてきます。歯みがきはぜひ習慣にしましょう。

手

2本の指でつまみます

指先がいっそう器用になり、親指と人さし指の2本の指で、小さなものをつまむこともできるようになります。この動きが今後、道具を使うことにつながります。

足腰

つかまり立ちをする子も

下半身をコントロールする力がついてきて、地面にひざをついた四つばいだけでなく、足の裏だけをつけた「高ばい」をしたり、つかまり立ちをするようになります。

9カ月って、こんな感じ！

親指と人さし指でつまんでめくる

“2本の指でつまむ”という器用な動作ができるように。指先でつまんでページをめくる絵本は、赤ちゃんの好奇心を刺激します。

ストロー、コップで飲めるように

ストローやコップで飲める子がふえます。練習するなら少量で、大人が手を添えて。1才過ぎまでにできればいいので、あせることはありません。

9カ月の生活
どんなふうに過ごしている？

離乳食を中心に生活リズムを立て直しましょう

離乳食は1日3回、お昼寝は午前と午後の1回になるなど、生活リズムを整えやすくなります。夜ふかしの家庭は、早起きにシフトしましょう。

この時期の赤ちゃんは、言葉の理解がさらに深まってきます。読み聞かせを楽しむのもいいですね。きれいな色や単純な絵がかかれた絵本、いないいないばぁなどの遊べる絵本を読んであげて。心の中に、たくさんの言葉が積み重なっていくでしょう。

運動能力も発達して、外遊びや、外出の機会もふえます。いろいろな刺激を与えるため、外に連れ出すのは大切なこと。しかし、かぜなどをうつされる機会がふえることも認識しておいて。流行期には人混みを避けるなどの予防策が必要です。

こんなふうに成長します！

中村陽ららちゃんの場合
身長68.4cm
体重7965g
撮影日／9カ月16日目

「手づかみすることで、食への興味が増しているみたい」

新聞紙を破くのが大好き！見つけしだい、ビリビリ

新聞紙や雑誌を破くのは得意技。両手を器用に使って、ビリビリします。このまま口に入れてしまうこともあるので、ママは目が離せません。

手づかみ食べが大好き＆得意

食への関心が強いようで、食事中にいちばんいい笑顔が出ます。野菜スティックやパンを手づかみで食べることもじょうずで、保育士さんからほめられました。

陽子ママの育児ダイアリー

体を動かすことが大好きで眠る時間も惜しいみたい

活発で、起きているときはずっと、体を動かしています。子ども用のテントを購入したので、リビングに置きましたが、しばらくこわがって入れませんでした。今では、はいはいで出たり入ったり、楽しそうにしています。そんなわけで、運動量は多いはずですが、夜、寝かしつけようとしても、寝るのがもったいないといわんばかりの抵抗ぶり！　ママは眠くて眠くてたまらないというのに、なぜ寝ない!?

離乳食は３回食に。食欲旺盛で、保育園の給食も、いつも完食しているようです。

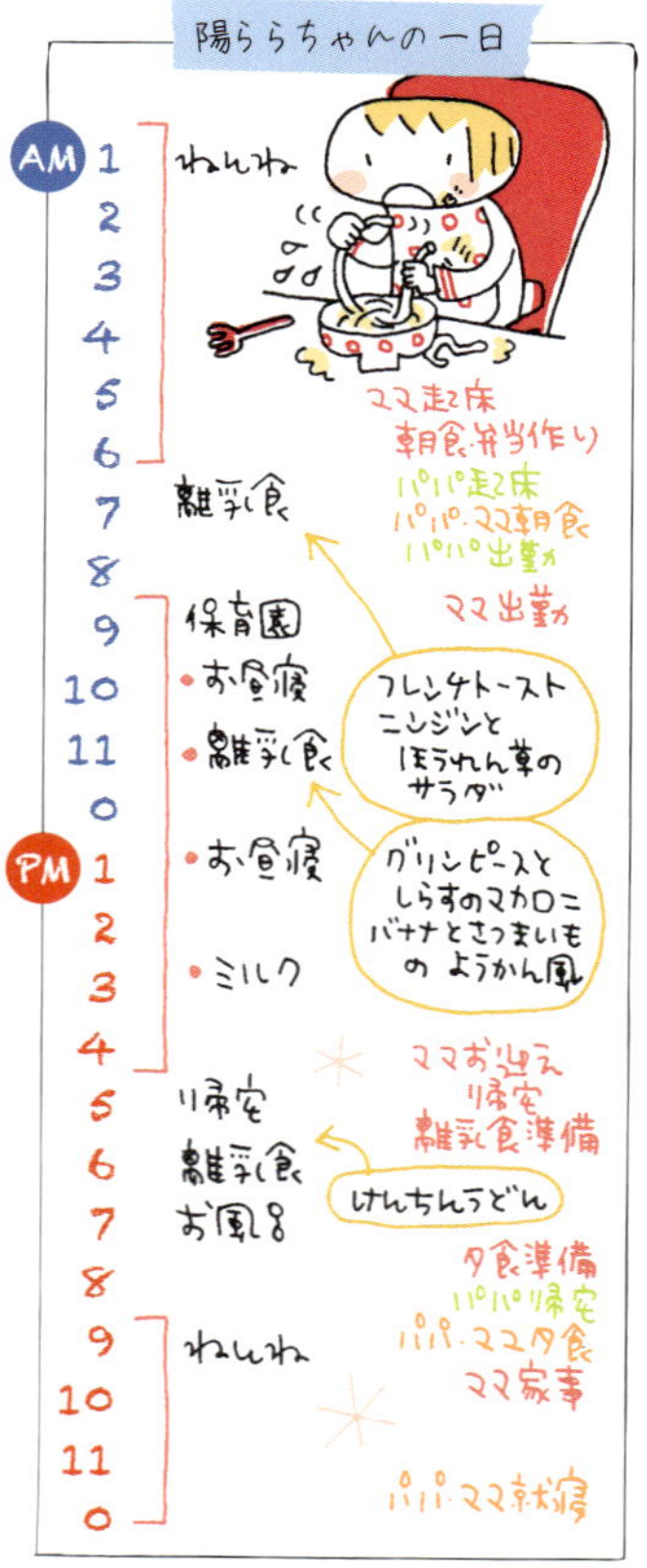

ADVICE

事故は未然に防いで！ ゴッチン＆痛い防止の「安全グッズ」

はいはい、つかまり立ちと行動半径が広がってくるので、家具の角にカバーをつけるなどの対策も必要になります。レース柄のかわいいコーナークッションは100円ショップで購入！

つかまり立ちからおすわりも

少し前は、力がコントロールできずしりもちをついていましたが、今はおしりをゆっくり落として、座れるように。

どこでもつかまり立ち

机やソファだけでなく、壁や窓などの垂直な面でも、手をついてつかまり立ちができるようになりました。

「女の子だから!? 謎の宇宙語でたくさんおしゃべり」

ママが指さしたほうを見ます

「これ見て！」とママが指さすと、ママの指ではなく、さし示したものを見るようになりました。少し遠くも見えているみたい。

初ブランコは刺激不足!?

近所の公園で初めてブランコに乗ってみました。少し揺れてみたものの、まったくの無表情……。刺激が足りなかったかな？

会話しているみたいに盛り上がります

「あちゃ、えちゃ、だ」と、まるで意味のあることをしゃべっているみたいに、お話しします。ママがこたえると、さらにおしゃべりで返してくれます。

みんなの9カ月 泣いた！笑った！がんばったSTORY

伝い歩きがじょうずになり、棚の上のものにも手を伸ばしてとるように。ある日、何やらとても興味を引くものを手にし、大事そうに持ったと思った瞬間、立っていました！　こちらを見てニコッ。ビデオに撮りたかったな～。（なおやくんママ）

つかまり立ちや伝い歩きができるようになると、自分の力で立ちたいのか、手ばなしで立とうと試みていました。すぐにしりもちをついてしまうのですが、ときどき、ベッドの柵やテーブルにあごをぶつけて泣いてしまうことも。（結菜ちゃんママ）

5～6カ月ごろ「あーあー」から始まったおしゃべり。次は「マーマー（ママ）」かな、と思っていたら、「パ……パ」。パパは大喜びでデレデレ。私はくやしくて、納得できず、娘が「パ」と言うたびに「マ」よ、と言っています。（みゆちゃんママ）

保育園の一時保育へ通うようになりました。初めは息子も泣いていましたが、すぐ慣れた様子。離れてさびしかったのは私のほうでした……。生まれてからずっと、いつもいっしょにいたので、さびしくてたまらなかったです。（諒介くんママ）

おもちゃ屋さんのはいはいレースに参加。思い出づくりのつもりでしたが、トーナメントに勝ち進み、みごとに優勝！　ほかの速い赤ちゃんたちがゴール直前で急に止まったりと、アクシデント続きだったのがラッキーでした。（歓太くんママ）

9カ月の赤ちゃん

気になることQ&A

Q どうしたらストローやマグで飲むようになる？

A 離乳食のときに添えて興味を持たせて

9カ月だと、ストローや持ち手つきマグをいやがる赤ちゃんも多く、まだ哺乳びんから飲んでいても問題ありません。ただ、授乳の時間はきちんと決めて、一日中だらだら飲ませることは避けましょう。ストローや持ち手つきマグに慣れさせたいなら、離乳食を食べるときにそばに置き、興味を持ったらいつでも飲めるようにしておくといいですね。いやがる場合は無理じいすることはありません。習慣づけ、少しずつ練習することで、やがて飲めるようになるでしょう。

コップ飲みについて

コップ飲みまでの道のり

1. まずはスプーンに慣れる
2. おちょこなど、小さな器で飲んでみる
3. コップのふちをはさんで飲んでみる

初めはガシガシかんでしまってもやらせてあげて。1才半ごろには飲めるようになるので気長にとり組みましょう。

Keyword

きき手って？

大脳によって決まっているので無理に直すと影響が出ることも

きき手は大脳が決めています。無理に直そうとすると、吃音《きつおん》など、影響が出ることもあるようです。きき手は2才ごろにわかってきますが、3才ごろに変わることもあり、4才ごろにはっきりするといわれています。もし左ききとわかっても、その子の個性と思って受け入れて。左きき用のはさみや包丁もありますよ。

Q 左ききは直すべき？

A 直したりせず、自然にまかせましょう

赤ちゃんは、最初は左右どちらの手も同じように使います。しだいによく使う手が決まってきますが、きき手がはっきりするのは4才ごろといわれているので、今、左手をよく使っているからといって、左ききとは限りません。無理に右手に直させたりせず、自然にまかせて使いたいほうの手を使わせてあげましょう。

Q かまずに〝丸飲み〟しています

A ママがモグモグして見せるのも効果的

離乳食をかまずに丸飲みするのですね。9カ月では離乳食をあまりかまずに飲んでしまう赤ちゃんも多いので、あせることはありません。じゃがいもなど歯ぐきでつぶしやすいものや、野菜をやわらかくゆでてこまかく刻んだものなどを食べさせ、様子を見ながら徐々に大きくするなどの工夫をしましょう。「モグモグしておいしいね」と、ママが口を動かしながらかんで食べる様子を見せるのも効果的です。

Q 食べたものが形のままうんちに出ます

A 消化できない食べ物が出ただけなので大丈夫

離乳食を始めると、うんちの形状や回数が変化する赤ちゃんは多いもの。離乳食で食べたものの一部が消化しきれずに、ほぼそのままの形でうんちにまじって出ることもあります。ママはびっくりするかもしれませんね。下痢や便秘がなく、体重もふえているなら、必要な栄養はとれているので安心を。ただ、赤ちゃんは大人よりも消化する力が未熟です。消化しやすい食材を選び、やわらかく加熱するなど、調理法でも工夫をしてあげましょう。

Q 添い寝、添い乳をしないと寝ません

A 今しかできないふれあいを楽しんで

まだ9カ月ではひとりで眠るのはむずかしいかもしれませんね。赤ちゃんは1才を過ぎるころから卒乳をしたり、おしっこやうんちが出たら教えたり、ひとりで寝たりという練習を始め、乳児から幼児の生活へと移行していきます。そのころになれば、自然にひとりで寝られるようになっていくはずです。添い寝や添い乳ができるのは、長い子育て期間のうち、わずかな時期だけ。もう少しの間、今しかできないわが子とのふれあいを楽しむのもいいものですよ。

Q 夜中でも受診するべき目安は？

A 水分がとれて眠れるなら翌朝でもOK

これくらいの月齢になると、熱をしょっちゅう出す子もいます。夜中でも受診するべきか悩んでしまいますね。実は、本当に夜間の緊急受診が必要なのは、ごくわずかです。熱が高くても水分がとれてウトウトでも眠れるなら、朝まで待って通常の診療時間に受診しても、まず問題ありません。夜中に出かけて疲れるよりも、家でゆっくり寝られるほうが赤ちゃんにも負担が少ないと考えましょう。ただ、下にあるようなときは、夜中でも受診が必要です。

夜間の受診について

急いで受診したい！

- ☑ 生後３カ月以内の発熱
- ☑ 下痢や嘔吐が激しく、水分がとれない
- ☑ 意識がぼんやりしている
- ☑ 熱の上がり下がりが激しいなど、パターンが一定しない
- ☑ 呼吸が苦しそう　など

体温表や嘔吐・下痢の記録をつけておくと、受診時に参考になります。ふだんと明らかに違う泣き方、苦しそうに泣くときなども、重大な病気の可能性があるので即受診を。

Q はいはいをしなくても大丈夫？

A おすわりできているなら心配しないで

おすわりやつかまり立ちはしても、はいはいをしないのですね。はいはいをするのは8～9カ月ごろからといわれています。ただし、発達には個人差があるので、おすわりやつかまり立ちをするならば、あまり心配しなくていいでしょう。

おすわりをあまりしない子や、四つばいをせず、ずりばいからそのまま立つ子など、発達のパターンは赤ちゃんによってさまざまです。また、はいはいが始まるためには、発達が進むだけでなく、「動きたい」という赤ちゃんの意欲がきっかけになります。おすわりで静かに遊ぶほうが好きなど、その子の好みもあるかもしれません。

どれもその子なりの成長の過程であるので、あせらずに、個性のひとつととらえてあげるといいですね。

9～10カ月健診へ行こう！

どうかな？

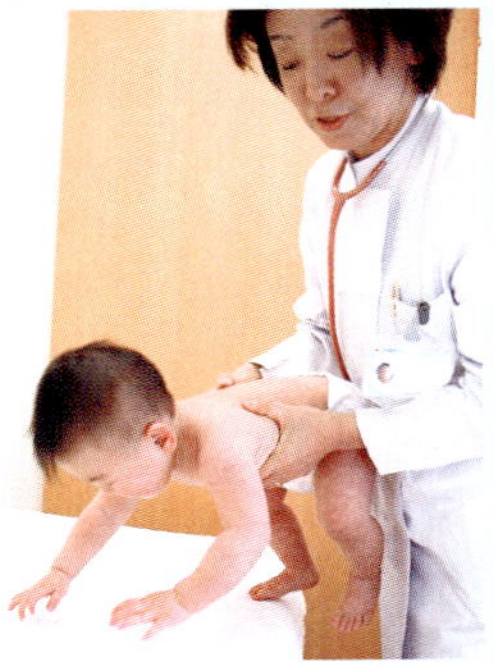

★ パラシュート反射
体を持ち上げて、急に前に傾けたとき、両腕を前に出す反射が出るかどうか調べます。

★ はいはいの様子
ずりばいや高ばいでも、好きな方法でOK。

★ つかまり立ちの様子
壁につかまらせて立てるかチェック。むずかしいので、まだできなくても心配いりません。

★ 手指の動き
積み木など小さいものを指先でつまめるか、末梢《まっしょう》神経が働いているかを観察します。

など

パラシュート反射は、ひとり歩きの準備が整っているかを見る目的が。はいはいの様子も観察します。

10カ月

あふれる好奇心で周囲を冒険！
伝い歩きや、少しの間立つ子もいます

♂藤井景心くん
75.0cm・10.4kg

♂加瀬結人くん
71.0cm・9200g

♀永田淩子ちゃん
74.2cm・9640g

	身長	体重
BOY	68.4～77.4cm	7340g～10.59kg
GIRL	66.5～75.6cm	6860g～10.06kg

※10～11カ月未満の身長と体重です。

ママ・パパのほめ言葉が赤ちゃんの原動力になります

おすわりやはいはいができるようになり、手先も器用になるなど、赤ちゃんにできることがふえてきました。半面、大人がしてほしくないことをする場面もふえてきます。赤ちゃんが何もできなかったころは、大人がなんでもしてあげて、赤ちゃんに〇〇してほしい、なんて思わなかったはず。ネガティブなことはできるだけ口にせず、「できるようになったね」と一つ一つの発達をほめてあげましょう。ママやパパの励ましが、赤ちゃんの「やる気」のスイッチを押すのです。

運動能力の発達
はいはいで階段を上る子も！必ず、安全対策を

大部分の赤ちゃんは、つかまり立ちや伝い歩きができるようになります。首すわりから始まった運動機能の発達が、ようやく足の末端まで達したのです。

指先も器用になります。つまむだけでなく、スイッチをひねったり、ボタンを押したりするのもじょうずになるので、台所には入れない、ガスコンロなど火が出るものは「アッチッチ」と教えるなどの安全対策を講じましょう。

はいはいが上達して足腰がしっかりしてくると、段差を乗り越え、階段をはって上れるようになります。転落の危険がある場所にはゲートをつけ、階段や玄関などの段差に通じるドアは必ず閉めておくことを、家族で徹底しましょう。

体の発達
公園や児童館ではいはいをたっぷりさせましょう

盛んに体を動かすようになり、体型がますます引き締まってきます。動きが活発になるこの時期は、芝生のある公園や児童館などで、はいはいをたっぷりさせてあげましょう。近所の公園などに行き、砂場や遊具などで遊ばせることも大切です。同じくらいの赤ちゃんと接したり、砂や水の触感を楽しんだり、風を感じることで、五感が刺激されます。外で遊ぶことが、赤ちゃんの体と心には必要なのです。

心の発達
自己主張が激しく、好き嫌いを表現するように

自己主張が激しくなって、好きなこと、嫌いなことをはっきりと表現するようになります。ほしいものにはサッと近づいていき、とり上げたりすれば、泣いて抗議するでしょう。おむつ替えをいやがって、逃げ回ったり、泣くこともしばしば。2才の「自己主張期」「反抗期」に向けたスタートです。育児の新たなステージも間近ですね。

大人と同じような言葉はまだ出ませんが、赤ちゃん自身も言葉を発しています。それは指さしやジェスチャー。ほしいものを指さしたり、食べ終わった皿を指さして「もっと」と主張したり。そんなときは、ママが「もっと食べたいの？」と言葉にかえることで、赤ちゃんは言葉が果たす役割を実感していきます。わかりやすい言葉でたくさん話しかけてあげてください。

10カ月の赤ちゃん

10カ月の飲む・食べる

- 食べる意欲が出て、手づかみ食べが盛んに
- 好き嫌い、むら食いが出る子も

朝、昼、夕を、できれば大人と同じ食事時間に

大人と同じ食事時間にすることで生活リズムが整えやすくなります。いろいろな食べ物への興味がわき、自分で食べるという意欲も増すでしょう。好き嫌いやむら食いはこの時期よくあること。無理じいはしないで、メニューを工夫してみましょう。

表情

気持ちが顔にあらわれます

自己主張が激しくなって、いやなことはいや、したいことは「これがしたい」と、表現できるように なります。行動を制限されると、怒って泣きだすことも。

口

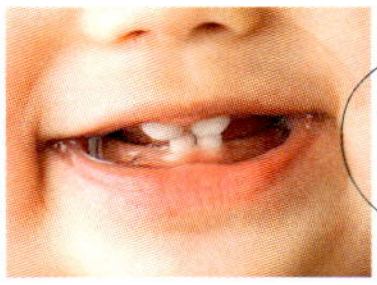

計４本の前歯が生えます

乳歯はすき間があったり、ハの字に生えたりも。隣の歯が生えれば変わるので心配無用です。

手

指先でスイッチをポチッ

器用な指先で、落ちている小さなゴミをつまんで拾ったり、テレビなどのスイッチを押したりすることができるように。ママはますます目が離せません。

足腰

伝い歩きがスタート

多くの子はつかまり立ちができるようになり、伝い歩きがスタートします。早い子だとたっちしたり、２～３歩、歩き始める子も出てきますが、あせらなくて大丈夫。

10カ月って、こんな感じ！

大人のまねでバイバイ

「バイバイ」「バンザイ」など、大人のまねっこを始めます。一方で、まねに興味を示さない子もいるので、やらなくても心配いりません。

つかまり立ちが安定します

足の裏全体を使って立てるようになるので、つかまり立ちが安定します。伝い歩きをする子もいます。少数ですが、一瞬立てる子も。

10カ月の生活
どんなふうに過ごしている？

こんなふうに成長します!

溝口紗世ちゃんの場合
身長70.0cm
体重8300g
撮影日／10カ月23日目

日常の中で遊びを見つけて楽しみましょう

ひとりで集中して遊ぶ時間がふえ、ママも少しはラクになるでしょう。でも、遊ぶ内容に危険がないか、大人が困ることではないかは、しっかり目を配ってください。

この時期は、大人が発する言葉をまねるようになります。「バァー」「マンマ」など赤ちゃんが言いやすい言葉で、言葉遊びをしてみましょう。赤ちゃんが喜ぶ遊びは日常の中にもたくさんあります。新聞紙をくしゃくしゃにしたり、親もはいはいになって追いかけっこをしたり、絵本をペラペラめくったり。「いないいないばぁ」も大好きです。大人から見ると「何がおもしろいの?」ということも、赤ちゃんにとっては立派な遊びです。ぜひ、つきあってあげてください。

「ひとりで集中して遊ぶのも、ママといっしょに遊ぶのも大好き」

鉄琴でひとり遊び♪ 真剣な表情でカンカン
おもちゃの鉄琴を、これまでバチをなめるだけでしたが、ママがお手本を見せるうちに、カンカンとたたいて音を鳴らせるようになりました。

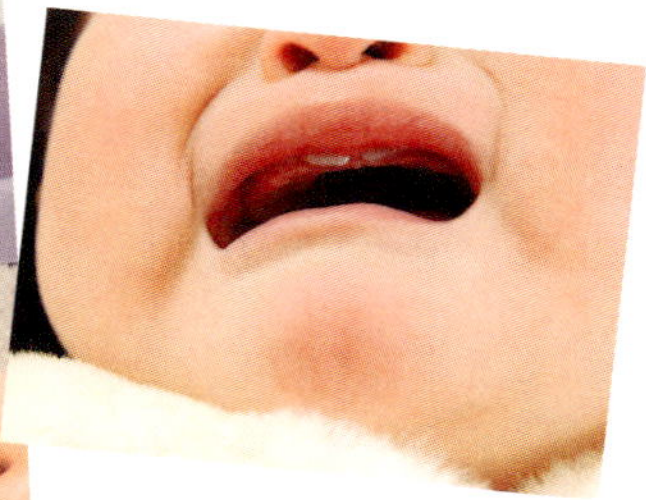

10カ月にして歯が見えました
なかなか生えてこなくて、心待ちにしていました。下より先に、上2本も見えてきて。これでホッと一安心です。

綾乃ママの育児ダイアリー

夜はよく寝ますが、昼は××（涙）昼寝の環境を見直さないと！

夜は寝かしつけてから30分以内に寝るし、朝まで７時間はぐっすりです。夜泣きもほとんどしなくて、夜間の睡眠については特に問題のない子。ですが、悩みはお昼寝……。昼食後に眠そうにぐずり出すので抱っこしても、眠る気配は一向にありません。結局、復活するので、お昼寝をしないまま外へ遊びに。午後３時過ぎに帰宅して、ようやく20～30分眠るくらい。睡眠時間が足りないですよね？　生活リズムを見直して、しっかりお昼寝させるのが今後の課題です。そうしたら、日中のママ時間もふえると期待して……。

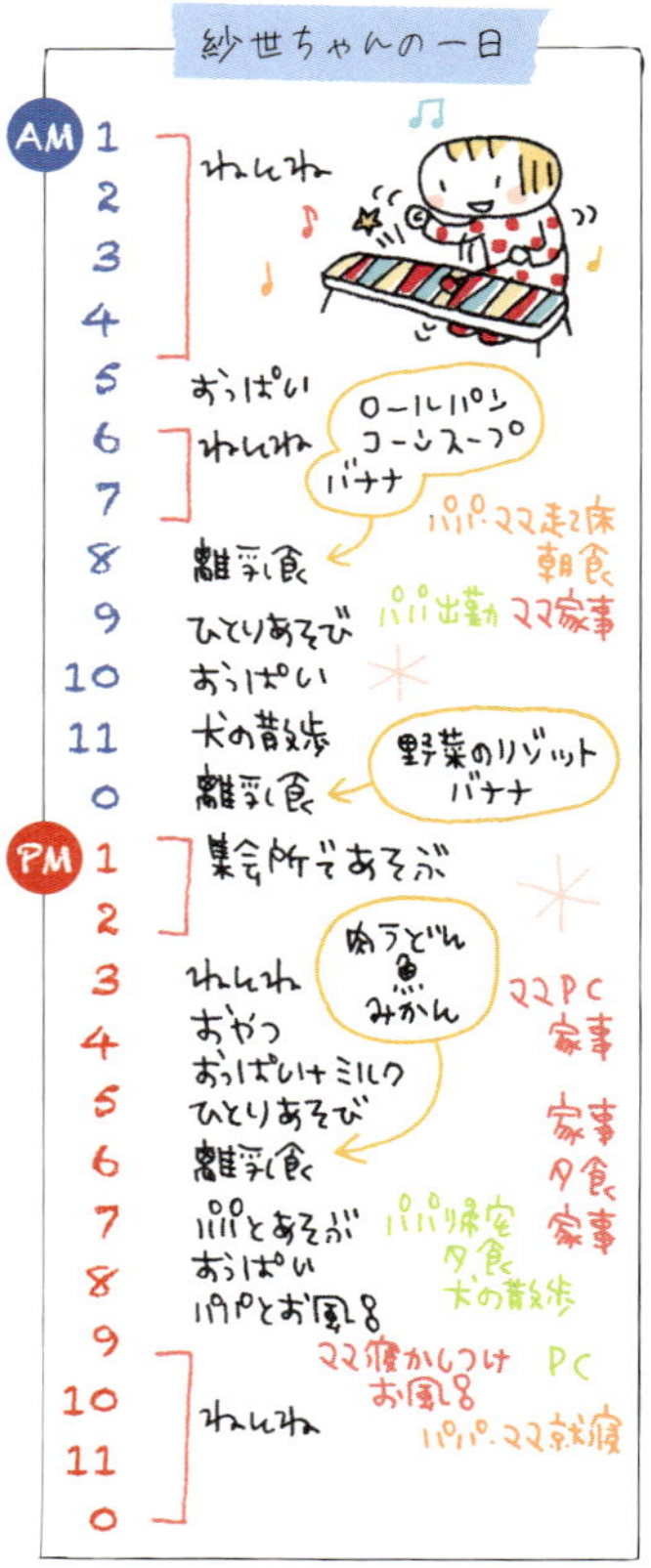

10カ月の生活

「機嫌のいいときに一瞬だけ“たっち”。感動しました！」

着替えるよ〜

これ、着替え中の姿なのです

ゴロンと寝かせるといやがっていつも脱走。しかたなく、最近は立って、抱え込んで着替えます。ママは足がつりそうです。

たっち！

5秒間、たっちできました

ママにつかまり立ちしてから手を離して、たっちするようになりました。でも5秒後にはしりもちをついちゃいました。

1、2と、あんよの練習

まだひとりで歩くのは無理ですが、ママが両手を持ってあげると、よちよちと足を前に運びます。この得意げな表情ったら！

♪あんよが
じょうず♪

はいはいと伝い歩きで行動範囲が広がります

早くからはいはいを始めた子はスピードがアップ。さらに伝い歩きができるようになると、高いところにも手が届きます。好奇心に押されて運動機能が発達するのです。

ガサゴソ

パパの引き出し、何があるかな

パパの書斎に入っては、引き出しをあさります。中に入っているものを一つ一つていねいに出してくれます（泣）。引き出しに指をはさむこともあるので、気をつけて！

家政婦は見た!? ドアの開閉を習得

半ドアにしておくと、そのすき間に手をかけてオープン！　どこかへ行ってしまうことも。「ドアはきちんと閉めないとね」と、大人は反省しています。

みんなの10カ月 泣いた！笑った！がんばったSTORY

どこにでもはいはいで行ったり、つかまり立ちして危ないので、いろいろな場所にベビーゲートをつけました。そのゲートに、私がひっかかり転倒して、肋骨《ろっこつ》にヒビが！　娘はキョトーン。まさかのママ負傷でした。（みはるママ）

4月に保育園入園。慣らし保育も無事終わり、私も復帰した翌日。保育園からいきなり「お熱です」電話。聞いてはいたけどこんなに早いとは、びっくり。それから1週間休み、ようやく回復したのに、次は……私が発熱しました。（菜月ちゃんママ）

あと追いのピーク。泣きながらなので、目がほぼ閉じています。それでも突き進むので、扉に頭をぶつけて、さらに大泣き。でも私もおなかが痛くてトイレにこもっていて……、泣き叫ぶ声が響き渡りました。（しんちゃんママ）

はいはいをするようになっても、最初は後ろに進んでいて笑ってしまったけれど、ママがはいはいして、お手本を見せるうちに、まねして前に進むようになりました。同じ時期にソファを使ってつかまり立ちも始まりました。（颯真くんママ）

2カ月違いで生まれた、いとこと毎日のように遊んでいます。このころはおもちゃのとり合いがスタート。息子が奪うと、いとこは大声で怒り、とり返し、息子はまた奪い……。その様子がかわいくて、ビデオに撮りパパに報告しました。（聡亮くんママ）

10カ月の赤ちゃん
気になることQ&A

Q 大人のまねっこをしません

A 性格によって、あまりやらない子も

この時期にはバイバイやパチパチと手を打つなど、まねっこをする子もいますね。まねっこや言葉の発達には、その子の性格なども関係します。赤ちゃんにも個性があるので、積極的な子、おとなしい子、じっくり考えてから行動する子など、さまざまです。ですから、「やらない」＝「遅れ」というわけではありません。自分がまねするとママが喜ぶとわかり、一生懸命やって見せるサービス精神旺盛な子もいれば、たまにやればいいかなと思う子、やりたくないと思う子もいて当然。無理強いは無用なので、ママ・パパは働きかけを続け、赤ちゃんがその気になるのを待ちましょう。

まねっこについて

大人の行動やしぐさをまねっこ

生後10カ月ごろ～

頭を振ったり手を振ったり
まわりの人のすることをよく見ていて、バイバイ、パチパチなどをするように。時期には個人差があるので、あせらないで。

生後1才ごろ～

まわりの行動をとり入れる
大人の行動に興味を示し、電話など道具の使い方もまねをするように。歯みがきなど生活習慣もまねすることで習得させて！

Q おしゃべりにあいづちを打ったほうがいい？

A 簡単にでもこたえてあげて

赤ちゃんの「あーあー」「くー」といった言葉に、ママも自然に「うんうん、そうね」と声が出ませんか？ 大好きなママとのやりとりで赤ちゃんは満ち足りた気持ちになり、活発に声を出すようになります。たとえば、離乳食のときなら「おいしいね」、散歩中なら「風が気持ちいいね」などと、赤ちゃんの気持ちを代弁してあげて。体験していることを言葉に置きかえてあげることで、理解できる言葉がふえてきますよ。

Q 離乳食の前後におっぱいをほしがります

A まだ授乳も必要なので食後に飲ませてOK

そろそろ卒乳が視野に入ってくるママもいるかもしれませんね。しかし、3回食になっても、生後10カ月ごろでは離乳食だけで必要な栄養やカロリーをすべてとることはできません。離乳食のほかに母乳やミルクを飲ませて栄養を補うことが必要です。おっぱいを飲みたがるなら、飲みたいだけ飲ませてあげて。ただ、おなかのすいているときには先に離乳食を食べさせ、そのあとで母乳やミルクのほうがいいですね。

Q 赤ちゃん同士が遊ぶとき、親が介入すべき？

A ケガや事故になりそうなら、すぐ止めて

このくらいになると、赤ちゃん同士でおもちゃをとったり、とられたりはよくある光景ですね。ある程度は見守ってあげたいもの。ただし、かたいおもちゃで相手をたたくなど、ケガをしそうなときや、事故につながりそうなときはすぐに止める必要があります。赤ちゃんには「こんなことをしたら危ない」ということはわかりません。大人が常に目を離さず、危険なときはすぐ、間に入って止めましょう。

Q 「見守る」「助ける」の線引きは？

A まずは環境を整え、自由に動き回らせて

つかまり立ちでグラッとしたときなど、「危ない！」とすぐ抱っこしてしまうママもいるかもしれませんね。そのようなとき、見守るか、助けるかに明確な線引きをするのはむずかしいでしょう。確かにケガをしては困りますが、転んだりぶつかる体験を覚えていくことも、赤ちゃんには大切な学習です。家の中では転んでも大丈夫なように、床に不要なものは置かない、赤ちゃんにとって危険なものは片づけるなど、環境を整えて、自由に動き回らせてあげてください。ソファなどは赤ちゃんがつかまり立ちを覚えるのに役立つこともあります。

Q ベビースイミングで中耳炎になる？

A スイミングが原因で中耳炎にはなりません

耳の奥には鼓膜があり、耳に水が入っても鼓膜の中まで入り込むことはないので、スイミングが原因で中耳炎になることはありません。心配な場合は、水から上がったのち、綿棒などで耳の入り口付近の水を軽くふきとってあげてもいいでしょう。かぜなどから中耳炎になっている間は、耳の中に炎症を起こしているので、プールに入ったり、運動するのはやめましょう。

Keyword

中耳炎って？

「急性中耳炎」と「滲出《しんしゅつ》性中耳炎」の２種類があります

急性中耳炎は、細菌が耳の奥の中耳というところに入り、起こる病気。鼻水が出ているときに起こりやすく、耳だれが出たり、強い痛みや高熱を伴います。滲出性中耳炎は粘膜からしみ出た滲出液が中耳にたまるのが原因で、急性中耳炎に引き続き起こることも。鼻水が続くときになりやすく、聞こえが悪くなります。

Q ママの手や腕をかむことをダメと教えるべき？

A その場でくり返しダメと伝えましょう

本人はニコニコしながらしているのですね。悪気はなく、赤ちゃんとしては遊びで楽しんでやっているのでしょう。でも、やめてほしいことは、その場で「ダメ」「痛い」と伝えることが大切です。ママが痛くてもがまんしてしまうと、「やっていいこと」と赤ちゃんは間違えたことを覚えてしまいます。「これをするとママがいやがる」ということを理解してもらうためにも、その場で何度でも「痛いからダメよ」と伝え続けましょう。くり返し伝えることで、そのうち赤ちゃんも理解し、しなくなりますよ。

Q 「ダメ」ばかり言ってしまいます

A 安全な環境で「ダメ」を減らす工夫を

よく動けるようになると、いたずらもふえますね。日ごとに「ダメ」がふえる時期だと思います。いたずらする理由は「おもしろそう」のほか、「ママの気を引きたい」ということもあります。命にかかわるような危険なことには、こわい顔で「ダメ」と言い続けましょう。ただし、安全に遊べる環境をつくり、事前に危険を遠ざけることで、ダメを言う回数は減らせるはずです。赤ちゃんが興味のあるもので遊べ、ほめられることがふえれば、気を引くためのいたずらも減ってくるでしょう。

11カ月

言葉の理解が急速に進み 感情の発達とともに強い自己主張も

私たちも11カ月Babyです

♂亀山茶李くん
76.0cm・10.0kg

♀白井杏樹ちゃん
69.6cm・8085g

♀茨木紬希ちゃん
74.0cm・9200g

	身長	体重
BOY	69.4〜78.5cm	7510g〜10.82kg
GIRL	67.4〜76.7cm	7020g〜10.27kg

※11カ月〜1才未満の身長と体重です。

個性が見えてくるので 受け入れて、伸ばしてあげて

あと1カ月で1才の誕生日ですね。そのころにはひとりで立てる子もふえてくるでしょう。ファーストシューズの情報収集をそろそろ始めるといいですね。

赤ちゃんの個性もはっきり出てくる時期です。のんびりしていたり、大胆だったり。ママとパパのどっちに似たの？　という会話もよく聞かれるようになります。しかし遺伝だけですべてが決まるわけではありません。まわりの手助けで赤ちゃんの才能を伸ばしてあげましょう。

運動能力の発達

伝い歩きは運動能力のほか性格も影響します

はいはいが上達し、下半身の筋肉がつき、足の力が強くなってくるとつかまり立ちができるようになります。11カ月ごろには、つかまり立ちにも慣れてきて、伝い歩きを始める赤ちゃんも多いでしょう。

伝い歩きを始めたばかりの赤ちゃんは緊張しています。こわごわと足を踏み出し、数歩歩いて、はいはいに戻ってしまうこともあるでしょう。慎重な性格の子はなかなか歩き出さないこともあります。このくらいの時期になると、発達の個人差が大きくなります。ママ・パパはあせったり、ほかの赤ちゃんと比べたりするのは禁物です。赤ちゃんが自分で「したい」と思うまで待ってあげましょう。

指先の器用さもますます発達します。家電のスイッチをじょうずに押したり消したりが大好きになり、積み木は2つ積めるようになります。スプーンをじょうずに口に運ぶ子も出てきます。

体の発達

個人差はありますが、引き締まった体型に

ふっくらしていた体はいっそう引き締まってきます。筋肉もついてきて、ぽちゃぽちゃとやわらかい赤ちゃんらしさがあるのも、あと少しの間です。体型には個人差があるので、まだぽっちゃりしていても、これから歩き始めると運動量がふえ、引き締まってくるでしょう。

視力は、大人が遠くを指さしても、遠くのものはまだ視界に入らず、対象物が何かはわかりません。ママの指を見ていたりします。聞きとりはじょうずになり、大人の言葉の一部をまねしたり、音楽に合わせて体を動かします。

心の発達

動作と言葉が結びつき、予測することも

遊びの内容がレベルアップし、「ちょうだい」「どうぞ」といったやりとりをくり返すうちに、動作と言葉が結びつくようになります。記憶力がつき、予測もできるので、「いないいないばぁ」も「出てくるかな？」とワクワクする気持ちで待って楽しめるようになります。

ひとりで静かに何かに熱中して遊ぶ時間もふえます。それは、ママが見守ってくれているからこそ、安心してできるのです。目は離さないようにしましょう。

11カ月の赤ちゃん

11カ月の飲む・食べる

- 遊び食べ、ばっかり食べする子も
- 鉄分不足には気をつけて

丸飲みせず、きちんとかめているかをチェック

カミカミ期も後半です。ちゃんと食べ物をつぶして食べていますか？　赤ちゃんは歯ではなく、舌や歯ぐきで押しつぶしているので、かたいと丸飲みしてしまいます。大きさ、やわらかさには注意しましょう。肉や魚を工夫してとり入れて、鉄分を補って。

表情

やりとりに笑顔が

大人が「バイバイ」すると応じて手を振ったり、「ちょうだい」と手を出すと渡してくれたり。まわりとのコミュニケーションを楽しむ気持ちが笑顔にあらわれます。

口

マ・パ・バ行で発音

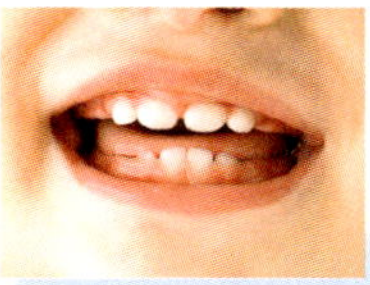

意味不明なおしゃべりが基本です。「パパ」「ママ」「マンマ」など、意味のある言葉を1～2個発する子もいます。乳歯は上下8本に。

手

指先に力を込められます

指先に力を込めることがじょうずになり、簡単なふたの開閉ができるようになります。スプーンで食べようとする子も出てきますが、まだ握り持ちです。

足腰

伝い歩きで移動します

ほとんどの子が、はいはいや伝い歩きで移動します。足を自由に動かして、ソファによじのぼったり、障害物をまたぐ子もいます。

11カ月って、こんな感じ！

小さないすやカタカタを押して歩くように

家具や壁に伝って歩くだけでなく、カタカタや段ボール箱などを押して歩けるようになります。ひとり歩きまであと少し！

鏡に興味を示してじっと見つめます

赤ちゃんは、低月齢のころから人間の顔に興味を示します。鏡に映った自分の顔にも興味津々。機嫌が悪くても、鏡を見るとニッコリ。

11カ月の生活
どんなふうに過ごしている？

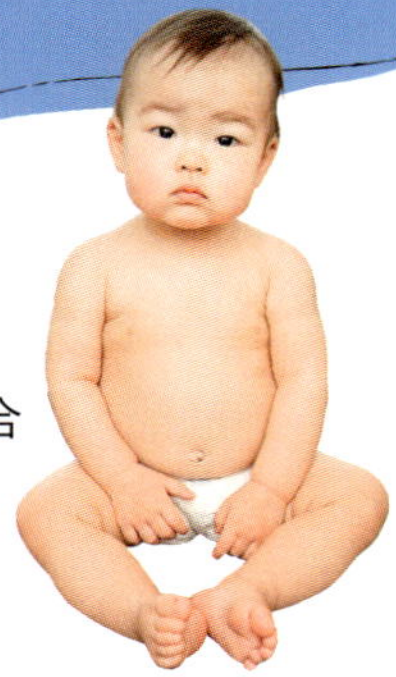
こんなふうに成長します！

北野祐有ちゃんの場合
身長73.2cm
体重8750g
撮影日／11カ月15日目

昼寝は1日1回、夕方まで寝かせずリズムを整えて

1才を前に、生活リズムをもう一度見直しましょう。食事の時間や睡眠時間が一定か、日中の活動ができているか、三度の食事を家族ととれているかなどをチェックし、改善しましょう。

多くの子は昼寝が1日1回、午後だけになり、その分、夜は朝までぐっすり眠るようになります。昼寝が夕方までずれ込んでしまうと、夜の寝かしつけに響いてしまいます。昼寝は遅くとも15時には切り上げて、夕方の活動をさせるようにするといいですね。

指先が器用になり、伝い歩きで移動ができるので、身のまわりの危険物にはいっそうの注意が必要です。まだ対策を講じていないなら、早めにしましょう。

「自分がかくれて“ばあっ”と出てくる瞬間がかわいい」

「いないいないばぁ」のかけ声に合わせて登場！
ママが「いないいないばぁ」と言うと、笑顔でカーテンから出てきます。その表情がたまらなくかわいくて、何度でもくり返し楽しんでいます♥

いないいない

カーテンの後ろにかくれてスタンバイ
ワクワク感がたまらないのか、「いないいないばぁ」が大好き。ママがやってあげるよりも、自分でやりたがります。まずは、カーテンの後ろにかくれて……。

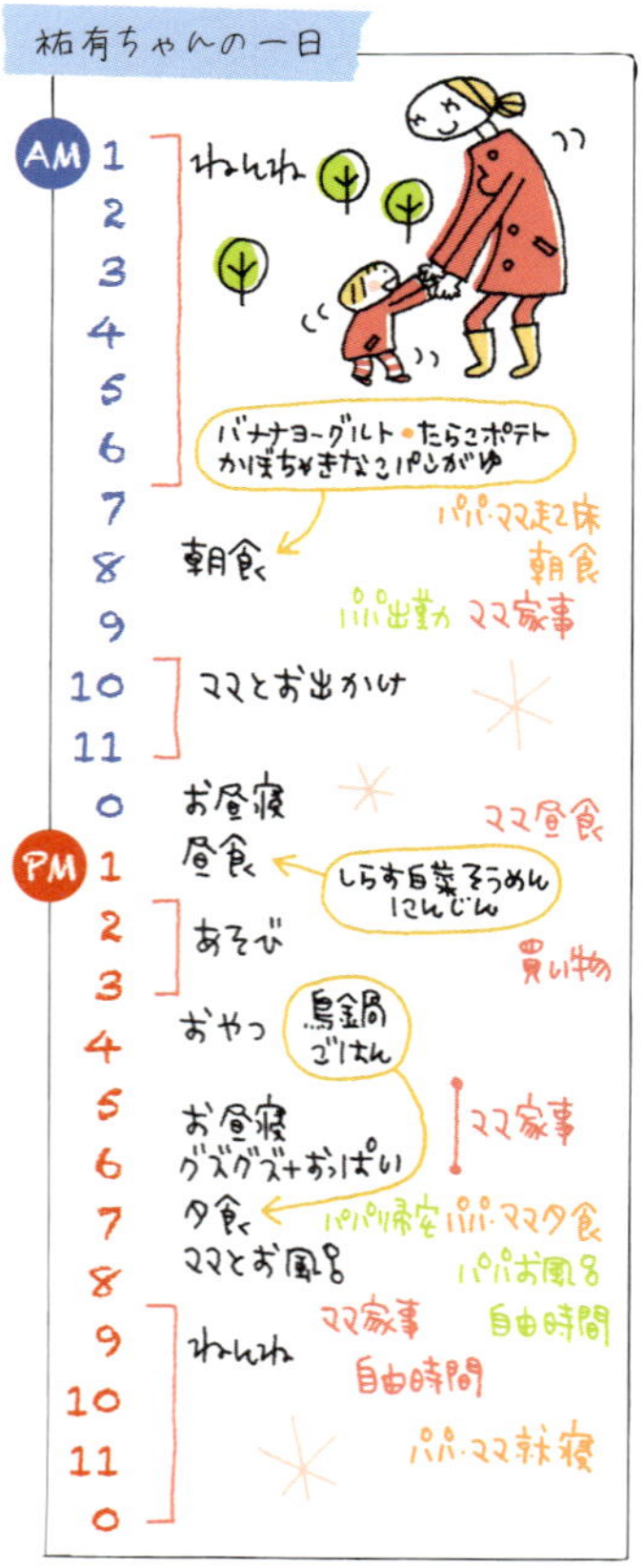

文佳ママの育児ダイアリー

人見知りは卒業！ いろいろな人に笑顔を振りまきます

人見知りやあと追いで大泣きする時期を経て、訪ねてきた私の友だちに笑顔を見せるようになり、成長を感じます。ただ、自己主張をするようになって、いやなことがあると泣きだすことも。ひとりでも遊べることが多くなり、最近はボタンを押すと音が出るおもちゃがお気に入り。音楽に合わせて手拍子したり、体をゆらして楽しそうにしています。大人のまねっこも大好き。私がやっているのを見ていたのか、柄の短いモップを動かして、床の上のほこりを掃除したり。手伝いをすすんでやってくれて、ママは助かっています。

「歩けることが楽しくて仕方ないみたい」

ちょっとだけ、歩けました！
つかまり立ちしている場所から少し離れたところにママが待っていると、おぼつかない足取りでママに突進してきました。

スイッチやボタンを操作
指先も器用になりました。真剣な表情で、おもちゃの楽器の小さなボタンを人さし指でプッシュして音を鳴らします。

「おにのパンツ」を熱唱(!?)します
ボタンを押すと童謡が流れるおもちゃ。音楽が始まると、手拍子やダンスを披露してくれます。『おにのパンツ』でノリノリ♪

手押し車で“どこまでも”
手押し車をカタカタ押して、勢いよく歩きます。方向転換はできないので、突き当たるとママが抱っこして元の場所に戻してあげます。

おむつポイポイ→この笑顔
おむつ入れに入っている紙おむつのテープをはがし、ポイポイ投げ捨てることにはまっています。楽しそうな笑顔に、許すしかない!?

ADVICE

1才の誕生日プレゼントNo.1はファーストシューズ

立ったり歩いたりする時期なので、プレゼントにはファーストシューズがぴったり！　足の形や甲の高さなどには個人差があるので、シューフィッターのいる店で相談してみては。

みんなの11カ月 泣いた！笑った！がんばったSTORY

同じ日に生まれた女の子の友だちと遊んでいたとき、突然、女の子が息子に近づいてきて、ハグして、おでこ同士をぶつけて、見つめ合っていました！　その様子がめちゃめちゃかわいくて、思わず写真を撮りまくり。（たつきくんママ）

つかまり立ち→伝い歩きができるようになり、部屋中をぐるぐると移動するのが楽しそう！　でも、息子が動いたあとには、さまざまなものが散らかされていました。そのうちに、お片づけもできるようになってね。（おうたくんママ）

ずりばいの期間が長くて、いつはいはいになるかなと思っていたら、先につかまり立ちができるようになりました。もう、はいはいはしないかな、と思っていたら、1週間後に初はいはい。順番は人それぞれなんですね。（愛音ちゃんママ）

ニコニコつかまり立ちしていたのに、急にひざがガクンとなって転び、前歯の先端が欠けてしまいました。それ以来、健診のたびに「前歯欠け」と記入され、反省する母でした。やはり、テーブルや角にクッションは必要だと実感……。（悠斗くんママ）

初めてほうれんそうの卵焼きをあげてみたら、口を大きくあけ、じょうずに食べたあと、ほっぺを手でさわって「おいしい♪おいしい♪」のポーズ！　うれしさのあまり、思わずギューッとしてしまいました。（蓮香ちゃんママ）

11カ月の赤ちゃん

気になることQ&A

Q 遊び食べをやめさせたい

A 遊び始めたら、食事は切り上げても

このくらいの時期から、食事のルールや時間を少しずつ教えていきましょう。遊びながらダラダラ食べていると、次の離乳食との間隔が短くなって、食事の時間が不規則になってしまいます。あまり量を食べていないと心配かもしれませんが、遊び始めたら、「ごちそうさまね」と片づけてOK。そのあと、途中でおなかがすいて騒いでも、「さっき遊んでいて食べなかったからだね。今度はちゃんと食べようね」と話して、間食はさせないこと。次の食事までに空腹にさせることも大切です。

食事について

食事の基本時間は15〜20分

15〜20分以上たって、遊び始めたら、食卓を片づけましょう。間食は与えないことを大原則に。毎日続けるうちに、食事時間に集中して食べるようになります。

Q 食事中に歩き回ったら切り上げるべき？

A 家庭の育児方針や体重などで判断を

いすにきちんと座って落ち着いて食べられるようになるのは3才ごろから。11カ月ではおとなしく座って食べられないのが自然といえます。食事量がじゅうぶんで、体重のふえもいいなら、遊んだり歩き始めたら、早めに食事タイムを切り上げてもいいでしょう。あまり量を食べない子なら、多少は追いかけて食べさせる方法もあります。ママの考えや育児方針とも考えあわせ、赤ちゃんの体重や食べ方によって判断するといいですね。

Q 巻きづめは治りますか？

A 成長とともに治ることがほとんど

赤ちゃん時代の巻きづめは、成長とともに自然に治っていくことが多いようです。そのまま様子を見ていいでしょう。ただ、つめが皮膚に食い込んでしまい、そこが化膿したり、炎症を起こしているなら、皮膚科や形成外科を受診しましょう。また、伸びるからといって深く切りすぎると、巻きづめになることも多いので、要注意。つめはこまめに少しずつ切るようにしましょう。5〜6才になって治らない場合も受診して相談してください。

Q ひとりで夢中のときは、ほうっておいていい？

A 集中力がついてきたので、そっと見守って

1才近くになってくると、おもちゃをジーッと見つめたり、たたいたり、ポイしたり、さらに好奇心が増してきます。指先も器用になり、横に並べたり、重ねたりするなど、今までよりも高度な遊びができるようになります。集中力がついてきている証拠です。ひとり遊びの時間は大切にしてあげましょう。ママは見守り、赤ちゃんの集中力が途切れたところで、「じょうずに並べられたね」などと、認めてほめてあげるといいですね。

Q アルマジロのような格好で寝ています

A 口がふさがれないように気をつけて

うつぶせになって、丸まって寝ているのですね。乳幼児突然死症候群の心配から、生後間もない赤ちゃんには、うつぶせ寝はすすめていませんが、11カ月であれば好きにさせてかまいません。大人から見ると「つらい姿勢では?」と思うかもしれませんが、自分でしているということは、心地いいのでしょう。骨への悪影響などもありません。ただし、顔が埋もれないように、かための布団に寝かせてください。また、掛け布団などが口をふさがないように、ときどき見てあげることも必要です。

Q 耳鼻科と小児科、どちらか迷うときは?

A ママが行きやすい科でOKです

中耳炎が疑わしいときなどは、どちらを受診したらいいか迷いますね。基本的にはどちらでもかまいません。耳をさわる、痛がるなど中耳炎の可能性が高そうなら、最初から耳鼻科でいいでしょう。また、熱がなくても赤ちゃんの症状全般は小児科でみてもらえます。もし、小児科を受診した場合に、耳の治療が必要と診断されれば、そのように指示されます。最初はママが行きやすいほうでいいですよ。

Q おちんちんをさわるのをやめさせたい

A 発達の一過程なので好きにさせてあげて

この時期になると、体の出ているところや引っ込んでいるところなどに興味を持つようになります。耳や鼻の穴に指を入れてみたり、おちんちんを引っぱってみたりしますが、発達の一つの過程です。心配しないで好きにさせてあげましょう。ただし不潔にしていると、かゆくてさわることもあります。おむつ替えのときは、おしっこでもやさしくふき、お風呂ではきれいに洗ってあげましょう

Q 卒乳のきっかけを教えて!

A 親子で納得できる時期を決めて

母乳は、いつまでにやめなければいけないというものではありません。卒乳という言葉にも、ただおっぱいをやめるのではなく、「じゅうぶんに飲んだ、飲ませたから親子ともに満足。卒業しよう」という気持ちが込められています。卒乳には、離乳食が3食きちんと食べられる、コップやストローで水分がとれることが必要条件。おっぱいばかりで離乳食が進まないときも栄養が足りないので、そろそろ卒乳を検討したほうがいいでしょう。ママ側のきっかけとしては、職場復帰や服薬、母乳が出なくなった、夜中の授乳がつらいなどもあります。卒乳は親子ともにさびしい気持ちになるもの。新たな出発ととらえ、たっぷりスキンシップをはかりながら、進めていきましょう。

Keyword

卒乳って?

おっぱい、哺乳びんにさよならすること

離乳食を1日3回しっかり食べるようになれば、栄養源は母乳やミルクから食べ物に移行しています。さらに、おっぱいの分泌や赤ちゃんの飲む量が減ってくれば、卒乳は自然の流れ。自然卒乳が理想ですが、ママと赤ちゃんの心の準備しだい(P.140参照)。ミルクの場合は、哺乳びんの乳首を卒業することが卒乳です。

1才近くなると気になる！ 働くママの基礎知識

Column 3

保育園探し みんなはどうしている？

「待機児童」というニュースが流れる今、働くママにとっても、
子育てが少し落ち着いたら働きたいママも、保育園探しは大きな問題。
保育園の種類、職場復帰までのダンドリなどをお教えします！

入園までにシミュレーションを

自転車や車で送迎する場合には、駅の駐輪場や駐車場にあきがあるか、ベビーカーの場合は保育園に置いていけるのか確認を。

育児休業をとり、職場復帰するママが年々増加

一昔前は、「出産したら仕事はやめる」が大半でしたが、最近は育児休業をとり、職場復帰するママがふえています。そのため保育園の需要が高まり、都市部では入園を希望しながら入れない「待機児童」も増加中。特に低年齢は激戦で、待機児童の多い都市部では、1、2才児だけでなく、0才児で入るのも厳しい地域があるようです。

保育園の種類は大きく2つ、「認可」と「認可外」

文部科学省の教育機関である幼稚園は3才以上からなのに対し、厚生労働省の管轄である保育園は、親の就労支援のため0才から預かってもらえます。保育園は、国の基準を満たし認定を受けている「認可保育園」、それ以外の「認可外保育園」に大きく分かれます。

認可保育園

園庭の有無、施設の広さ、保育士の人数など、国が定めた基準を満たして認可された園。国や自治体から、運営費が補助されています。

公立（公設公営）

保育内容は市区町村内でほぼ一律、保育士は公務員

市区町村が運営するため、保育士は公務員で、人事異動もあります。同じ地域内では、保育内容など園による違いがほとんどありません。

私立（公設民営・民設民営）

民間が運営しているため、保育内容にカラーが出る

設備や人手が基準を満たしているのは、公立と同じ。保育内容や保育時間、行事などは、経営者や園長などの方針によって違いが出ます。

認定こども園

幼稚園、保育園を合わせた制度として 2006 年スタート

各自治体が運営していますが、保育内容や保育料は地域によって大きな差があります。まだ数は少ない。

- 問い合わせ、申し込みは、市区町村役場の窓口へ
- 保育料は、世帯収入（所得）によって決まる

認可外保育園

認可保育園以外。設備や人手はさまざまで、保育料も施設ごとに異なります。家庭的な保育を行うなど、特色を出すところも。

自治体が助成している施設

助成金を受け、認可保育園に近い対応も

自治体から助成金を受けています。東京都の「認証保育所」、横浜市の「横浜保育室」など、認可保育園に近い対応をしているところも。

企業内保育所

職場の敷地内で、勤務に合わせた保育を

企業や病院が、従業員のために設けた保育施設。従業員の勤務日や勤務時間に合わせた対応が特徴です。「職場は近いけど、小学校の学区が異なる」という声も。

そのほかの託児施設

保育内容はさまざまなので、必ず見学を

24時間保育、一時預かりを実施している「ベビーホテル」など、公的な補助は受けていない施設。保育内容も料金もさまざまなので、事前に確認を。

- 問い合わせ、申し込みは、各施設へ（自治体が運営している場合、市区町村役場が窓口になるところも）
- 保育料は、施設によってさまざま

そのほかの預け先

保育ママ（家庭的保育事業）

保育士や幼稚園教諭などの有資格者か、研修を受けた保育ママが、自宅で子どもを預かる制度。受け入れは原則的に、産休明け～3才未満。保育ママ1人で預かれる定員などは、自治体が基準を設け、利用料を補助しています。

㊤ 市区町村役場または地域の保育ママ

ファミリーサポートセンター

地域の「預け合い」を手助けする仕組み。各自治体が運営するファミリーサポートセンターが、“預かりたい会員”と“預けたい会員”を登録してあっせんします。

㊤ 市区町村役場または地域のファミリーサポートセンター

幼稚園の預かり保育

在園児（3才以上）を、通常の幼稚園終了後に続き、夕方まで保育してくれるシステム。預かり保育を行っているかどうかは、園によります。保育日、保育時間、夏休み、給食の有無なども、園によって違いがあります。

㊤ 各幼稚園

4月入園までのダンドリ

自治体によって時期や方法に違いはありますが、おおまかな流れは以下のとおりです。くわしくは各自治体のホームページや広報紙をチェック、または窓口で確認を。

9月 情報収集

まずは各自治体のホームページをチェック。その地域の待機児童数など、おおまかな情報を入手します。自治体の窓口に出向いて話を聞いたり、近所のママの口コミも参考に。

10月 見学

わが子を預ける保育園の環境は、この目で見て、雰囲気などを体感しておきたいもの。希望の園には電話で見学依頼を。環境、保育士や子どもの様子などをチェックしましょう。
（最近は、産休中から見学を始める妊婦さんも）

11月 説明会＆申請書に記入

申請書は、自治体が開催する説明会でもらえるほか、市区町村役場や保育園などに置いてあります。勤務先に記入してもらう書類もあるので、準備は早めに。

12月 申請書を提出

認可保育園の場合、窓口に持参します。早く提出しても有利になるわけではありませんが、書類に不備があって再提出となった場合、ギリギリだと間に合わないことも。

2月 入園が内定

ドキドキの結果発表！　自治体から選考通知が届きます。安心するのもつかの間、入園説明会や面接、健康診断のほか、入園に向けた準備が始まります。

入園承諾 ＼しておきたいこと！／

おっぱい・ミルク

●哺乳びん、コップに慣れさせる
●卒乳する

入園後、日中はおっぱいから離れることになるので、授乳回数を減らし、哺乳びんやコップに慣らせておくとスムーズ。年齢によっては、卒乳を考えるママも。

離乳食

●新しい食材を試みる
●NG食材も知っておく

生後5カ月を過ぎると、園でも離乳食を進めていきます。園まかせにせず、家庭でもいろいろな食材を試して。アレルギーの有無を知っておくことも大切！

生活リズム

●早寝早起きの習慣をつける

保育園生活の基本は早寝早起き。職場復帰に向けて、夜は早く寝かせて、朝は早く起こし、生活リズムを整えましょう。

予防接種

●受けられるものは受けておく

受けそびれている定期接種はもちろんのこと、おたふくかぜなど集団で流行しやすい任意接種も受けておくと安心です。

入園不承諾

欠員待ちの申請

希望の園に入れなかった場合、欠員待ちの申請をします。申請をとり下げなければ、あきが出た場合に自動的に、毎月の選考にかけられます。

認可外の検討・申請

すぐに保育園に預ける必要がある場合は、認可園以外を探すことに。入園は申し込み順のところも多いので、事前に予約などをしておくのが理想的。

認可外に入園

認可外保育園に通っても、認可園の希望を出しておくことはできます。まず認可外の園に預けて復職し、認可園にあきが出て転園するケースも少なくありません。

3月 入園準備

保育園生活を順調にスタートさせるために、入園までに確実に準備しましょう。

＼しておきたいこと！／

名前つけ

●スタンプなどを利用する

保育園に持っていくものはすべて「記名」が基本です。衣類はもちろん、紙おむつ一枚一枚に必要なことも。園の指定がなければ、ママのやりやすい方法でこなしましょう。

サポート態勢づくり

●夫婦の役割分担

子どもの送迎や家事（料理、洗濯、掃除など）の分担について、夫婦で話し合っておきましょう。最初にきちんと決めておくことが肝心です。

●病児・病後児保育の登録

多くの園では病気のときは預かってくれません。「病児保育」とは、病気の子どもをみてくれる施設や保育のこと。「病後児保育」とは病気が治りつつあるけれど本調子ではない子どもを預かる保育や施設のこと。
全国病児保育協議会 http://www.byoujihoiku.net/index.html

家事のダンドリ

●食材、日用品の調達

ネットスーパー、個配、週末まとめ買いなど、復職後にママの負担が軽く、いちばんラクできる方法をシミュレーションしておきましょう。

●家電を活用して時間短縮

乾燥機能つき洗濯機、ロボット掃除機、食洗機、圧力鍋など、復職を機に購入する家庭も。家事が効率よくできるアイテムに頼ることも大事！

入園は新年度、4月が最大のチャンス

入園の申請は毎月できますが、基本は新年度の4月入園。激戦区もあれば、すんなり入れる地域もあるので、まずは自分の住む地域の保育情報をリサーチしましょう。希望したすべての園に入れなかった場合は、認可の2次募集や認可外保育園に応募します。希望どおりにいかなかった場合にそなえて、認可外保育園の見学も早めにすませておきましょう。見学のときに入園予約ができるところもあるので、エントリーしておくと安心です。

＼Mama 通勤バッグ／

健康保険証と乳幼児医療証を持ち歩いて

「お熱が出ました」。保育園からの急な呼び出しにそなえて、保険証と医療証は持ち歩きましょう。お迎え後、小児科へ直行できます。

＼Baby 通園バッグ／

園によってサイズ指定があるところも

交換用のシーツ、着替え、紙おむつなど、月曜日は荷物がいっぱい。帰りも、紙おむつゴミや汚れた衣類など、収納力が重要です。

先輩ママたちからの応援メッセージ

たいへんなのは最初のうちだけ。いろんな人を頼って、乗り切って！
羽菜ちゃんママ

入園後の1カ月で、登園できたのは3日だけ。過ぎてしまえば笑える思い出です。
百花ちゃんママ

職場に代わりはいるけど、子どものママは自分だけ。小さな子どもがいると病気はつきもの、と割り切って。
仁菜ちゃんママ

子どもの病気が続き、仕事が休みがちになり、仕事を続けるべきかどうかで悩んだことがあります。でも、時間が解決してくれます。子どもは丈夫になりますよ！
明紗ちゃん・映茉ちゃんママ

1才

1才おめでとう♪

「最初の一歩」を踏み出す子もいます

私たちも1才Babyです

♂脇田 環くん 71.8cm・9100g
♂海老原颯太くん 70.7cm・8500g
♀藪内七聖ちゃん 74.5cm・9200g

	身長	体重
BOY	70.3〜81.7cm	7680g〜11.51kg
GIRL	68.3〜79.9cm	7160g〜10.90kg

※1才〜1才3カ月未満の身長と体重です。

「初めの一歩」には、その子の性格も影響します

1才になりました。ふにゃふにゃの新生児ごろを思い起こし、「こんなに大きくなって」とママ・パパも感慨深いことでしょう。1才前後になると、次なる成長の楽しみは、「初めの一歩」です。いつ歩くかは個人差が大きく、運動能力だけでなく、気質も大きく関係します。「うちの子は慎重派だから、なかなか歩き出さないのかな?」などとわが子の性格を受け入れ、見守ってあげましょう。

運動能力の発達

一歩を踏み出すには4つの条件があります

赤ちゃんが歩き始めるには4つの条件があります。1つ目は、足腰や筋肉が強くなっていること。2つ目は、バランスをとるための小脳が発達していること。3つ目は転んだときにパッと手が出て、身を守れること。最後は、〝歩きたい欲求〟があることです。この4つの条件がそろって初めて歩くことができるのですが、最初の3つがそろっていても、最後の歩きたいという気持ちが弱いと、なかなか歩きません。これは、赤ちゃんがチャレンジャー気質なのか、慎重派なのかの違いによるもの。運動神経とは無関係です。

最初の一歩をクリアし、歩き慣れてくると、左右の足に交互に体重を移動させながら、バランスよく歩けるようになります。これで体の機能は頭から足まで、ほぼ完成したといってもいいでしょう。歩き始めのころは、足幅を広くとってバランスを保っていますが、慣れると足幅が狭くなり、スピードもアップします。

体の発達

出生時に比べ体重は3倍、身長は1・5倍に

1才になるころには、体重は出生時の3倍、身長は1・5倍になっています。これは人間の一生の中で最大の成長率です。ふっくらしていた体も締まってきます。1才を過ぎると、体重や身長の増加はゆるやかになります。運動量がふえるので、さらにスリムな幼児体型になってくるでしょう。

視覚も発達します。1才ごろまでは赤、青、黄色など原色がよく見えていましたが、原色以外の色も理解できるようになります。

心の発達

言葉を理解しているなら「話す」が遅くても大丈夫

1才はテレビにも興味を示すころです。となると、「家事をする間、テレビを見ていてね」と言いたくなりますね。でも、気をつけて! それが長時間化し、習慣化することで外遊びや他者とコミュニケーションを育む時間が少なくなってしまいます。見せっぱなしは避けましょう。

また、言葉を話し始めることは、歩くと同様に、個人差が大きいものです。言葉の発達には「わかる」と「話す」があります。「パパはどこ?」と聞いたとき、パパのほうを向くのなら、心配はいりません。それは「わかる」ができているから。「話す」がまだでも問題ありません。

1才の赤ちゃん

表情

複雑な感情も出ます

さらに複雑な感情を持つようになります。すねる、照れるなど、大人と同じような感情表現を見せて、ママ・パパを驚かせることもあるでしょう。

口

前歯でかみ切ります

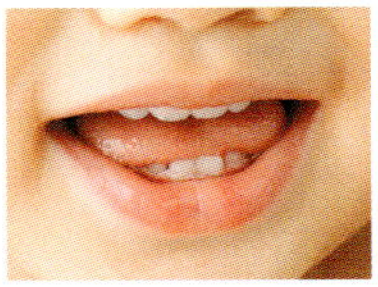

多くの子は、上下4本ずつの前歯が生えそろいます。前歯でかみ切って、奥の歯ぐきでつぶすという食べ方ができるようになります。

手

クレヨンでなぐりがき

水道の蛇口をひねったり、指先でボタンを押したりができるようになります。クレヨンを持たせると、紙をトントンついて、点のようなものをかけます。

足腰

歩き始める子がふえます

この時期は、たっちができて、歩き始める子がふえます。ぐんぐん歩く子、そっと足を出してしゃがんでしまう子など、歩き方も個性はいろいろです。

1才って、こんな感じ!

物を持って立ち上がれます

筋力がつき、バランスをとる能力が発達してきます。その結果、床にあるものを手に持ち、立ち上がる動作が可能になります。

道具を使ってまねっこ遊び

手の使い方がじょうずになり、積み木やクレヨンなどで遊んだりします。ママのまねっこをして手をたたいたり、バイバイも大好き。

クレヨンなどでなぐりがき

最初は紙をトントンたたいたり、手を左右に動かして線をつけるだけ。だんだん直線がかけるようになります。

1才の飲む・食べる

- 離乳食は完了期に
- おやつ（間食）で栄養を補って

引き続き"手づかみ食べ"で食べる意欲を育てましょう

離乳食が完了期に入り、ほとんどの栄養を食事からとるようになります。まだ一度にじゅうぶんな量を食べられないので、間食で栄養を補います。おやつには、おにぎりやパン、乳製品、野菜スティックなどを用意しましょう。

1才の生活
どんなふうに過ごしている？

こんなふうに成長します！

和田 心ちゃんの場合
身長 68.0cm
体重 7850g
撮影日／1才0カ月3日目

外でいろいろなものにふれ、実体験をふやしましょう

つかまり立ちやひとり歩きが始まり、赤ちゃんの視界が広くなって、「見る」体験の幅が広がります。このころは、外の世界での体験をふやしたい時期です。植物にふれたり、においをかいだり、空を飛ぶ鳥を見せてあげましょう。実体験の積み重ねで、外の世界がわかるようになります。

イヤイヤ攻撃が始まる子もいます。きのうまでやっていたのに、きょうはイヤ！と言ったり、自分でやりたがり、できなくて泣いたり。つきあう大人はヘトヘトですね。でも大人がイラつくと逆効果。イヤの原因を探り、気分転換させましょう。

離乳食が完了期に入り、卒乳を考え始めるママもいるでしょう。これも個人差があるので、あせらず、時期を考えましょう。

「歩けた！って、本人もうれしいことみたい♥」

よちよちと５歩くらい歩けるようになりました！
５歩くらいならひとりで歩けます。少し離れたところから、「おいで」と言うと、がんばって歩いてくる姿がけなげ。今日は、お兄ちゃんがゴールキーパー役です。

１才のお祝いは手作りの食パンケーキ♪
残念なことに、誕生日当日に発熱！　元気になった２日後にお祝いをしました。サンドイッチ用食パンを丸くくりぬき、ヨーグルトを塗ったケーキ。すごい勢いでパクパク！

佳子ママの育児ダイアリー

はいはいで階段を上るのでママはヒヤヒヤしています

１才になって、ついにあんよができるようになりました。どんどん活動的になるのはうれしいのですが、何かに上るのが好きな点だけは困りもの。ちょっと目を離したすきに、階段を上ろうとしていたこともあり、油断できません。

小柄ながら、離乳食は順調で常に完食！「もっと！」と催促してくれることもあり、作りがいを感じます。ただ、以前はひと晩中グッスリと眠ってくれたのに、最近なぜか夜中に3時間ごとに起きるように……。そのたびに寝かしつけるママは少々寝不足ぎみです。

心ちゃんの一日

時刻	心ちゃん	家族
AM 1〜7	ねんね	
6		パパ・ママ起床　朝食
7〜8	朝食（パン　オムレツ　ヨーグルト）	パパ出勤
8〜	保育園	ママ保育園へ送り　仕事
10	・お散歩＋砂場あそび	
0	・昼食（カレー）	
PM 1	・お昼寝	
2〜3	・おやつ（牛乳　ビスケット）	
3〜4	・あそび（ブロック）	
6		ママお迎え　夕食
7	夕食（魚のホイル焼き・ごはん　みそ汁・果物）	
8	ママ・兄とお風呂　歯みがき＋絵本	
9〜0	ねんね	パパ帰宅　夕食　お風呂
0		パパ・ママ就寝

じゃまをするたび兄に怒られ、泣いています

お兄ちゃんが遊んでいるおもちゃが気になって仕方ないようで……。手を伸ばす→兄にやめてと怒られる→ぐずって泣くのくり返しです。仲よく遊べるまであと一歩かな。

超スピードで階段へ

はいはいで2階まで階段を上ってしまいます。その速いこと！　目を離したすきに階段に向かうので、ひとりで上らないようにベビーゲートを設置する予定です。

「きょうだいげんかが始まりました」

1才～1才6カ月にかけて離乳食を卒業！

個人差がありますが、1才～1才6カ月が、離乳食の完了(パクパク)期。幼児食へ移行します（P.154参照)。

離乳食は家族のごはんを取り分け

離乳食も完了期に入り、順調に進んでいます。そろそろ離乳食も卒業！　今日のランチは、大人のうどんとポテトサラダを取り分けて、鯛入りうどんと、温野菜サラダです。

おままごとのバナナを半分に

マジックテープ®つきのおままごとの食べ物を、両手でベリッとはがすのがマイブーム。半分にした食材はポイッと投げちゃいます。

みんなの1才 泣いた！笑った！がんばったSTORY

1才を目前に、よちよちとガニ股で歩く姿に、ママは胸キュンキュン。誕生日パーティでは、部屋に風船をいっぱい飾ってお祝いしました。主役の娘は一升もちも軽々と背負って、まわりのみんなをびっくりさせました。(菜月ちゃんママ)

つかまり立ちはしていたのに、このころようやくはいはいを始めた娘。おすわりからはいはいの姿勢に移るときに、前のめりになり、いきおいよく顔から床にダイブしてしまいました。鼻血が出てちょっとあせりました。(琳香ちゃんママ)

言葉は出ないけれど、意思がはっきりしてきました。おやつをまだ食べたいとギャーッと泣くし、眠いときは目をこすって近寄ってきて、抱っこをねだります。意思の疎通ができて育児がちょっとだけラクになりました。(颯真くんママ)

いたずらがふえてきて、私が「ダメだよ」としかると、なぜかゲラゲラ笑います。ごまかしているの？　ママの真剣さが足りない？　そして、それを許してしまう私。一応、元保育士ですが、自分の子をビシッとしかるのはむずかしい……。(りくくんママ)

待ちに待った1才のバースデー。しかし娘は下痢を長引かせ、ベビー用のケーキも食べられないだろうと……、お祝いのごちそうは断念しました。育児1年を機に、子育ては予定どおりにはいかないものだとあらためて実感。(蓮香ちゃんママ)

1才の赤ちゃん 気になることQ&A

Q 靴をいやがってはきません

A 足にフィットする靴を試し歩きして選んで

赤ちゃんは生まれたときからはだしで過ごしているので、初めての靴に違和感を覚える子も珍しくありません。また、靴は大は小を兼ねません！ 赤ちゃんの足にフィットし、歩きやすい靴を選んであげて。お店で試しばきをしたら、実際に歩かせて、ぐあいをチェックすることも大切です。それでもいやがる場合は、あせらずに室内で歩く体験をたくさんさせて、外でも歩けるようになってから購入しても遅くないですよ。

靴について

ファーストシューズの選び方

- ☑ はき口が大きく開いてはかせやすい
- ☑ 甲の高さに合わせてフィット感を調節できる
- ☑ つま先部分が屈曲して歩きやすい

デザインで選びがちですが、赤ちゃんには歩きやすさがいちばん。シューフィッターのいる店で相談するのも◎。

Q 大人用のシャンプーに替えていい？

A 赤ちゃんの肌に合うか確認してから使用を

赤ちゃんのうちは低刺激のベビー用が肌にやさしいとされます。ただ、赤ちゃんの肌に合うなら、大人用でもかまいません。念のため、少量をひじにつけて、赤くなったり湿疹が出なければOK。メントール配合など刺激の強いものは避けて。

Q ママにべったり。いつか離れるようになる？

A 集団での遊びに少しずつ慣れさせて

ママとの信頼関係がしっかりできている証拠なので、心配することはありません。無理やり離そうとしたり、いきなり大人数の集団に入ると、よけいに離れられなくなってしまいます。まずは、ママがいっしょでもいいので、2～3人ぐらいほかの子がいるなかでの遊びを体験させてあげるといいでしょう。雰囲気に慣れ、離れていてもママが見ているとわかれば、そのうち、だんだん離れられるようになるはずです。

Q 外出先でぐずったときの対策は？

A 絵本やおもちゃで気を紛らわせて

電車やスーパーでぐずられると困ってしまいますね。買い物は事前に買うものを決め、なるべくすばやくすませましょう。電車では外の景色を見てお話ししたり、音の出ないおもちゃや絵本で遊んでみては？ もう少し大きくなったら、次の駅に止まったらね、などと約束を決めて、お菓子を与えるのも手。それでもぐずるなら一度降りて気分転換を図るぐらいの気持ちを持つといいでしょう。

Q 歯ぎしりをやめさせるには？

A いずれしなくなるので様子を見ましょう

まだ1才なのに歯ぎしりをすると、驚くママ・パパもいるかもしれません。歯並びへの影響も心配ですね。赤ちゃんが歯ぎしりをするのは、とくに珍しいことではなく、歯をこすり合わせることで、新しい歯の位置をなじませているようです。歯をこすりあわせても、それによって生えたての歯が傷むほどの力はなく、歯並びに影響もないので、心配ありません。成長すれば自然にしなくなるので、無理にやめさせなくてもいいでしょう。

Q 歯が斜めに生え、歯並びが心配です

A 乳歯は生え変わるので心配いりません

乳歯が生えてくるときに、曲がって生えたり、歯と歯の間にすき間があったりしても、将来の歯並びにはほとんど影響ないと考えられます。乳歯から永久歯に生え変わるときの生え方は、歯並びに影響することもあるようですが、乳歯の時期はあまり心配することはありません。心配な場合には、1才半健診で歯科相談があるので、そこで聞いてみましょう。また、乳歯はむし歯になりやすいので、歯みがきの習慣をつけることも大切です。

Q お菓子やジュース、いつから？

A むし歯予防のため、あえて与えなくても

むし歯予防には甘いものを与えないことが何よりの対策です。砂糖を使った甘いお菓子やジュースは本来、子どもの体には必要ないもの。糖類は必要ですが、甘いものより、体の中で時間をかけて糖に替わっていく、ごはんやいも類でとるほうが、体にはいいのです。甘いものは「よそでもらうまで与えない」ことをおすすめします。

Keyword

赤ちゃんのおやつ

あげすぎや甘いものは禁物！野菜や果物がおすすめです

赤ちゃんのおやつは栄養を補うために与えましょう。3食の離乳食のリズムが整ったら、おなかがすいてくる3時ごろに、1日50kcalを目安に与えて。ゆでた野菜やバナナ、ヨーグルト、牛乳は手軽に与えられて栄養も良質です。忙しいときは、ベビー用のビスケットやせんべいなら、添加物の心配もなくおすすめです。

Q 事故防止ゲートは、いつまで設置しておく？

A ママ・パパが大丈夫と思うまでは設置を

1才半ごろには、注意したことが理解できるようになります。階段やキッチンに設置したゲートなどは、自分で操作できるようになるでしょう。ただ、2才ごろになっても夢中で遊び回っていると、机の角などにぶつかることも多々あるため、大人が大丈夫と確信するまでは設置し、目を離さないことも大切です。赤ちゃんの理解力と運動能力の発達に応じて、環境を整え、のびのびと遊べる空間をつくりましょう。

1才健診へ行こう！

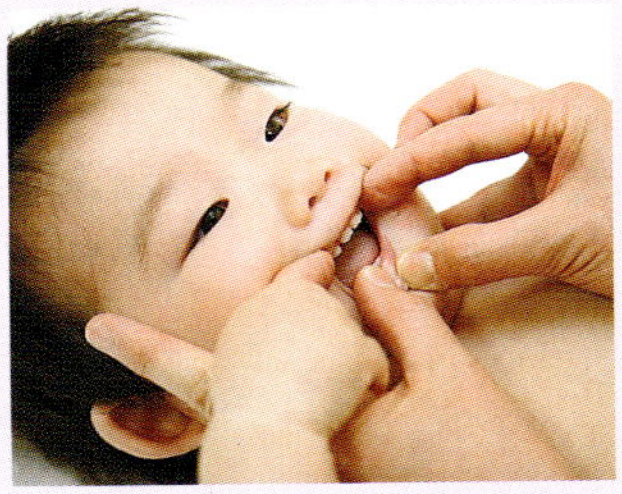

1才健診は実施していない自治体も。しかし1才は変化が大きい時期。心配があるなら小児科で受けて。

どうかな？

★歯の生えぐあい

そろそろ前歯が生えそろうころですが、生える時期や順序には個人差があります。

★伝い歩きの様子

伝い歩きをする赤ちゃんが多くなります。健診でしなくても家での様子を伝えればOK。

★大泉門《だいせんもん》の閉じ具合

生まれたばかりのときは開いていた大泉門がどのくらい閉じているか確認します。

★予防接種の確認

これまでに受けてきた予防接種を確認します。わからないことはこのときに質問を。

など

1才3カ月

ひとり歩きがじょうずに！
感情表現は豊かに、複雑に、繊細に

私たちも1才3カ月kidsです

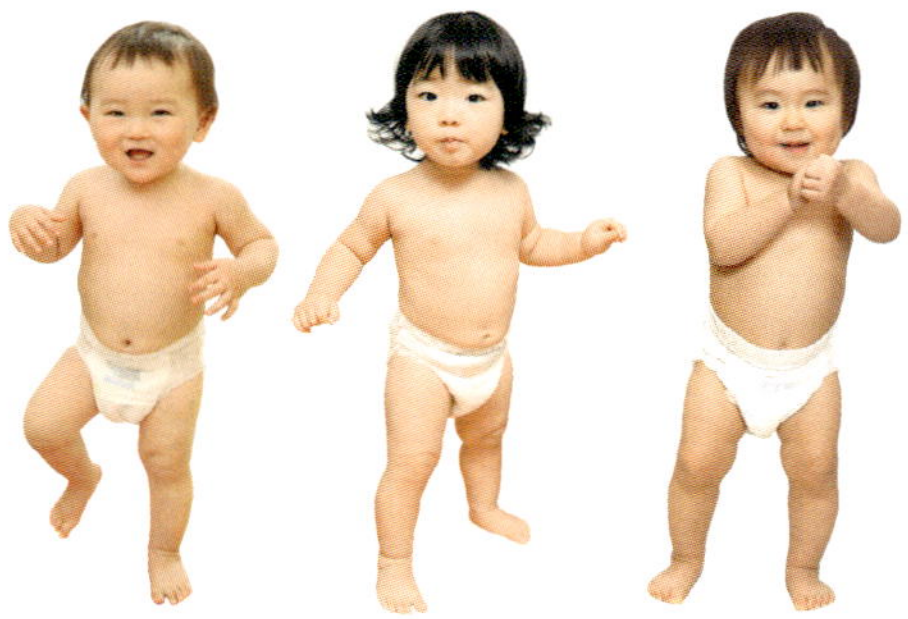

♂亀山茶李くん 78.0cm・11.4kg
♀沼田 礼ちゃん 75.0cm・10.5kg
♀白井杏樹ちゃん 72.6cm・8880g

	身長	体重
BOY	73.0〜84.8cm	8190g〜12.23kg
GIRL	71.1〜83.2cm	7610g〜11.55kg

※1才3カ月〜1才6カ月未満の身長と体重です。

全身を使った運動で体の使い方を学ばせましょう

歩けるようになると基本的な運動能力は、ほぼ完成。これからは運動にバリエーションをつけていく時期です。ひとり歩きが安定したら、走ったり、ジャンプしたり、階段や坂道を歩いてみましょう。さらにはよじ登ったり、くぐったり、もぐったり。ママ・パパがヘトヘトになるくらい、動き回り、全身を使って運動させることで、子どもは自分の体の動かし方を学び、「できる」という自信をつちかっていきます。

運動能力の発達

指先が器用になり、道具を使う行動が始まります

多くの子がひとり歩きでき、すでに安定して歩ける子は、手にボールを持ってバランスよく歩いたり、小走りやあとずさりもできるようになります。

手指の機能もさらに発達し、びんのふたをひねって開けるなど簡単な操作ができるようになります。特筆すべきなのは、「道具を使う」という人類ならではの行動が始まること。クレヨンを握らせるとなぐりがきをしたり、積み木を積んだり。こうした行動はチンパンジーやゴリラにも見られますが、同じステップを踏みながら、人間の子どもはさらに高い能力を身につけていくのです。

おえかきはまだ、横線が引ける程度です。この時期にうまくかけるかどうかは、絵のうまさに関係はないので、自由にのびのびとかかせてあげましょう。

体の発達

遠くのものに注目したり、音を聞き分けられます

体重の増加がゆるやかで、運動量は多いので、ますます体つきがスマートに引き締まっていきます。この時期、「体重がふえない」と悩むママもいますが、成長曲線の範囲内で、少しでもふえていれば心配はありません。気になる場合は、1才6カ月健診で相談しましょう。

視力はまだ大人ほどよくはありませんが、離れたものでも視界に入って、見えるようになります。大人が指さした対象物もちゃんと見るようになります。

聴覚も発達し、人間の肉声とテレビからの音声など、微妙な違いが聞き分けられるように。高い音、低い音も聞き分けます。インターフォンが鳴ると、玄関へ飛んで行ったり、携帯電話が鳴ると、ママに持ってきて知らせる子もいます。

心の発達

子どもの行動には多くのOKと少しのダメを！

子どもはまだしていいことと、悪いことの区別はつきません。そのつど「ダメだよ」「いいんだよ」とジャッジして、行動の基準を示しましょう。その際、すべてがOKで、何をしてもニコニコ顔では、子どもは学べません。逆に、ダメが多すぎないか、感情的に怒っていないかも気をつけて。安全に配慮したうえで、できるだけOKを出してあげましょう。子どもはOKが多ければ、ダメを受け入れるものです。

1才3カ月の子ども

1才3カ月の飲む・食べる

- やわらかめの肉だんごくらいのかたさにステップアップ
- スプーンの練習をスタート

前歯でかみ切ったり、歯ぐきでかみつぶす練習を

完了期のかたさは、軽く押せばつぶせる肉だんごくらいが目安です。前歯でかみ切り、かたくなった歯ぐきでしっかりかめるようなメニューを用意してあげましょう。母乳やミルクを飲まなくなった場合は、おやつに牛乳を添えてもいいでしょう。

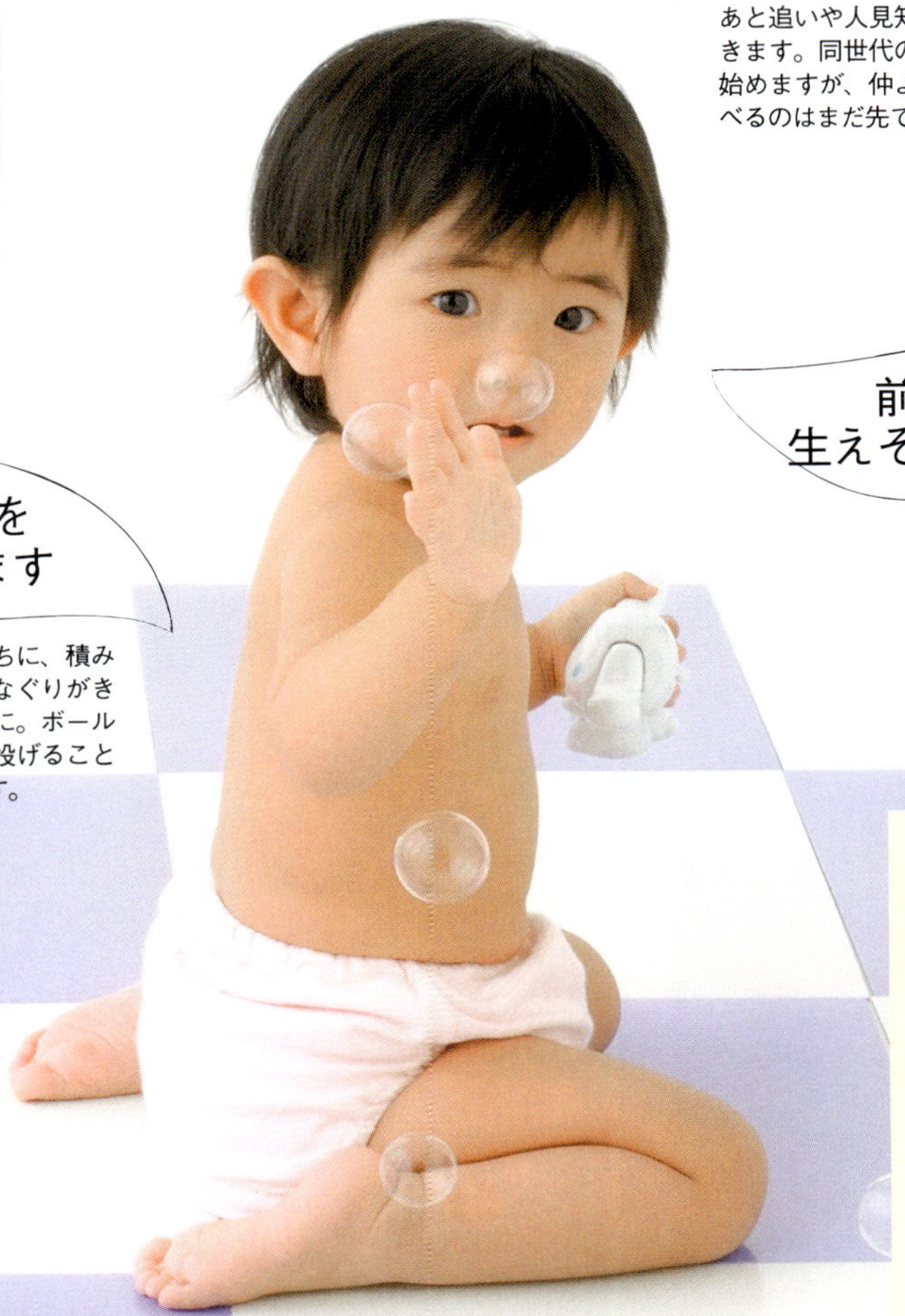

表情

まねっこが高度に

あと追いや人見知りは一段落してきます。同世代の子に興味を持ち始めますが、仲よくいっしょに遊べるのはまだ先です。

口

前歯が生えそろいます

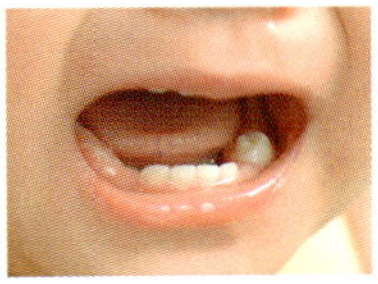

ほとんどの子が前歯が生えそろい、1才半近くになると、奥歯が見える子も。2～3個の単語を話す子もいます。

手

ボールを転がせます

遊びの経験を重ねるうちに、積み木を積む、クレヨンでなぐりがきをすることがじょうずに。ボールを持ち、転がすように投げることもできるようになります。

足腰

ひとりでじょうずに歩けます

安定して歩ける子がふえます。手にボールなどを持って、バランスよく歩ける子も。手をつきながら階段を上るなど、運動にバリエーションが出てきます。

1才3カ月ってこんな感じ！

気に入らないとかんしゃく

気に入らないことがあると、ものを投げたり、ママにかみついて抗議したり。話せなくても、いやなことはいやと主張するようになります。

手を下におろして歩ける

すでに歩ける子は、手を下におろして安定してスタスタ歩けるようになります。小走りやあとずさりなど、歩き方も多彩になってきます。

スプーンやフォークを握り持ち

スプーンやフォークを握り持ち。手首を回せるようになると、こぼさず食べられるようになります。

1才3カ月の生活
どんなふうに過ごしている?

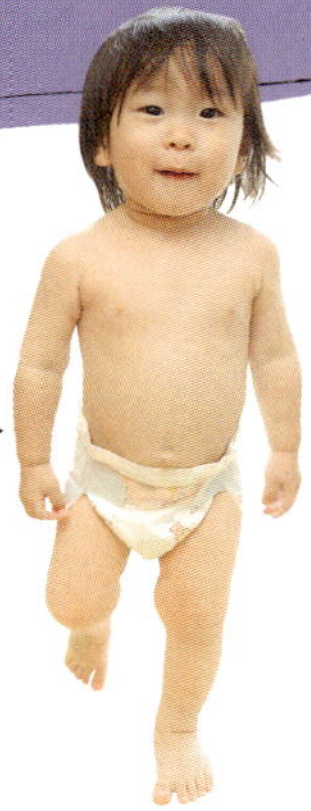

こんなふうに成長します!

小久保璃都くんの場合
身長 75.6cm
体重 8960g
撮影日／1才3カ月8日目

楽しい雰囲気で、まねっこからしつけを始めましょう

公園や児童館などでほかの子との交流がふえる時期です。あいさつや片づけなどの社会のルールを教えていくことが必要になります。まずは大人が、言葉づかいや行動で、お手本を見せてあげましょう。朝昼晩のあいさつや歯みがき、手洗い、うがいなどの生活習慣は、まねっこから楽しくスタートし、「しつけ」と肩ひじ張らず、楽しく進めるといいですね。

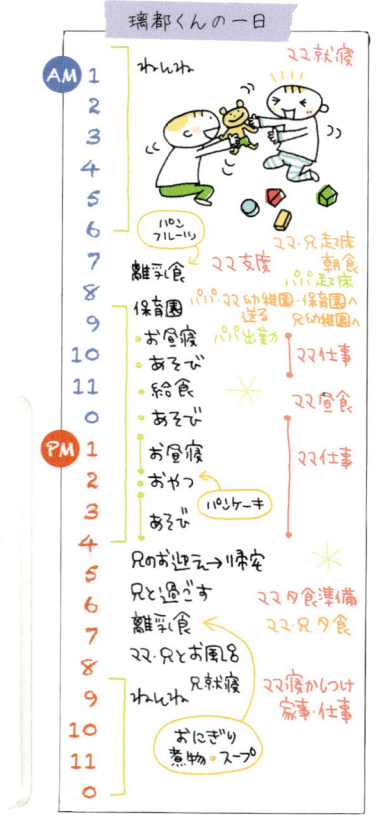

周囲への好奇心は以前よりもさらに増してきます。食事中もまわりのことに興味があると、遊び食べをしたり、食べ散らかすことも。ある程度時間が過ぎたら、食事を切り上げてもかまいません。また、食事中は食事に集中できるように、テレビは消しましょう。

「大人や兄のすることをよく見ていて感心します」

やっぱり男の子! レンジャー系のおもちゃが好き
おもちゃ箱からレンジャー系のおもちゃをセレクト。ママ、戦いごっこしよう、と持ってきます。5才の兄の影響かな?

雨や雪などで外遊びできないときは、家の中で戦いごっこ。体力を持て余しています(笑)。

奈央子ママの育児ダイアリー

イヤイヤの表現が激しくなってきてたいへん

だいぶ知恵がついてきて、大好きなバナナの置き場所を覚えたようです。おなかがすくと、私のもとまで持ってきて、「むいてちょうだい」をします。眠くなるとバウンサーに乗って、眠る準備を始めることも。やりたいことが行動にあらわれるようになり、意思疎通がしやすくなったな～、と思います。半面、いやなことは体をそらせて猛烈に抗議するので、たいへんです(泣)。先日、おもちゃのコインを口に入れているのを発見……。このころはものを口へ運ぶことが減ったので油断していました。まだまだ誤飲には注意が必要ですね。

璃都くんの一日

AM 1 ねんね ママ就寝
2
3
4
5

6
7 離乳食(パン フルーツ) ママ支度 ママ・兄起床 朝食 パパ起床
8 保育園 パパ・ママ幼稚園・保育園へ送る 兄幼稚園へ
9 ・お昼寝 パパ出勤 ママ仕事
10 ・あそび
11 ・給食 ママ昼食
0 ・あそび ママ仕事
PM 1 お昼寝
2 ・おやつ(パンケーキ)
3 あそび
4 兄のお迎え→帰宅
5 兄と過ごす ママ夕食準備
6 離乳食(おにぎり 煮物・スープ) ママ・兄夕食
7 ママ・兄とお風呂
8 ねんね 兄就寝 ママ寝かしつけ 家事・仕事
9
10
11
0

1才3カ月の生活

自我が芽生え始めて自己主張する場面も

自分でやりたい、でもできない……。大人は見守り、できたときには「できたね！」と認め、助けを必要としているときはサポートしましょう。

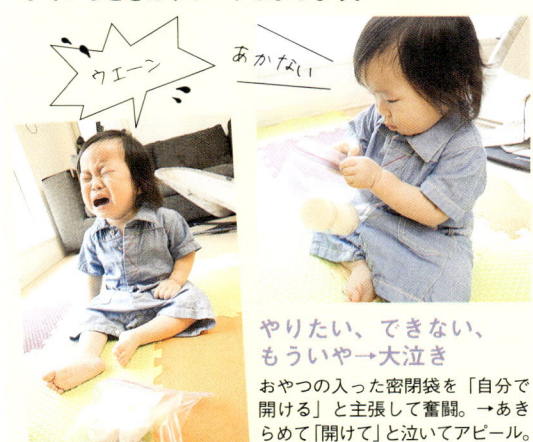

やりたい、できない、もういや→大泣き

おやつの入った密閉袋を「自分で開ける」と主張して奮闘。→あきらめて「開けて」と泣いてアピール。1才3カ月児はフクザツです。

大きな声でママにお話し

まだ話せる単語は少ないけれど、ママに言いたいことがあるときは「アー」「バー」と大きな声で言ったり、指さしで伝えます。

「慎重に慎重に階段の下りを練習中」

上りはマスター！下りも上達してきました

階段に前向きに腰かけながら、ストンストンと下ります。今のところはおしりと手を使って慎重ですが、この先、慣れてきたら大胆になりそう……。

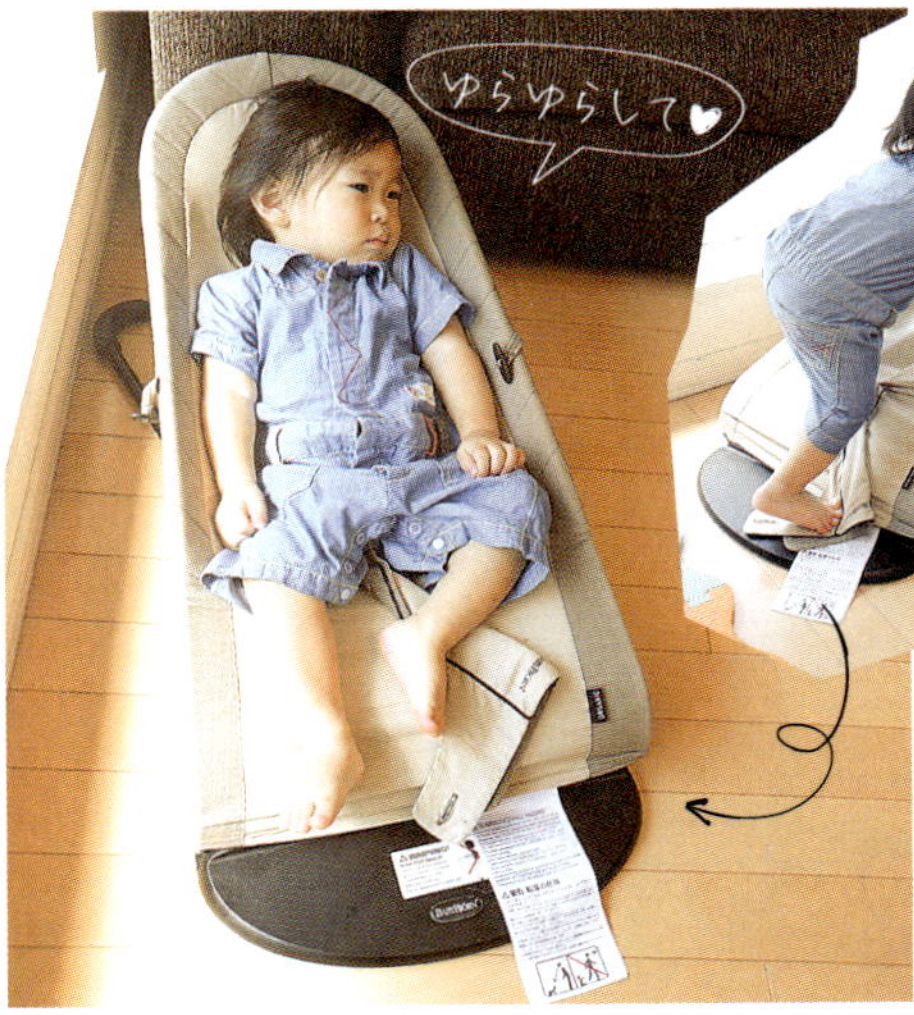

眠くなると自分で座ります

以前よく使っていたバウンサー熱が再燃中。眠くなると自分で乗って、ママにゆらゆらをおねだり。揺れているうちに眠ってしまいます。

おなかがすくとバナナを自分でゲット☆

大好物のバナナを発見すると、ママのところに持ってきて、むいてと催促。熟していて、皮がむきやすいときは、自分でむいて、モグモグ。

みんなの1才3カ月 泣いた！笑った！がんばったSTORY

公園に親子３人で行き、手をつないで歩いているとき、「こんなふうに手をつないで歩ける日が来るなんて思わなかった」と、夫がボソッ。もともとは子どもも好きではなかった人だったので、幸せそうなひと言にジーンときました。（Nくんママ）

首すわりもはいはいも遅めだったので、歩くのも予想どおり遅め。伝い歩きはできるのに、手を離しての一歩がなかなか出なくて歯がゆい日々でした。初めての一歩が出たときは本当に感動！ なんかホッとして涙が出ました。（愛音ちゃんママ）

むら食いがでてきて、一生懸命作った食事をひと口食べて「ナイ（いらない）」と言われブチ切れ！ 器をキッチンに投げつけ泣きました。後日、義母に相談すると、「食べないときは無理しなくていいよ」と言われ、気がラクに。（さくらちゃんママ）

歩きは安定したものの、段差が苦手で、フローリングと畳のわずか数センチでさえ、一度座って段差を越えてからまた立ち上がっていました。その様子がとてもかわいいのですが、用心深いのか、小心者なのか……さて⁉（怜ちゃんママ）

ママがスリッパをポイッと投げて出すのをまねしたのか、ある日、娘がスリッパを床にたたきつけていました！ 親は見られているな、と反省。その後は、スリッパも靴も、きちんと並べて出してから、はくようにしています。（はるちゃんママ）

1才3カ月の子ども 気になることQ&A

Q 指しゃぶりをやめさせるべき?

A 2~3才になったらやめさせる工夫を

1才までの指しゃぶりは、発達の過程で、どの子にも見られる生理的なもの。1才代になれば、手を使う遊びがふえるので、自然に指しゃぶりは減ってきます。2~3才になっても続くときは、遊ぶ機会が少なく、退屈しているなどの生活環境も影響していると考えられます。無理強いはせず、自然にはずせるといいですね。

指しゃぶりについて

指しゃぶりを自然に卒業するには?

外遊びをたくさんする
外でたくさん体を動かしてエネルギーを発散すれば、手持ちぶさたになりません。

手遊びをとり入れる
「いないいないばぁ」や手遊び歌、積み木、ブロックなど、指を使った遊びを。

絵本の読み聞かせを楽しむ
満足するまで読んであげると、ママ・パパの愛情を感じて安心して眠りにつけます。

タッチケアやスキンシップを
子どもの体をやさしくさするタッチケアも◎。気持ちが安定して過ごせます。

夜、眠るときもスキンシップ
眠るときは添い寝をして手を握りながらお話。指しゃぶりをしなくても眠れる習慣に。

Q 牛乳を飲みません!

A 無理に飲ませず、料理に使う方法も

いやがるようなら無理に飲ませなくてもいいでしょう。離乳食が順調なら、タンパク質やカルシウムは牛乳ではなく、ほかの乳製品でもかまいません。牛乳はミルク煮などの料理に使ってみる手もあります。ただ、嫌いだからといって食卓に出さないのではなく、かわいいコップなどで楽しく演出したり、ママがおいしそうに飲んでいるうちに、飲めるようになるかもしれませんよ。

Q スプーンをいやがります

A 興味を持たせるためにママが使って見せて

この時期は、食べ物を自分の手で持って、口に入れる手づかみ食べができれば合格。スプーンを自分で持って食べられるのは、2才ごろを目標にして、練習しましょう。まずは興味を持たせるために、おもちゃとしてでもいいので、スプーンを持たせて遊んでみて。その際、ママがスプーンで食べているのを見せていると、まねしてスプーンで食べたがるはずです。

Q 1才3カ月なのに歩きません

A あせらず1才6カ月ごろまで様子を見て

周囲のお友だちがどんどん歩けるようになると、あせってしまいますね。でも、子どもの発育や発達には個人差が大きいものです。早く歩き始める子もいれば、慎重なのんびり屋さんもいて、運動や言葉など、発達のさまざまな面において異なります。性格によっても差が出ます。歩行に関しては、1才6カ月ごろまでに自分の足で立って、数歩でも歩けるようになればじゅうぶんです。寝返り、おすわり、はいはいなどこれまでの発達で特に大きな問題がなかったのなら、心配せず、見守ってあげてください。

Q 高いところに登りたがります

A 危険なことは真剣に「ダメ」と伝えて

ハイチェアなど、高いところに立ちたがる子は多いですね。見晴らしがよく、視界が広がり、好奇心がそそられるのでしょう。とはいえ、転倒や転落の危険性があります。1才3カ月にもなれば、大人が注意をすれば、理解できるようになっています。立ったときは、こわい表情や声で「ダメ」と伝えるようにして。しかられてもへっちゃらで、くり返す子もいますが、大人も負けずに、「ダメ」を言い続けましょう。

Q しつけに悩んでいます

A しつけはまだ先でOK。大人が危険を回避して

いたずらが多くなると、しつけが必要か悩んでしまいますね。しつけは、子どもが自分で着替えができるようになる時期を目安に考えればいいでしょう。子どもは好奇心旺盛でいろいろなことをしますが、それはいたずらではなく、興味のあらわれ。発達の大切な一過程なのです。この時期は、危険なことを「ダメ」と伝えればOK。できれば、大人が危険を回避し、子どもが自由に動けるスペースを確保するなどの環境を整えてあげることが必要です。

Q 手をつながず、ひとりで歩きたがります

A 「道路では手をつなぐ」と言い聞かせて

歩き始めたばかりのころは、ひとりで歩けることが楽しくて、拘束されることを嫌います。ときには、ママ・パパさえうっとうしく感じてしまうことも。そんなときは、目の届く範囲で自由にさせてあげて。公園など安全なスペースでたっぷり自由に歩かせてあげましょう。

出かける前には、「道路を歩くときは手をつなごうね」と、ルールを約束しておくといいですね。一度では守れなくても、安全に関することは粘り強く言い聞かせます。また、手をつないで歩くときに歌を歌うなど、楽しく歩く工夫もおすすめです。

自己主張

心の成長の大事な過程なので、可能な限りつきあってあげて

このころからママ・パパを困らせるのがイヤイヤ攻撃。大人はほとほと疲れてしまいますね。でもこれこそ、自我の芽生え！ 心の成長には欠かせないステップです。可能な限り、つきあってあげましょう。それが子どもにとって、親が自分を受け入れてくれるという安心感や、自己肯定感を育てます。

Q 旅先で夜中に何度も泣きます

A 昼間、興奮した疲れから夜泣きすることも

旅先で新しい体験をしたり、お友だちが来てたくさん遊んだりすると、興奮しすぎて、その疲れが夜中に出て、夜泣きをすることもあります。乳幼児のころには多い反応です。夜泣きを予防したいのであれば、子どもが喜ぶからといって、いつもより活動しすぎるのはひかえて。お泊まりなどでも、子どものペースを優先し、大人のペースで行動するのはできるだけ避けましょう。日中の興奮で夜の眠りが浅くなる反応は、3〜4才ぐらいまで続きます。

Q よだれが多いのは何かの病気？

A 歯が生える時期によだれがふえることも

よだれの量には個人差がありますが、一般的に1才半ぐらいまでの歯が生えてくる時期に、よだれがふえる子が多いものです。発育や発達の面で、ほかに心配な症状がなければ、気にする必要はありません。服がぬれるくらい出るときは、よだれかけをさせ、出たらふいてあげましょう。離乳食を食べるときに痛がる場合などは、口内炎ができていて、そのせいでよだれがふえている可能性もあります。一度、口の中をチェックしてみましょう。

1才6カ月

トコトコ歩いて、小走りする子も！
大人の簡単な指示が理解できます

私たちも1才6カ月kidsです

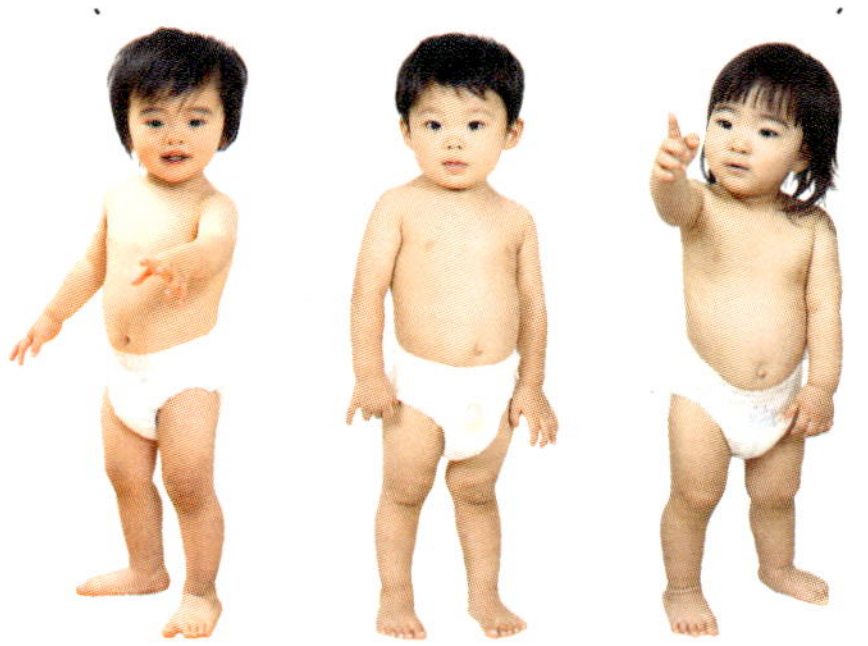

♂伊藤 晴くん 82.0cm・10.7kg
♂海老原颯太くん 76.5cm・9305g
♀藪内七聖ちゃん 79.0cm・10.6kg

	身長	体重
BOY	75.6〜90.7cm	8700g〜13.69kg
GIRL	73.9〜89.4cm	8050g〜12.90kg

※1才6カ月〜2才未満の身長と体重です。

「赤ちゃん」はそろそろ卒業！幼児期へ移行していきます

「赤ちゃん」という呼び方には違和感があるくらい成長してきました。ほとんどの子がひとりで歩けるようになります。おむつはずしを考えるママもいるでしょう。乳児から幼児への移行期に突入したのです。

このころ、運動機能の発達は個人差が大きくなっています。小走りをする子がいる一方、歩き始めたばかりの子はよちよち歩きのはず。平均よりも遅れぎみでも、あとになって力をつけ、運動が得意になる子もいます。気にしなくていいのです。ただし、この時期になっても歩こうとしない場合は、医師に相談しましょう。

運動能力の発達
暮らしのなかで指先を使う遊びをとり入れて

手や指使いが器用になり、ボールをポンと投げたり、クレヨンで線を引いたり、スプーンですくうなどが上達してきます。積み木も4つくらい積めるようになっていきます。ただし、ふだんからそのような機会がなければ、上達もしません。ちょっと苦手かな、と思ったら、意識して遊びや生活のなかにとり入れたいものです。

早い段階から歩き始めていた子は、かに歩きや片足立ちができるようになります。手をつないでもらえば、立ったまま階段上りもできます。低い台の上からジャンプをする子もいます。起きている間は、常に動き回っている時期です。ママは目を離さず、安全に気をつけてあげましょう。

歩けるようになったとはいえ、まだスピードはゆっくりなので、お出かけのときにベビーカーや自転車に乗せたくなるママも多いですね。でも、できるだけ、自分の足で歩く機会をつくってあげましょう。

体の発達
遠くのものが以前より見えるように

運動量が多く、体重よりも身長の増加率が多いので、さらにスラリとした体型になります。乳歯は臼歯が生え始め、歯の本数が12本ぐらいになる子どもが多いでしょう。生え方が遅めで気になる場合には、1才半健診で、歯科の担当者に相談してみましょう。

視力が大人と同じくらいになるのは小学校入学のころです。しかし遠くのものは以前より見えるようになり、大人が指さしたほうを見て、自分も指さすこともあります。

心の発達
そろそろ二語文が出始めます

「ワンワン、いた」など、2つの単語をつなげる二語文を話す子が出てきます。言葉の数が少ない子も、あふれるように話し出す日が必ず来ます。いろいろなことを話しかけて、心のプールに言葉をためてください。

また、記憶力がついてくるので、大人のまねのレベルが高くなります。手指が器用になり、物の操作ができるようになるため、掃除モップなど道具を使ったまねっこも始まります。この体験がもとになって、ままごとなどのごっこ遊びへ発展していきます。

1才6カ月の子ども

1才6カ月の飲む・食べる

- 離乳食を卒業し、幼児食へ
- 道具（スプーン）食べがじょうずに

薄味、かみやすいかたさや食べやすい形状に配慮を

1才6カ月を目安に離乳食を卒業し、幼児食へ移行します。かむ力は大人より弱いので、やわらかく、薄味のものを用意してあげましょう。おやつは栄養の補助と考え、おにぎりやサンドイッチ、乳製品に。甘いおやつはむし歯の原因になるので避けます。

表情

まねっこが高度に

テレビのCMやお気に入りの歌に合わせて、体をゆすったり、声を上げて笑います。まねっこも高度になります。

口

臼歯が生え始めます

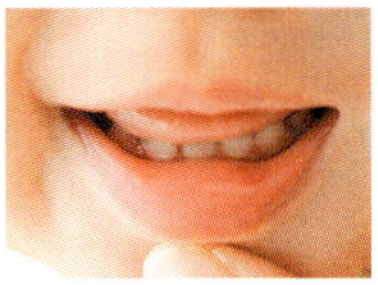

早い子は二語文を使って話すようになります。語彙が少ない子も心配しないで。乳歯は、1才半になると臼歯が生え始めます。

手

ボール投げもできます

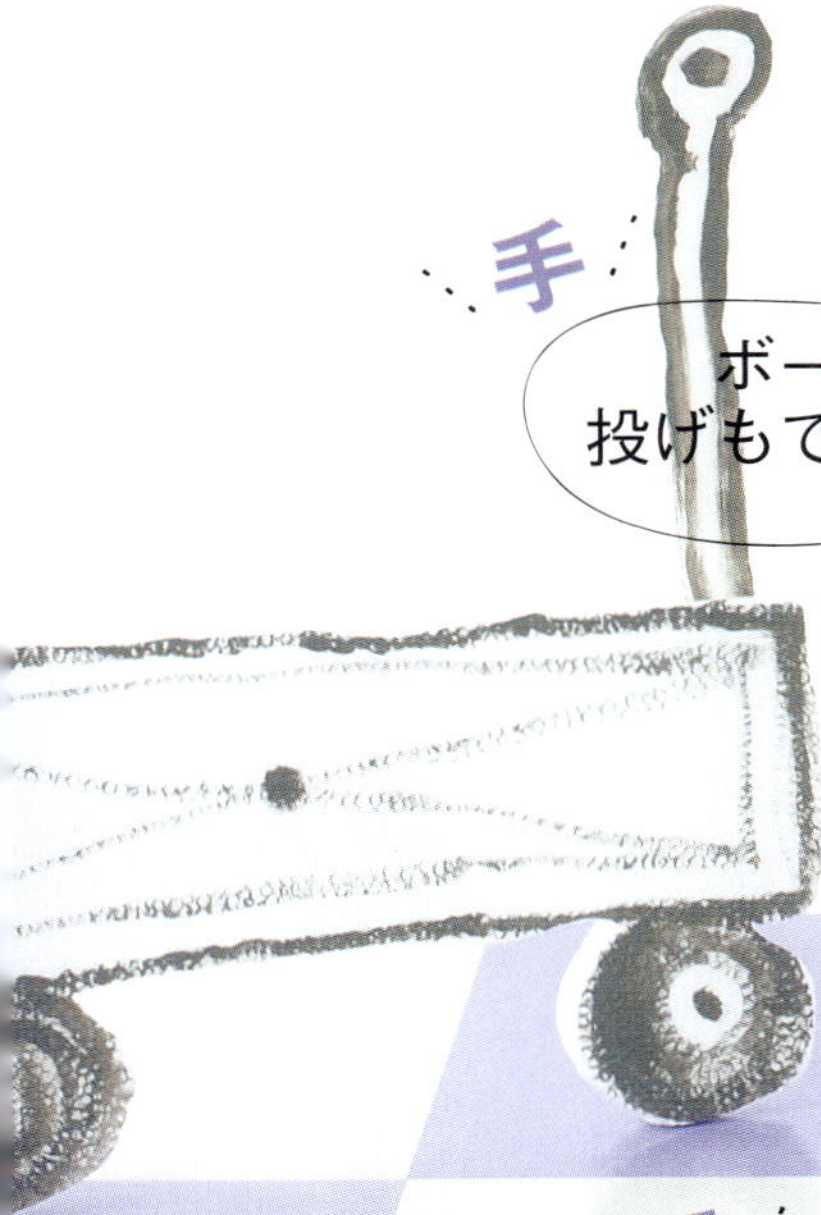

手指がいっそう器用になります。遊びの中で、経験を重ねるうちに、ボールをポンと投げたり、クレヨンで線を引いたりができるようになります。

足腰

ほとんどの子が歩けるように

ほとんどの子は歩けるようになるでしょう。小走りする子も出てきます。跳び降りたり、片足で立ったり、手をつかずに階段を上れるようになります。

1才6カ月ってこんな感じ！

重ねる、積むが上達します

手指の基本的な機能がほぼ完成。積み木なら4個くらい積めるように。重ねたり、組み立てたりの遊びが楽しめるようになります。

記憶力が発達し、まねがじょうずに

大人が教えなくても、じょうずにまねします。親の行動をよく観察し、あとで思い出しているのです。記憶力が発達した証拠です。

台の上から跳び降りることも

歩き方のバリエーションがふえるだけでなく、低い台の上からジャンプして跳び降りることも。ただ、慎重派の子はやりません。

1才6カ月の生活
どんなふうに過ごしている?

生活のなかで、ものの大小など抽象的なことを体験させて

同じ年齢の子とふれあう時間がふえてきます。でも、この年齢の子は「並行遊び」の時期。それぞれ自分のやりたいことに熱中しています。自分のものと他人のものの区別がついていないので、おもちゃの奪い合いになることがしばしば。見守りつつ、適当な場面で助け舟を出しましょう。

この時期からは、生活上の経験を積み重ねることも大切になります。たとえば、洗濯物をたたみながら「パパの服は大きいね、○○ちゃんのは小さいね」「このトマトは赤で、きゅうりは緑だね」などと話しかけることで、抽象的な大きい、小さいという概念や色などを学びます。体験とともに学んだ言葉は子どもの心にしっかりと根づくでしょう。

こんなふうに成長します!

林 千翔くんの場合
身長 80.0cm
体重 10.8kg
撮影日／1才6カ月11日目

「外遊び、体を動かすことが大好き☆」

スタスタ速歩きや小走りで散歩♪
男の子らしく活発で、とにかく体を動かすのが大好きです。外に出るとこの笑顔! 安全な道なら、タッタッと小走りで、大人よりも先に行っちゃいます。

そーっと重ねて積み木タワーをつくれます
手指の動きがより器用になってきました。大人に比べれば、ぎこちないですが、積み木を4個くらい重ねて、タワーをつくって遊べるように。

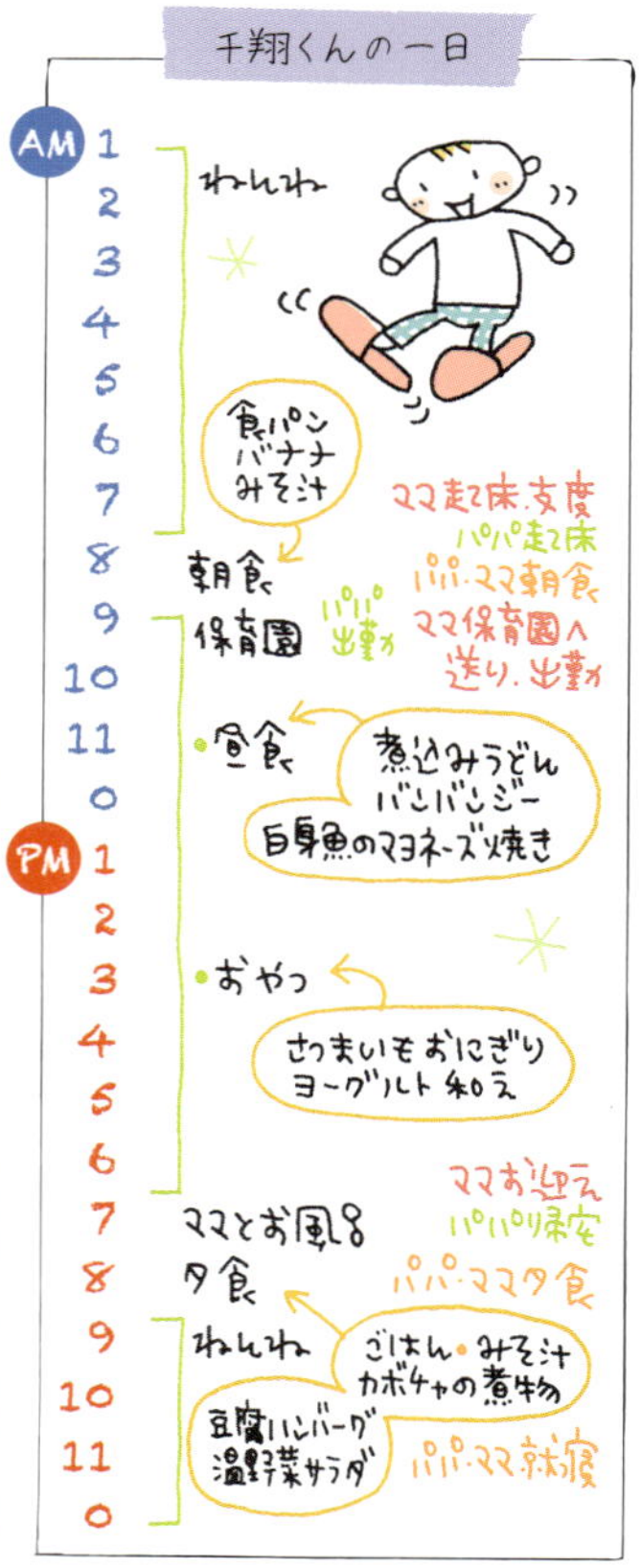

麻美ママの育児ダイアリー

イヤイヤ期に突入! 注意されてかんしゃくを起こすことも

歯みがきの仕上げみがきをいやがったり、昼寝をいやがったりと、すぐにイヤイヤするようになってきました。自分の気がすまないと、泣きわめいてかんしゃくを起こすことも。これが世にいう反抗期? 成長がうれしい半面、素直だったころが懐かしいです。また、落ち着きがないのも気になるところ。病院や店で待っているときもじっとしていられなくて、ちょろちょろ……。「もう少しだから座っていようね」と声をかけると、かんしゃくを起こすことも。男の子らしく元気だといえば、そうなのですが、ママはたいへんです。

1才6カ月の生活

おねだりはかわいく演技派

大好物のバナナをおねだりするときは、両手を合わせて合図。冷蔵庫の前で「ばっば〜」というときも。かわいくて断りにくい（笑）。

絵本を見て、指さし確認

「ちょうちょはどれ？」と聞くと、ちょうちょが出ているページを探し、見つけると指さして教えてくれます。かわいく「ちょちょ」と言うことも。

スリッパで歩くのがマイブーム

ママのスリッパをはいて、部屋中を歩き回ることにハマっています。スリッパが見当たらないとき、犯人は……。

「自分で！できた！発見の連続です」

できることがふえ、急に賢くなってきた!?

簡単な着替え、片づけなど、大人の行動を観察していて、まねすることから生活習慣を身につけていきます。

片づけや脱ぎ着ができるように

片づける場所を決めたら、「ナイナイしようね」と声をかけると、自分でしまうようになりました。ズボンの脱ぎ着は保育園で練習。得意げに「できた」と教えてくれます。

ナイナイするよ

帰るよ

まだ遊びたい！踏ん張って抵抗

外にいるのが好きで、ただ歩き回っているだけで楽しいみたい。その分、家に帰るのをいやがり、足を踏ん張って抵抗します。

みんなの1才6カ月 泣いた！笑った！がんばったSTORY

卒乳にトライしたものの、なかなか夜中のおっぱいをやめられない日々。もともとの夜泣きが、さらに激しくなりました。絶叫に近く、何をやってもダメ。寝ぼけたまま暴れる夜が、しばらく続きました。まだ卒乳には早かったのかな。（みはるママ）

大人の持ち物に興味を持ち、携帯電話を勝手にいじったり、ボタンを押すようになったので、ロックをかけていました。ところがある日、携帯電話から話し声が。出たら相手は警察……。偶然にロックが解除されちゃったみたいです。（えみちゃんママ）

パパ大好きな娘。夫が出勤すると号泣してしまうので、娘をつれて駅まで見送るようにしたら、泣かずに笑顔でバイバイできるようになりました！ 生活リズムも整うし、パパは朝から娘とデートできて、とてもうれしそうです。（えみちゃんママ）

おむつを替えてほしいとき、自分でおむつとおしりふき、おむつ替えシートを持ってきて並べ、その横に寝転んでママを呼んだことがありました。しっかりしているやら、やっぱり赤ちゃんみたいやらで、大笑いしました。（怜ちゃんママ）

初めて歩いたのは、保育園の親子遠足の日。もう1才3カ月も過ぎ、この日を待っていました。慎重派で、それまでは家でも外でもはいはい。娘のズボンはひざがボロボロ……。あの日のうれしそうな笑顔は、ママは一生忘れません。（柚衣ちゃんママ）

1才6カ月の子ども

気になること Q&A

Q 物を投げるのをやめさせるには？

A 違う動作に興味が移るようにしてみて

物を投げたら危ないとか、コップは投げるものではないということを理解できるようになるのは、3才ごろから。投げるたびにママが「ダメ」と伝えることは大切ですが、言ってもまたやるはずです。たとえば、スプーンを投げてしまうなら、ママがそれを口に運んで見せたり、テーブルの上で滑らせてみたり、転がして見せるのも手です。その動作のほうがおもしろいと思えば、投げなくなります。

Q お友だちを威《い》嚇《かく》するのをやめさせたい！

A ダメを伝えつつ、大人が配慮しましょう

今は、同じ空間にいても、お友だちとの遊びはできず、それぞれが自分のしたいように行動する時期。3才ごろにならないと、お友だちと仲よく遊ぶことはできません。しかっても理解できませんが、そのつど、ママが「大きな声を出しちゃダメよ。イヤな気持ちになるよ」と言い聞かせましょう。ママの言葉が理解できるようになるまでは、子どもたちがケガをすることがないように、大人が配慮してあげましょう。

Q 歩けるのに、抱っこしてほしがります

A 自分から歩きたくなるように工夫してみて

歩いているだけで楽しかったころとは違い、歩くことに慣れてくると、「ラクをしたい」「甘えたい」という感情が芽生えてきます。一歩、幼児に近づきましたね。そんなときは、いかに楽しい気持ちにさせるかが大切。近い目標を決めて「あれは、なんだろう」と興味をひかせたり、ママ・パパと競争して歩くのもいいと思います。子どもが自分から歩きたくなるように、大人はアイデアをしぼってみて。

Q 雨が降ってもなるべく外に出るほうがいい？

A 短時間、雨の日の散歩を楽しんでも

雨の日は家にこもりがちですね。でも、動き回るのが大好きな子は、雨でも出かけることを喜びます。多少の雨であれば、レインコートを着て、長靴をはき、水たまりを歩いたり、ぬれた葉っぱや花にさわってみるのも、五感を刺激する楽しい体験です。ただし、子どもは大人よりも暑がりなので、着せすぎて汗をかき、体を冷やさないように気をつけて。短い時間でも外に出ると、気分転換になりますよ。

Q 男の子は立っておしっこすると教えるべき？

A 両方できるように教えましょう

トイレに慣れるまでは座ってのおしっこでいいでしょう。しかし今後、いろいろな場所でトイレを使うことを考えると、立っておしっこをすることも教えてあげるといいと思います。立ってできることは、男の子にとってはおそらく、うれしいこと。パパや祖父など身近な男性に教育係をまかせてみてはいかがでしょう。それを見て、「かっこいい」と思って、まねしてできるようになるかもしれませんよ。

Q 自分で食べるようになるのはいつから?

A まずは手づかみで食べる練習を

手づかみ食べが始まるのは、だいたい生後10カ月ごろから。最初は手をベタベタにしたり、食べ物を落としたり、汚すのでママはたいへんですが、練習することで、ひとりで食べられるようになっていきます。まだ食べさせてもらうのを待つばかりなら、今からでも、手づかみで食べる練習を始めてみて。できるようになったら、次はスプーンに興味を持たせ、少しずつステップアップしていきましょう。

Q トイレトレーニングのきっかけは?

A 2〜3時間おしっこの間隔があいたら

トイレトレーニングは、〝○才になったから始める〟というものではありません。膀胱の容量がある程度大きくなり、おしっこをためておけるようになってからスタートします。あまり早く始めると、うまくいかないことが多く、ママがイライラしたり、子どもに無理強いしてますますうまくいかないこともあるようです。2才を過ぎて、「おしっこ、出た」といえるようになってから始めても遅くはないでしょう。

Q 声は出ますが言葉が出ません

A たくさん話しかけて気長に待ってあげて

お友だちがどんどんお話しできるようになっていると、心配になってしまいますね。しかし、赤ちゃんが話すようになる時期や、語彙の数などは個人差が大きいものです。2才過ぎまで、お話ししない子も、珍しくありません。これまで発達面で特に問題がなく、ふだん、ママが「ゴミ、ポイして」など簡単なことを言ったときに理解できているなら、心配はありません。今は、毎日の生活のなかで、なるべくいっしょに過ごし、言葉をかける、歌を聞かせる時間を多く持ちましょう。赤ちゃんのほうで準備が整い、興味を持てば、やがてあふれるように言葉が出てくるはずです。あせらずに待ってあげて。

Keyword

トイレトレーニング

おしっこやうんちを意思表示し、おむつをはずす練習

トイレトレーニングとは、「おしっこやうんちをしたくなったらそれを意思表示する」「トイレやおまるに座らせてもらったら、そこで排泄できる」こと。おまるを使うのか、最初から補助便座でするのか、やり方や使うグッズに正解はありません。スタート時期は、子どもの発達や性格などによって決めましょう（P.116参照）。

1才6カ月健診へ行こう！

どうかな?

健診はテストではありません。その子なりのペースで発達していれば、OKです。ほかに、歯科健診も行われます。

★ **あんよの様子**
運動の発達を見ます。まだ危なげな様子でも、ひとりで歩けるかがポイントです。

★ **言葉の理解**
子どもが知っているものを見せ、指さす様子を見ます。言葉でなくても、しぐさでこたえられればOK。

★ **パズル遊び**
丸、三角、四角などのパズルが、はめられるかな？ 物の形が認識できているかチェックします。

など

2〜3才

服を着たり、絵をかいたり いろいろなことが自分でできます

♂海老原颯太くん 79.0cm・11.0kg
♀溝口紗世ちゃん 86.0cm・12.0kg
♀藤田結芽ちゃん 79.0cm・9100g

	身長	体重
BOY	81.1〜97.4cm	10.06〜16.01kg
GIRL	79.8〜96.3cm	9300g〜15.23kg

※2〜3才未満の身長と体重です。

やると言ったり甘えてきたり、2才児は気まぐれ！

2才の子どもは「テリブル・ツー」（魔の2才児）と呼ばれるように、ママ・パパにとっては少しやっかいな存在。いわゆる「イヤイヤ期」、第一次反抗期の始まりです。このころの子どもは自我が芽生え、やりたい気持ちはあふれているのに、まだ不器用です。でも、本人にはそれが理解できないため、やりたい、できないという自分に腹が立ち、やらせてくれない親にも腹が立つのです。それに「自分で！」と言ったり、「やって」と甘えたり、気まぐれで扱いづらい時期。大人は一日つきあうだけでヘトヘトです。

3才になると自分でできることがふえてきて、イヤイヤは減ってきます。先を見通す力や、考える力もついてきます。好奇心が強くなり、今度は「なぜ？」「どうして？」の質問攻めがスタート！　めんどうに感じることがあるかもしれませんが、やりとりを楽しむつもりで、つきあってあげましょう。

運動能力の発達

公園の遊具でも思い切り遊べるように

2才になると多くの子は、歩いたり、小走りをするのはお手のもの。足を使うことで筋力がつき、ジャンプをしたり、滑り台も滑れるようになります。指先はいっそう器用に、積み木を8個くらい積めるようになり、絵をかくことにも熱中します。

さらに3才になると、運動の基本的な能力は、ほぼ完成。階段の上り下り、短時間の片足立ちもできるようになるでしょう。

体の発達

おむつはずしの準備が整う子がふえてきます

身長、特に足がグンと長くなり、体型のバランスが変わってきます。赤ちゃん時代が終わり、もうすっかり幼児です。

また、膀胱《ぼうこう》におしっこをためられるようになってきて、おしっこの間隔が2〜3時間あく子が出てきます。それがおむつはずし開始のサイン。2才後半〜3才代はそのピークです。とはいえ個人差もあります。あせらず、進めましょう。

心の発達

3才になると三語文が始まります

反抗期とはいっても、2才児はまだまだ親に甘えたい時期。「自分でやる」とがんばって疲れると「ママやって」と甘えてきます。それをワガママとは思わずに、存分に受けとめてあげましょう。親にたっぷり甘えられてこそ、心のエネルギーが満タンになり、社会へ出て行けるのです。

2才代は、言葉の発達には個人差があります。大人と対等に会話ができる子もいれば、単語がいくつか出る程度の子も。大人の言うことを理解していて、身ぶりなどで意思を伝えようとしている様子があれば、問題ないでしょう。

3才になると多くの子が「わんわん、おうち、きた」などの三語文を話せるようになります。大人はたくさん話しかけたり絵本の読み聞かせをして、語彙《ごい》をふやしてあげてください。

ぼくは 3才

ぼくは 2才

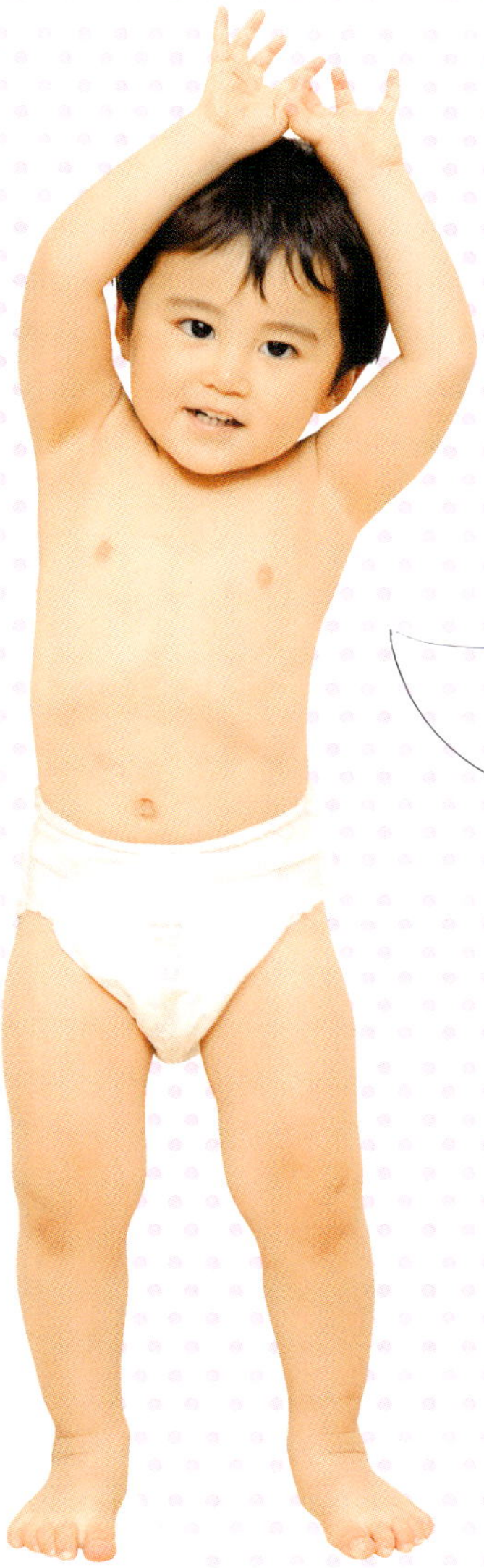

表情

甘えたい！でも自分で！

魔の2才児といわれるようにイヤイヤを全身で表現するころ。まだまだ甘えたい時期でもあり、ママ・パパを振り回します。

手

指先の機能がグンと発達

指先がますます器用になります。上から握って持っていたスプーンも、3才になると、下から持って、じょうずに食べられるように。

口

仕上げみがきでむし歯予防

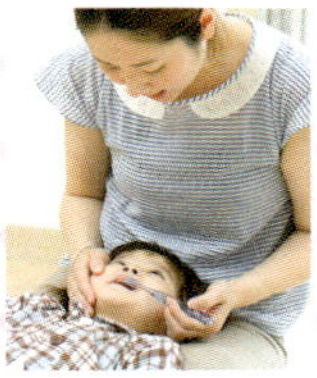

3才ごろには20本の乳歯が生えそろいます。むし歯にならないように、歯みがきの習慣をつけて、仕上げみがきもていねいに行いましょう。

足腰

より高度な動きが可能に

足の機能がより発達します。3才近くになると、段差から跳び降りるなど、ダイナミックな動きができるようになります。

2〜3才の飲む・食べる

- **いろいろな食材を食べさせて**
- **甘いおやつのとりすぎに注意！**

朝ごはんをしっかり食べ、生活リズムも見直しましょう

朝ごはんをきちんと食べることで、生活リズムが整います。おやつに甘いものをダラダラと食べ続けることのないように気をつけて。気分によって、食べたり、食べなかったりがありますが、いろいろな食材を使い、栄養バランスのよい献立を心がけましょう。

2～3才の生活
どんなふうに過ごしている？

こんなふうに成長します！

小村佳正くんの場合
身長 82.0cm
体重 12.8kg
撮影日／2才0カ月14日目

「早く」は禁句！大人の「待つ姿勢」が自立を促します

外から帰ったら手を洗う、入浴のあとはパジャマを着るなど、生活習慣の自立は2～3才代の大きなテーマです。そこで大切なのはママ・パパの「待つ」という姿勢。赤ちゃん時代は、ママがなんでもしてあげることで、大人のペースで生活できました。しかしこれからは、子どものペースに切り替える時期になります。大人が手伝えばサッと終わる着替えも、子どものペースだと何分もかかります。しかし今、「待つ」ことが自立を促し、その後の入園・入学をスムーズにしてくれるのです。それに、子どもが「自分でやる」と言っているのに、大人が手を出せば、イヤイヤになり、さらに時間がかかるかもしれません。ここは割り切って、忍耐強く乗り切りましょう。

「ますます活発に！公園や外遊びが大好き」

風を切って走るって気持ちいい

歩き出したのは1才2カ月ごろ。今では公園内をタタタッと走り回れるようになりました。意外とスピードが速いので、追いかけるママはちょっとたいへん（笑）。

手足を使って登ります

ますます活発になり、遊具をよじ登るのも得意。登るときはママが後ろから支えていますが、滑り台はひとりで滑れます。

帰宅したらうがい＆手洗い

外から帰ってくると、洗面所へ直行。洗面所の前に置いた踏み台に乗って、手洗いをします。コに水をためて、ブクブクとうがいもできるようになりました。

お客さまが来ると玄関で、あいさつ

来客があると、玄関で待ち構えていて、「こんにちは～」と頭を下げて、あいさつができるんです。お客さまも喜んでくれます。

絵梨子ママの育児ダイアリー

ついにきた！ ウワサの第一次反抗期にママはゆううつ

とうとう2才になりました。歯も上下16本生えて、小柄ながら走るのも早くなり、成長を実感する日々。そんなある日、息子が見ていたDVDが終わったので、テレビを消すと、「まだ見るのー‼」と大激怒。そのあと、お風呂に入れるために服を脱がそうとすると、泣きながら拒否し、私のことをたたいたり、ひっかいたりして抵抗しました。赤ちゃんのころはお風呂が大好きだったのに……。今までにない、激しい抵抗。これが「魔の2才児」と呼ばれる反抗期なんですね。成長の過程とはいえ、ちょっと落ち込んじゃいました。

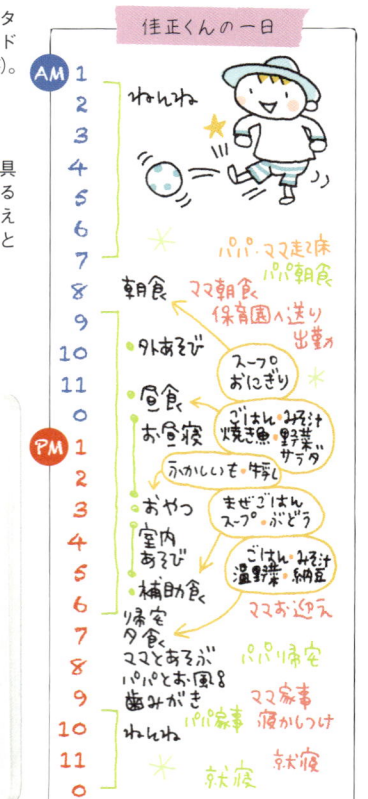

佳正くんの一日

- AM 1～7　ねんね
- 7　パパ・ママ起床　パパ朝食
- 8　朝食　ママ朝食　保育園へ送り　出勤
- 9～10　外あそび（スープ・おにぎり）
- 11～0　昼食（ごはん・みそ汁・焼き魚・野菜サラダ）
- PM 0～2　お昼寝
- 3　おやつ（ふかしいも・牛乳）（まぜごはん・スープ・ぶどう）
- 4　室内あそび
- 5　補助食（ごはん・みそ汁・温野菜・納豆）
- 6　帰宅　ママお迎え
- 7　夕食
- 8　ママとあそぶ　パパ帰宅
- 9　パパとお風呂＆歯みがき　ママ家事　寝かしつけ　パパ家事
- 10～0　ねんね　就寝　就寝

2〜3才の生活

2〜3才って、こんな感じ！

ママをよく見ていて、ごはん作りもまねっこ

ママの台所仕事にも興味が出てくるころ。男女を問わず、おままごとが大好きです。3才近くなると、おもちゃの包丁で、マグネットなどでつながった野菜をザクッと切るのもじょうずに。

もう赤ちゃんじゃないもん！

少しなら友だちとかかわって遊べるように

ほかの子への関心が増し、「どうぞ」「ありがとう」と受け渡すなど、簡単なやりとりができるように。おもちゃのとり合いはまだあるので、大人のサポートも必要です。

好みもはっきり

1才代では見たり持ったりだった車のおもちゃも、自分で「ブーブー」と声を出しながら、思いどおりに動かして遊ぶように。子どもによって車、電車、動物など、好きな対象もはっきりしてきます。

心

ごっこ遊びや友だちとやりとりも！

ボタンかけに熱中！大人は見守って

3才近くになると指先がますます器用になり、ボタンかけをやりたがる子も。なかなかできずに、かんしゃくを起こすこともありますが、見守ってあげて。

クレヨンで丸がかけるように

2才を過ぎると、丸がかけるようになります。始点と終点を合わせるのは、意外とむずかしいこと。指先が器用になった証拠です。3本指で持てる子も出てきますが、4才ごろまでは握り持ちでOK。

体

遊びを通して、体の使い方を覚える時期

片足立ちができるようになる子も

平衡感覚が発達し、重心のバランスをとれるようになると、少しの間、片足立ちができるようになります。バランスをくずしたときに体勢を立て直す練習にもなるので、安全な場所でトライしてみて。

バギーは卒業！三輪車デビュー

公園通いは補助輪つきの自転車や三輪車で、という子もふえてきます。足に力を入れるコツをつかむまでは、ペダルを前に押し出してこぐのは、むずかしいものです。最初は大人が押してあげて、サポートしてあげて。

遠くをめがけてボールを投げられます

転がしたり、前へ落とすだけだったボール操作も、3才近くになると、肩と腕を大きく動かして、投げられるようになります。片手で握れるくらいのボールが投げやすいでしょう。

生活

できることがどんどんふえ、自信がつきます

大人の箸を見て、持ちたがる子も

大人の箸に興味を持ち、自分も使いたがる子が出てきます。実際に使えるようになるのは3才を過ぎてからです。今は興味を持ったら持たせるくらいの気持ちで。のどをつかないよう気をつけて！

ママのまねをして洗濯物もたたみます

洗濯物をたたむお手伝いも。タオルをふわっと半分に折る、くるくる巻くなど、精いっぱいのお手伝いをしてくれます。親が喜ぶことがうれしくて、さらにお手伝いしてくれるのもこのころです。

2~3才の子ども 気になること Q&A

Q おもちゃをとられてもとり返そうとしません

A 「いや」という気持ちを大人が代弁してあげて

親からすると歯がゆい気持ちでしょう。基本的には見守ってあげることです。このころにおとなしいからといって、将来、集団生活に入ったときに、いじめられるとは限りません。ただ、ふだんから、自分の思いを伝えることが苦手な子なら、気持ちを代弁してあげたり、「いや」という気持ちを表現できたら「そうだね、いやだったね」と受け止めてあげてください。また、自分のものを大切に思うことができるように、名前を書いてあげて、「○○ちゃんのものだね。これ、いいね」と、声をかけてあげることも必要でしょう。

Q おむつがはずれたのに、下の子が生まれて、もらすように

A ママとの愛着を確認できれば元どおりに

下の子が生まれ、ママは自分ひとりのものではなくなってしまいました。そのショックは子どもにとって大きなものです。おむつが必要になることで、妹と同じように自分にも手間をかけてほしいと伝えているのでしょう。今はそれにこたえて、安心させてあげて。ママとの愛着関係を確認できれば、元どおりになりますよ！

Keyword

赤ちゃん返りって？

「ママがとられそう」「かまって」甘えたい気持ち

今までは自分が絶対的に保護される存在だったのに、下の子が生まれると、その位置づけがおびやかされます。子どもは不安になって当然です。今までできていたことも、「やらない」と言ったり、急に甘えん坊になったり。これが赤ちゃん返りです。無理に自立させようとせず、親子の愛着関係を実感させてあげるといいですね。

わが家はこうやって乗り切っていました！

1. できる限り、上の子を優先する
2. 「お兄(姉)ちゃんだから」は禁句
3. できたらほめる！やらなくてもしからない

甘えたい気持ちを尊重してあげると、「ママは自分のことが好き」という自信が持て、下の子を大切にしてくれるようになります。

Q ほしいものを「買って！」と大泣き！

A 子どもに負けず断固とした親の態度を見せて

子どもは泣きながらも、自分と親との力関係をはかっています。一度、大人が負けて買ってあげてしまうと、同じことをくり返すでしょう。むしろサッとその場を離れてしまえば、子どもは不安になって追いかけてくるものです。買い物に行くときは、何を買ってあげるか約束しておき、それ以外のものは買わない、親の断固とした態度を見せることがあってもよいと思います。

Q スプーンやクレヨンなどを握り持ちします

A 3本指で持つのは3~4才になってから

スプーンで食べたり、クレヨンでなぐりがきができるようになる時期ですね。一つできるようになると、もっとじょうずにと、大人は次のステップを考えてしまうのかもしれません。でもこの時期なら、握り持ちが当たり前。クレヨンを3本の指で支えて、きちんと持てるようになるのは、まだまだ先です。早くて3~4才くらいと考えておいていいでしょう。じょうずに使えるのは、これよりもさらに先の話です。

Q テレビやDVDはどのくらいまで?

A 一度に20~30分、1日に最長2時間まで

テレビやDVDなどを見続けると、人とコミュニケーションをとったり、体を動かす機会が減ってしまいます。流される情報を一方的に受けるだけなので、発達に影響を及ぼす可能性もあります。子守代わりに長時間、見せっぱなしにするのは避けて。1日に最長2時間までという説もありますが、子どもの集中できる時間を考えても一度に20~30分が適当です。できればママ・パパもいっしょに見て、歌ったり踊ったりするといいですね。

Q 友だちをたたいたり、突き飛ばしたり

A 正確に言葉にできず手が出てしまう時期

2才になり、話せるようになっても、言いたいことを言葉で正確に表現できないと、乱暴な態度に出ることがあります。大人は、そのつど注意してあげながら、成長するのを待ちましょう。「○○ちゃんはこう言いたかったんだね」と、大人が子どもの気持ちを言葉にすることで、表現の幅も広がります。いっしょに遊びながら、友だちとのかかわり方を教えていくことも大切です。

Q 「バカ」など乱暴な言葉を使います

A 反応しなければ言わなくなるはず

意味がわかって使っているわけではないはずです。たまたま近所のお兄ちゃんやお姉ちゃんが使っているので覚えたのかもしれませんね。「バカ」と言ってみたら、ママ・パパがあわてたなど、まわりの反応が強いので、おもしろくて使っているのでしょう。しかっても仕方ないので、「バカ」と言っても、知らんぷりしてみてはいかがでしょう。反応がなければつまらなくて、やめてしまうかもしれませんよ。

Q 歯みがき代わりにフッ素入りタブレットは?

A 少しずつ歯みがきの習慣をつけましょう

歯みがきをひどくいやがるなら、一時的にフッ素入りタブレットで間に合わせてもかまいません。しかし、タブレットでは汚れを除去することはできません。長い目で見れば、むし歯予防のためには、歯みがきの習慣をつけることが必要です。一度、歯みがきを嫌いになると、好きにさせるのはたいへん。座らせて、自分で歯ブラシを持たせる、仕上げみがきは歌いながらなど、楽しい雰囲気で歯みがきを習慣づけられるよう、無理強いせずに工夫してみましょう。

3才健診へ行こう!

どうかな?

乳幼児健診の最後に当たるのが3才児健診。多くの自治体では、聴力や視力は自宅で検査してから健診を受けます。

★ 聴力と視力のチェック

自宅でチェックし、問診票に記入して持参。写真は配布される視力検査セットの一例。

★ 歯の生えぐあい

そろそろ乳歯が生えそろう時期。歯みがきの方法や、むし歯の有無、歯並びなどをチェック。

★ 言葉の理解

自分の名前や二語文が言えるかがポイント。上下、前後が理解できるかも発達の目安に。

など

Column 4

＼トイレでおしっこを目指して／

1年を目安にあせらずトレーニング！
おむつはずし

新生児時代からずっと、お世話になってきたおむつ。おむつはずしを考えるころになると、いよいよ赤ちゃん時代もファイナルステージです。
スタートの目安や進め方を予習して、親子でゆったり始めましょう♪

おむつはずしを成功させるための5step

＼始める前に／

1 ママがトイレでする姿を見せる

トイレは何をする場所で、どうやっておしっこをするのか。まずは、ママがモデルとなってお手本を見せてあげましょう。

2 トイレが楽しい空間になるように工夫する

トイレはこわい、いやなところというイメージを持たないように、トイレに好きなおもちゃを置くのもいい方法です。ママと歌を歌うのもおすすめ！“行くと楽しい”雰囲気づくりを心がけて。

3 「おしっこの間隔がどのくらいなのか」をつかむ

1時間ごとにおしっこをしているようなら、スタートはもう少し待って。2時間たってもおむつがぬれていないなら、そろそろ始めどきです。

＼いざ開始！／

4 便座やおまるに座らせてみる

おしっこが出なくても、便座に座らせてみましょう。そのときママはベビーの体にふれて安心させて。補助便座やおまるなどで、座ることがこわくないように工夫し、無理強いは禁物です。

5 じょうずにできたらほめる

ママにほめられると、赤ちゃんはうれしいもの。がんばったらたくさんほめてあげることで、赤ちゃんの“やってみよう”という積極性を引き出して。もちろん、うまくできないからといって怒るのはNGです。

おむつはずしQ&A

Q 成功しやすい季節はある？

夏は不感蒸泄《ふかんじょうせつ》といって汗や息から出る水分も多く、おしっこの間隔が長くなるのでおすすめ。薄着になり、洗濯の手間が少ないのもポイント。

Q どのくらいの期間がかかる？

トレーニング期間は1年が目安。あせらずゆっくり練習して。2～3才代で言葉を理解できるころなら、短期間ですむことも。

Q 夜のおむつから卒業できません！

夜中のおねしょは、抗利尿ホルモンという、おしっこを抑制するホルモンが関係しています。睡眠中の排泄はトレーニングとは別物と考え、夜のおしっこは気にしなくて大丈夫です。

Q うんちのほうがむずかしいって本当？

尿意よりも便意のほうが感じやすいですが、「うんちはおむつじゃなきゃダメ」という子もたくさんいます。自分でおしりをふくことができるのは、5才くらいの年齢になってからです。

Q トイレでおしっこをせずに遊んでしまう！

最初は遊びからでもOKですが、ひとりではトイレに行かせないように。転倒や水の事故が心配です。間違って内側からカギをかけたりすることもあるので、気をつけましょう。

おむつはずしを始めるのはいつから？

おしっこが2～3時間あくようになったら

神経伝達の発達が影響するため、おむつはずしのタイミングは個人差が大きいものです。トイレトレーニング開始の目安は、おしっこの間隔が2～3時間あくこと。おむつを替えてから2～3時間たってもおむつがぬれていなければ、おまるか補助便座に座らせてみましょう。偶然におしっこが出ることもあります。その「出ちゃった！」経験をくり返し、赤ちゃんはおしっこが出る気持ちよさをつかんでいきます。

ただし、いきなりトイレに行かせるのはたいへん。まずはママがおしっこをしているところを見せて、お手本に。トイレに行くのが楽しくなる空間づくり、雰囲気づくりを心がけましょう。また、トイレトレーニングには、ママとの信頼関係も重要です。失敗しても怒らず、じょうずにできたときはたくさんほめて、赤ちゃんの気分をのせてあげて。おむつはずしには時間がかかって当然なので、「いつかはとれる」と信じて、楽しみながら進めましょう。

みんなのおむつはずしDATA

Q いつごろから始めた？

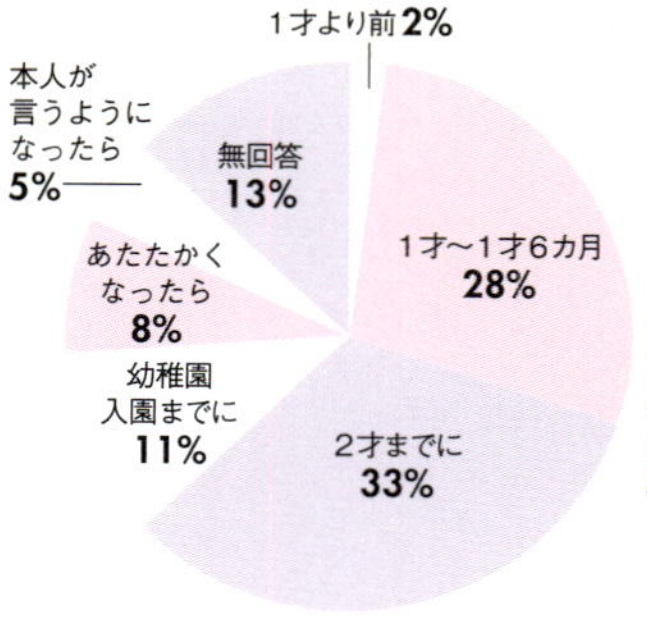

1才前からチャレンジしている赤ちゃんは2%。「2才」をおむつはずしのスタートラインとしているママが最も多く、幅広い回答になりました。

PART

2

プロセス写真で解説！　お世話の基本をマスター

毎日の赤ちゃんのお世話

抱っこ、おむつ替え、沐浴……。
小さな赤ちゃんの体を目の前に、最初はドキドキでも、
やるしかないと心に決めたら、大丈夫！
まずは基本を押さえて、
毎日お世話をしていくうちに
コツをつかんで、きっとじょうずになります☆

赤ちゃんとママの体を密着させて！

いろいろな抱っこ

抱っこは、お世話の基本！ ママ・パパも赤ちゃんもリラックスできる抱き方を覚えて、抱っこタイムを楽しみましょう。

低月齢のころの基本

横抱き

あらゆる場面で必要になるのが、抱っこです。最初にマスターしたいのは、基本の横抱き。赤ちゃんは、ママ・パパの抱っこが大好きなので、抱っこのコツをつかんで、思う存分に抱っこしてあげましょう。

抱っこするよー

まずは声をかけてから

赤ちゃんが泣いていたら抱っこ。まず声をかけ、安心させてから抱き上げます。

1 首の下に手を入れる

上から見ると、こんな感じ

一方の手を、首の下へゆっくりさし入れます。手のひらで、頭と首をしっかり支え、上体を少し持ち上げます。

2 股の間に手を入れる

もう一方の手は、股の間から、おしり・腰の下に向かってさし入れます。手のひらで、おしり全体を包むようにすると安定します。

3 後頭部とおしりを支えて抱き上げる

頭とおしりを支えたら、ゆっくり抱き上げます。赤ちゃんとママの体ができるだけ離れないようにすると、ママの腕や腰に負担がかかりません。

4 手をスライドし、腕全体で頭、体を支える

手をゆっくりずらし、ママのひじの内側に、赤ちゃんの頭と首を乗せるようにします。足側の手は、おしりをしっかり支えましょう。

いろいろな抱っこ

首がすわったらOK

たて抱き

首がしっかりしてきたら、たて抱きに挑戦！いつもと景色が変わるので、赤ちゃんも新鮮な気分になります。首が完全にすわっていなくても、後頭部をしっかり支えればたて抱きOK。ゲップのとき、ぐずるときに試してみて。

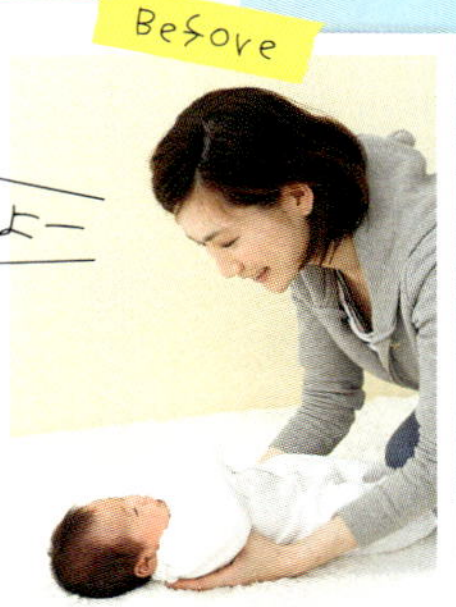
抱っこするよー

まずは声をかけてから

横抱きと同様に、声をかけてから抱っこを。何かをする前には、必ずひと声かけるのが◎。

1 両わきの下に手を入れる

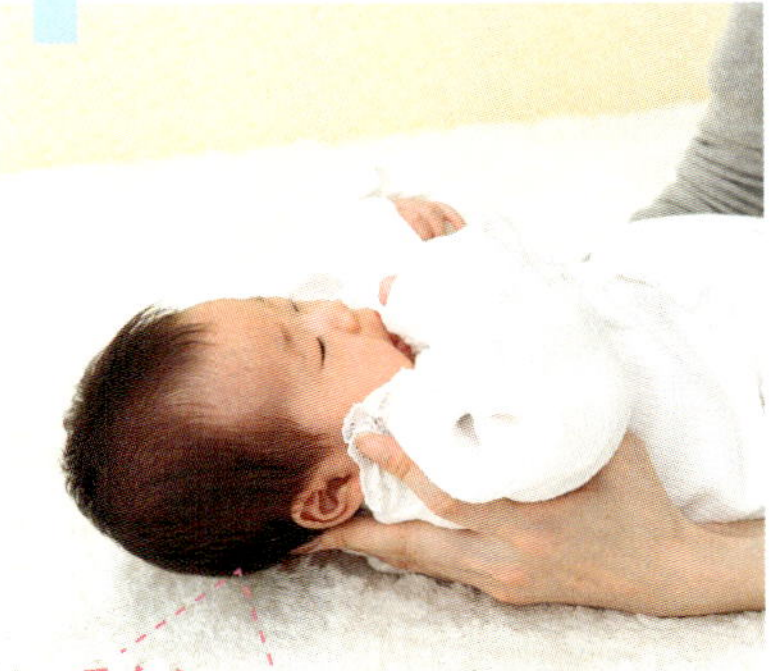

上から見ると、こんな感じ

赤ちゃんと向かい合うように体を近づけ、両わきの下に手をさし入れます。親指はわきの上側に、ほかの４本指は下側に入れて。

2 後頭部を支えて抱き上げる

４本の指と手のひら全体で、赤ちゃんの背中から首、後頭部にかけてしっかり支えながら、「よいしょ」と抱き上げます。

3 手をずらし、腕全体で背中、おしりを支える

片方の手を下へずらし、腕全体に赤ちゃんのおしりを乗せます。もう一方の手も少しずらして、首から頭を支えれば完成！

親子ともつらくないPOINT

- 自分の体に赤ちゃんを引き寄せる
- 赤ちゃんの後頭部、背中、おしりの３点を支える

抱き上げるときは、赤ちゃんとできるだけ体が離れないようにして、ママ・パパ側に引き寄せること。後頭部、背中、おしりの３点を支えると安定して、親子ともにラクです！

向きをチェンジ

左右に抱き替える

授乳のときや、ママが抱っこに疲れたときなど、赤ちゃんの向きを変える場面も出てきます。首すわり前で、体がグニャグニャの時期はこわいかもしれませんが“慣れ”がいちばん！

おしりを軸に回転させます

抱っこで赤ちゃんの向きを変えるときには、「おしりを中心に回転」が基本です。

1 背中を支えていた腕をスライドし、後頭部の後ろに

背中全体に当てていたほうの手をずらして、首から後頭部を支えるようにします。

2 おしりを軸にして、反対側へ抱き替える

ママと赤ちゃんの体は密着したまま、おしりを軸にして、後頭部を支えたママの手を逆側へ持っていくように回転。向きをチェンジ！

3 背中、おしりを支えるように、体勢を調整する

おしりを支えていたほうの腕に、赤ちゃんの頭を乗せ、頭を支えていた手は、おしりから背中を支えるためにスライドします。

腱鞘炎《けんしょうえん》にならないPOINT

- ☑ 手首だけで赤ちゃんの頭を支えない
- ☑ 赤ちゃんの頭をひじの内側に乗せる
- ☑ 授乳クッションなどを活用する

腱鞘炎予防には、手首に余計な力が入らないよう、赤ちゃんの頭をママのひじの内側に乗せるのがコツ。２人の体がなるべく離れないように、授乳クッションなどで高さ調節を。

〜ねんねの体勢〜

横抱き→下ろす

寝かしつけのために、赤ちゃんを布団などに下ろすという動きも多いもの。赤ちゃんの体を離すときは“ゆっくりそーっと”がコツ。

1 背中を支えていた腕をスライドし、後頭部を固定する

赤ちゃんの背中に当てていたママの手を、上側にずらします。頭がグラグラしないよう首から後頭部を、しっかり支えましょう。

↓

2 おしり、背中、頭の順に下ろす

まずおしりを着地させ、赤ちゃんの体をゆっくり倒しながら背中、頭の順に下ろしていきます。体は、ママからいきなり離さないで！

↓

3 支えていた手を引き抜く

おしりを支えていた手を、体の下からそっと引き抜きます。ねんねしているときは、首の下の手はゆっくりゆっくり引き抜きましょう。

〜授乳の体勢〜

たて抱き→横抱き

たて抱きから横抱きという流れも、マスターしたい。あやす姿勢から授乳のため横抱きにするなど、日常のお世話シーンでもよくあるパターンです。

赤ちゃんの背中に当てていたママの手を上にずらします。首から後頭部がグラグラしないように支えるのがポイントです。

1 背中を支えていた手をスライドし、後頭部を固定する

↓

2 おしりを軸に回転させる

赤ちゃんとママの体が離れないようにしながら、おしりを軸に、体を横向きに。赤ちゃんの頭をママの腕に乗せて、横抱きが完成！

"こまめに替える"が基本です！

おむつ替え

おむつ替えは、赤ちゃんの体にふれ、きれいにするコミュニケーションタイム。語りかけながら、すっきりさせてあげましょう。

環境にやさしい 布おむつ

洗ってくり返し使える布おむつ。吸水力は紙おむつに劣りますが、排泄したときにぬれたと感じるため、赤ちゃんに「気持ち悪い」という感覚が育ちやすいといわれます。

おむつカバーとおむつをセットしておく

赤ちゃんの体型に合ったサイズのカバーに、たたんだ輪型おむつか成型おむつをセットします。

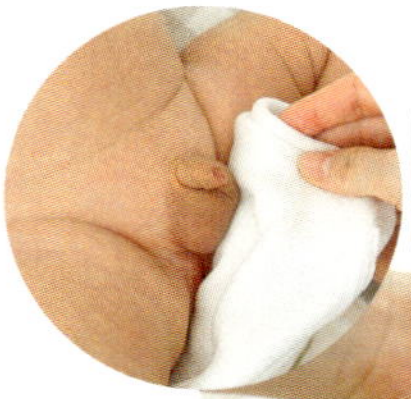

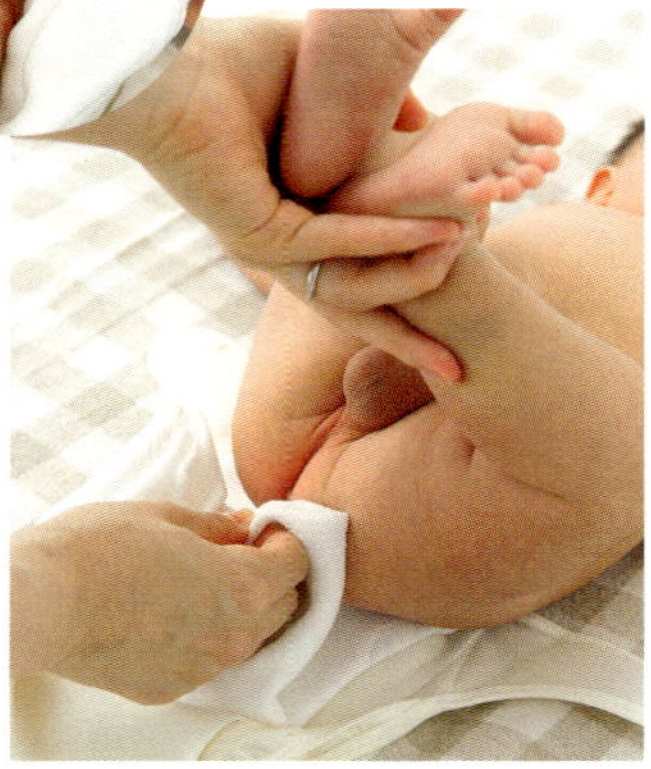

1 汚れをきれいにふきとる

おむつカバーをあけ、布おむつの汚れていない部分で、汚れをふきとります。性器やしわ、ひだの多い場所は、やさしく念入りに。

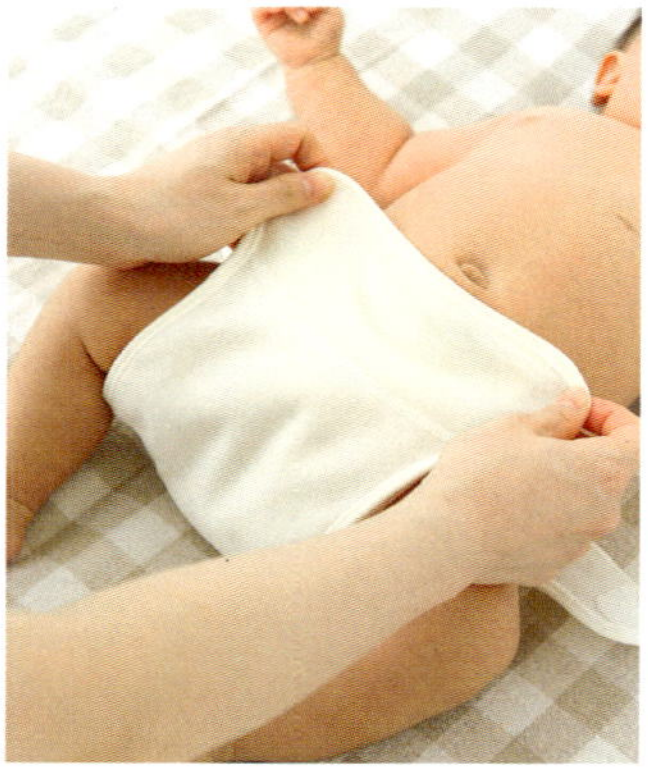

2 新しいおむつを当てる

汚れが残っていたら、おしりふきなどでふきとりましょう。つけていたカバーとおむつをはずし、新しいカバーとおむつを当てます。

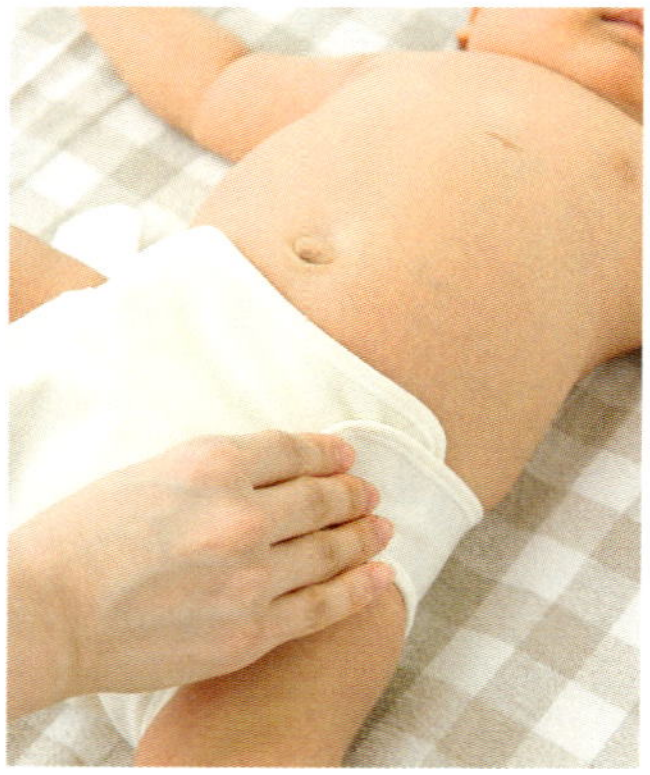

3 おむつカバーのベルトを留める

カバーのベルトを留めるときは、左右対称に。ウエストはきつすぎずゆるすぎずが正解です。

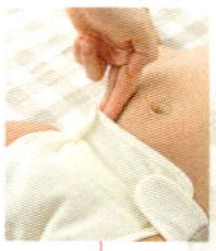

ウエストには指2本のゆとり

ウエストがゆるいと、モレの原因に。ゆとりは指２本分くらいが◎。

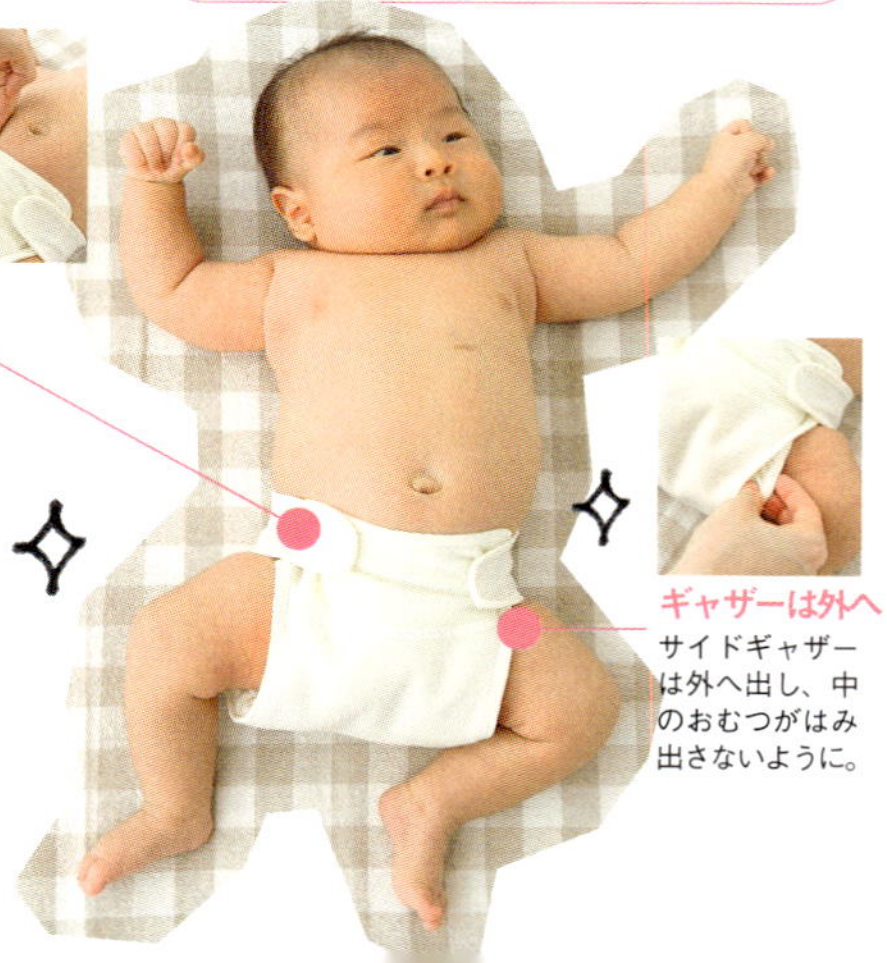

ギャザーは外へ

サイドギャザーは外へ出し、中のおむつがはみ出さないように。

布（輪型）おむつのたたみ方

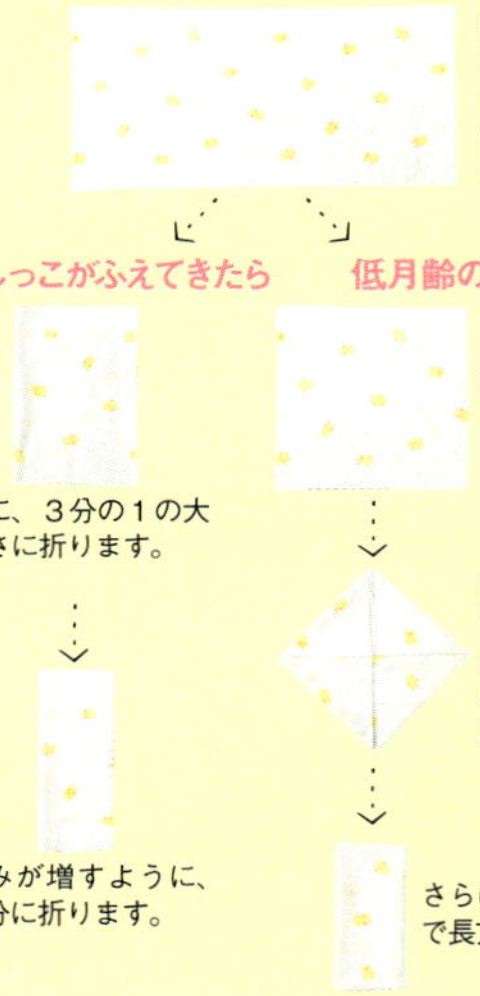

折りたたむ前の輪型の布おむつ。おしっこの量に合わせて、折り方（厚み）を変えます。

おしっこがふえてきたら

横に、３分の１の大きさに折ります。

厚みが増すように、半分に折ります。

低月齢のころ

横に半分にたたんで、正方形に。

折り紙のように、四すみを中央に向けてたたみ、小さな正方形に。

さらに半分にたたんで長方形にします。

布おむつの処理

① うんちはトイレに流し、ゆるゆるうんちはティッシュなどでふきとってから、手洗いします。

② 手洗い後、洗剤や漂白剤の入った水に１～２日つけてから、洗濯機で洗って乾かします。

おむつ替え

紙おむつの処理

❶ うんちはトイレに流します。おしりふきなどは、紙おむつの中に捨てましょう。

❷ 手前からクルクル巻いて、左右のテープで留め、コンパクトにまとめます。

やっぱり手軽

紙おむつ

使い捨てだから手軽なうえ、吸水性が高いので、お出かけや就寝など長時間も安心です。モレにくく、赤ちゃんも不快を感じにくいのですが、汚れたらすぐ交換してあげましょう。

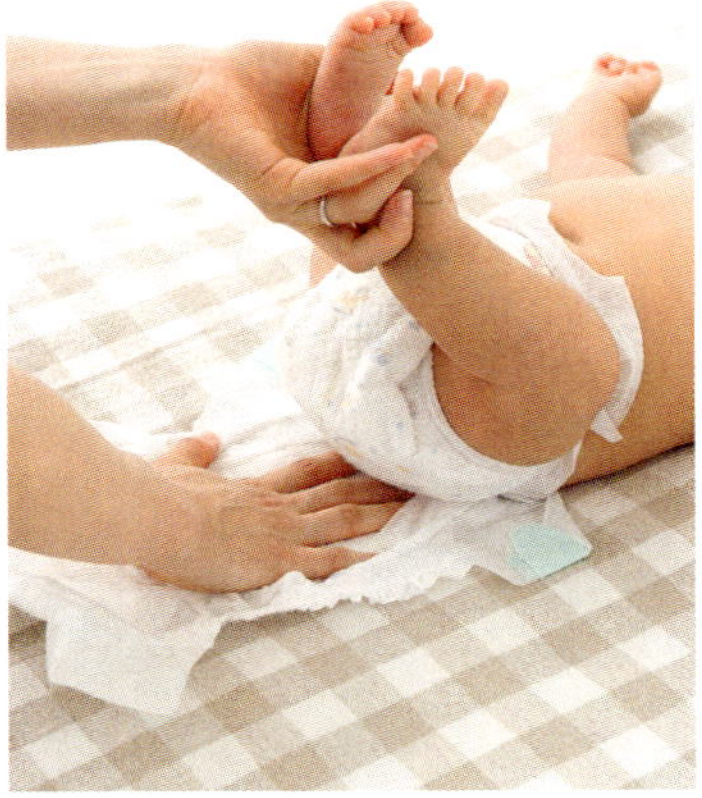

1 新しいおむつを下に敷く

新しい紙おむつを広げ、つけているおむつの下に敷きます。できれば、モレ防止用のサイドギャザーを先に立てておきましょう。

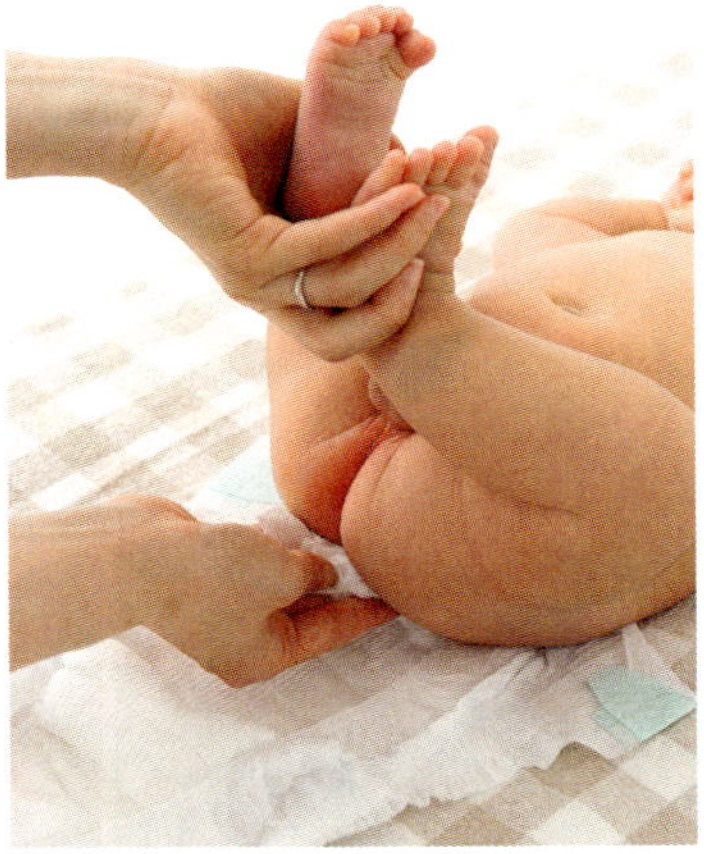

2 汚れをきれいにふきとる

うんちの場合は、汚れを残さないように、しわやひだの中まできれいにふきとります。おしっこの場合でも、性器やおしりをふきましょう。

陰嚢(おちんちんの袋)

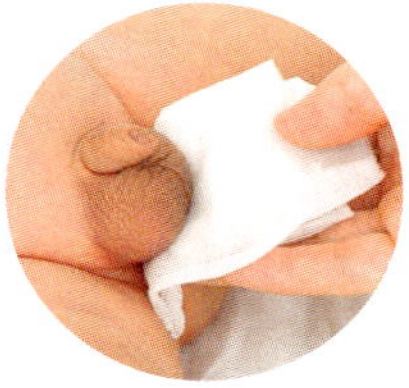

しわ、ひだの中

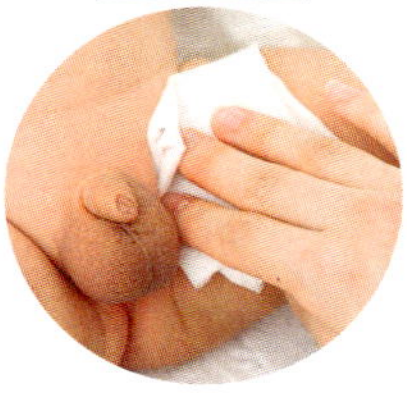

おちんちん

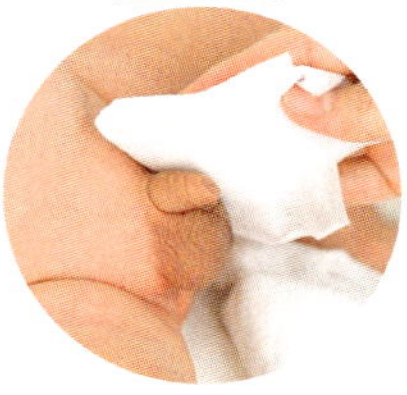

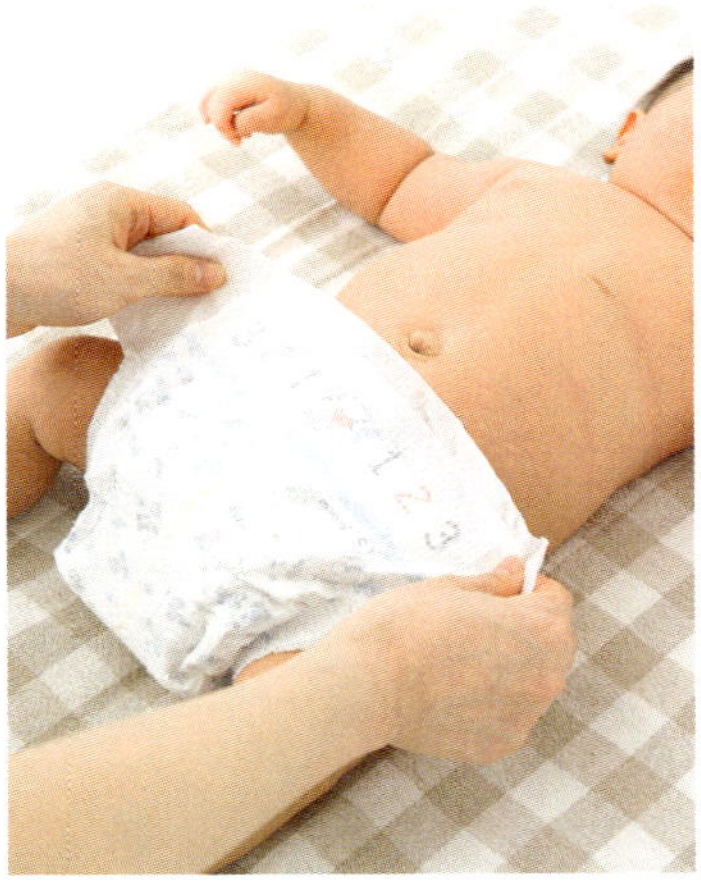

3 新しいおむつを当てる

汚れたおむつをはずして、新しいおむつを当てます。ムレてかぶれないよう、おしりはしっかり乾かしてから当てる！がポイントです。

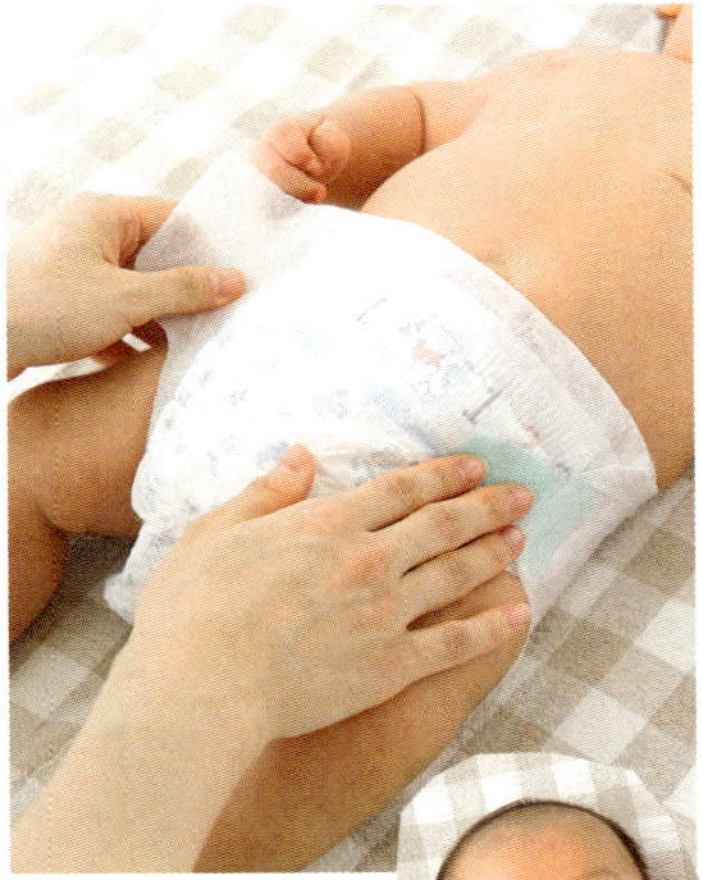

4 テープを留める

ウエスト部分についている目印（目盛り）を参考に、テープを留めます。おむつのズレはモレの原因になるので、左右均等に留めましょう。

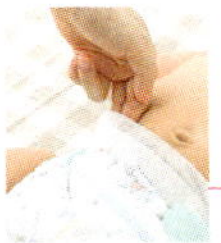

ウエストには指2本のゆとり

ウエストが苦しくないように、指2本分のゆとりをもたせます。

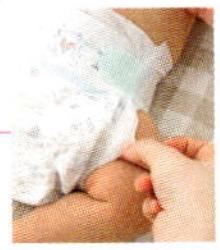

サイドギャザーは外へ

モレないように、サイドギャザーは外へ出し、立てておいて。

生後1カ月ごろまでは
ベビーバスで入浴

新生児の沐浴《もくよく》

赤ちゃんは「沐浴」で1日の汚れを落としてあげます。扱いに慣れないうちはこわごわでも、すぐに慣れるから大丈夫！

毎日5～10分で

沐浴

新生児は、新陳代謝も皮脂の分泌も盛んなので、すぐに汚れがたまります。1カ月までは感染予防のため、ベビーバスで毎日、体を洗いましょう。1カ月健診を過ぎたら、家族といっしょのお風呂に入れます。

顔、頭、体の順に洗う

洗い方は「きれいなところから汚れているところへ」

空腹なとき、授乳直後を避けて

1 着替えなどを準備する

沐浴後にあわてずスムーズに着替えができるよう、衣類やおむつを広げておきます。バスタオルも広げておいて。

夏38～40度
冬40～42度

2 お湯の温度を確認する

湯温は“熱すぎずぬるすぎず”です。湯温計がないときは、ママ・パパのひじを入れて確認します。ややぬるめ程度ならOK。

Start

3 足から湯ぶねに入れる

いきなりお湯に全身をつけると、赤ちゃんはビックリ。「気持ちいいね～」などと声をかけ、足からゆっくり入れます。

こわがるなら
布をかけてあげて

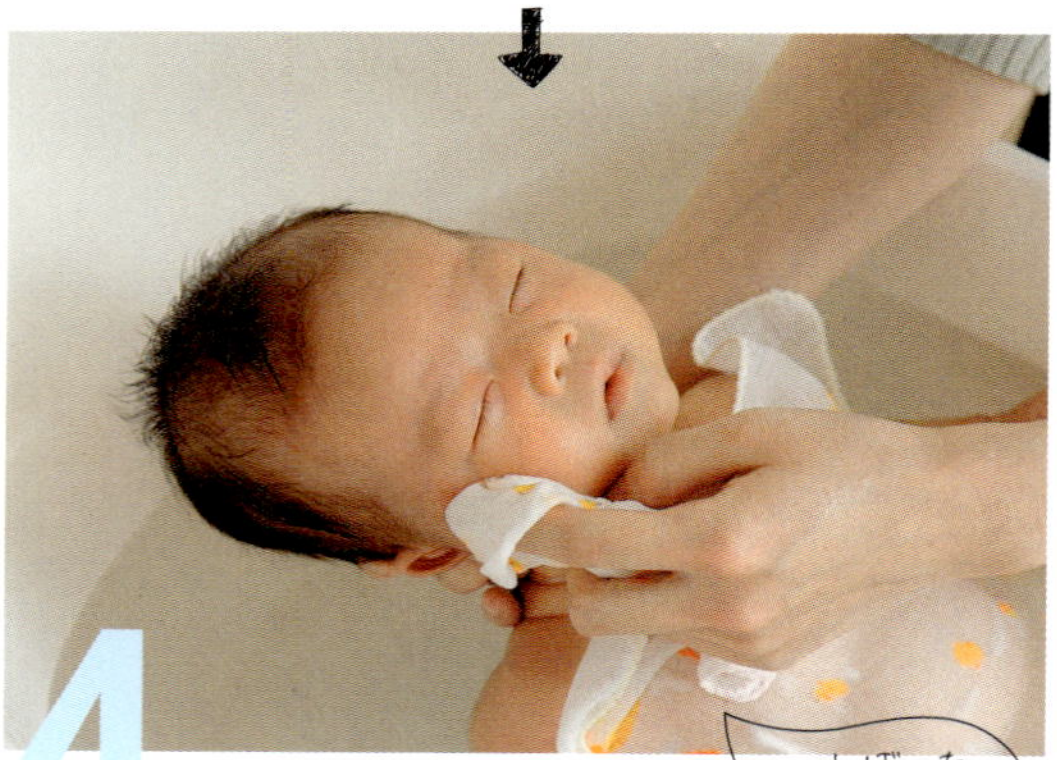

4 顔をふく

しぼったガーゼで

洗う順番は、汚れが少ない部位から。まずガーゼで顔をふきます。湿疹がある場合は、石けんで洗って流しましょう。

石けんを
泡立てて

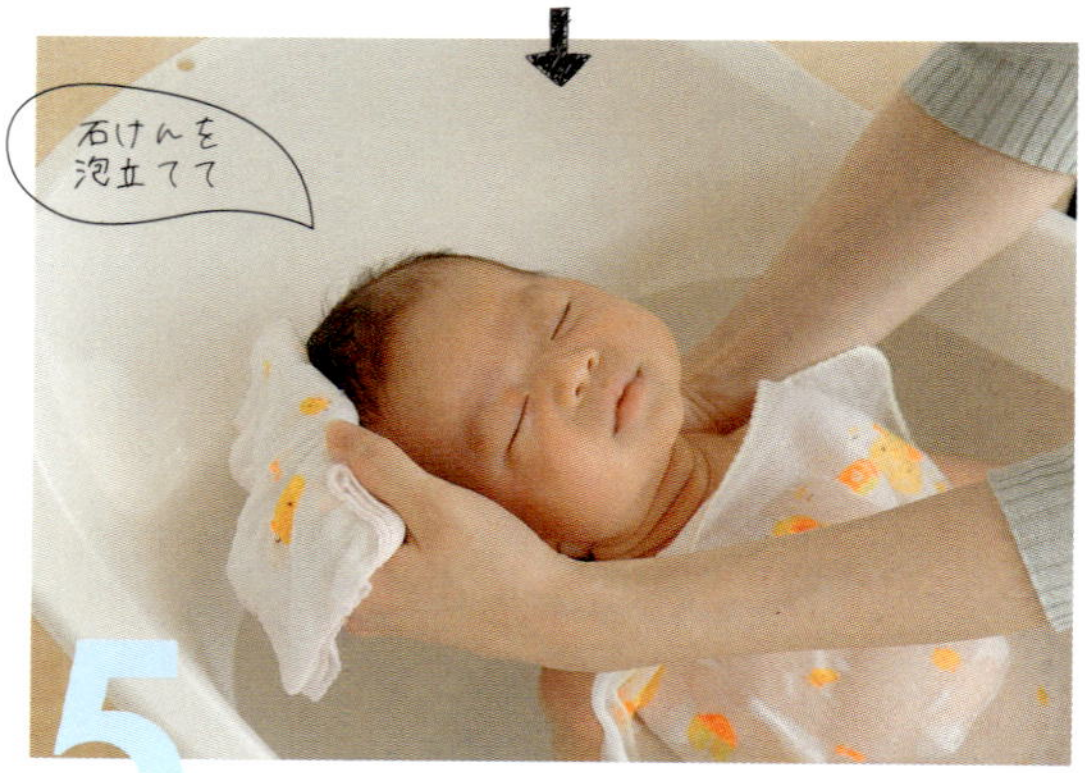

5 頭を洗う

においや湿疹が気になるときは、石けんやシャンプーをよく泡立て、手やガーゼにつけて洗い、きちんと流します。

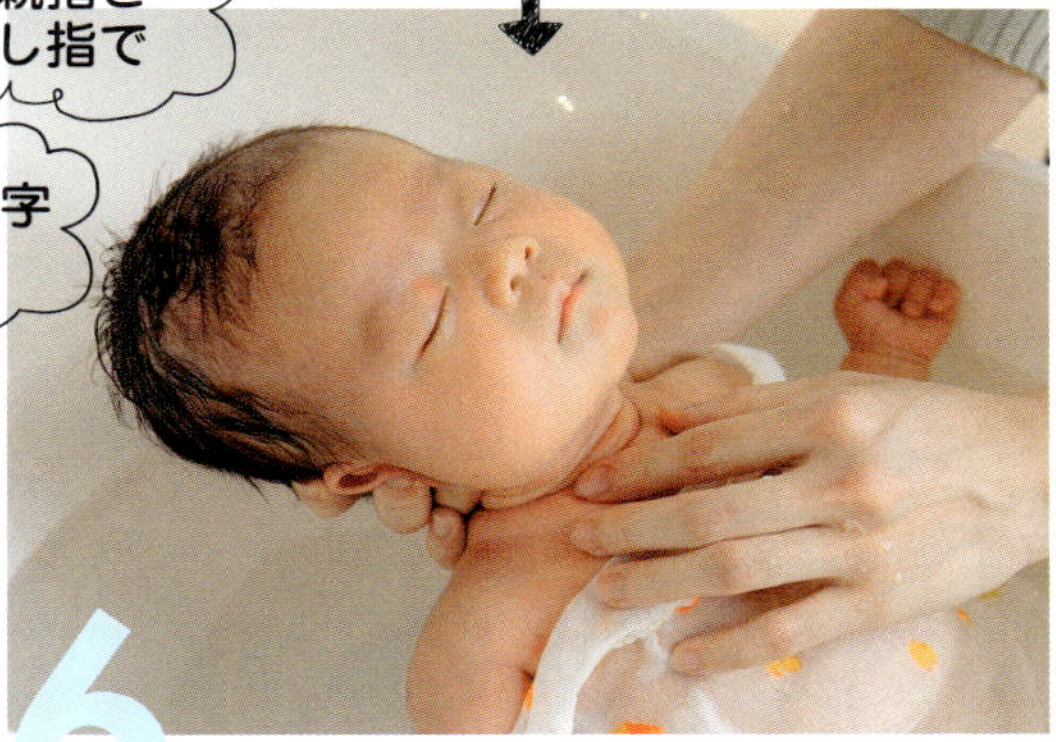
首は親指と
人さし指で
おなかは「の」の字
を書くように

6 首、胸、おなか、股を洗う

体を洗うときも、石けんをよく泡立てて。首やわきの下、股など、くびれやしわには指を入れて洗います。

ていねいに

7 手足を洗う

赤ちゃんが手を握っていたら、やさしく開いて洗います。手も足も指1本ずつ洗い、手首や足首のしわの中もきれいに。

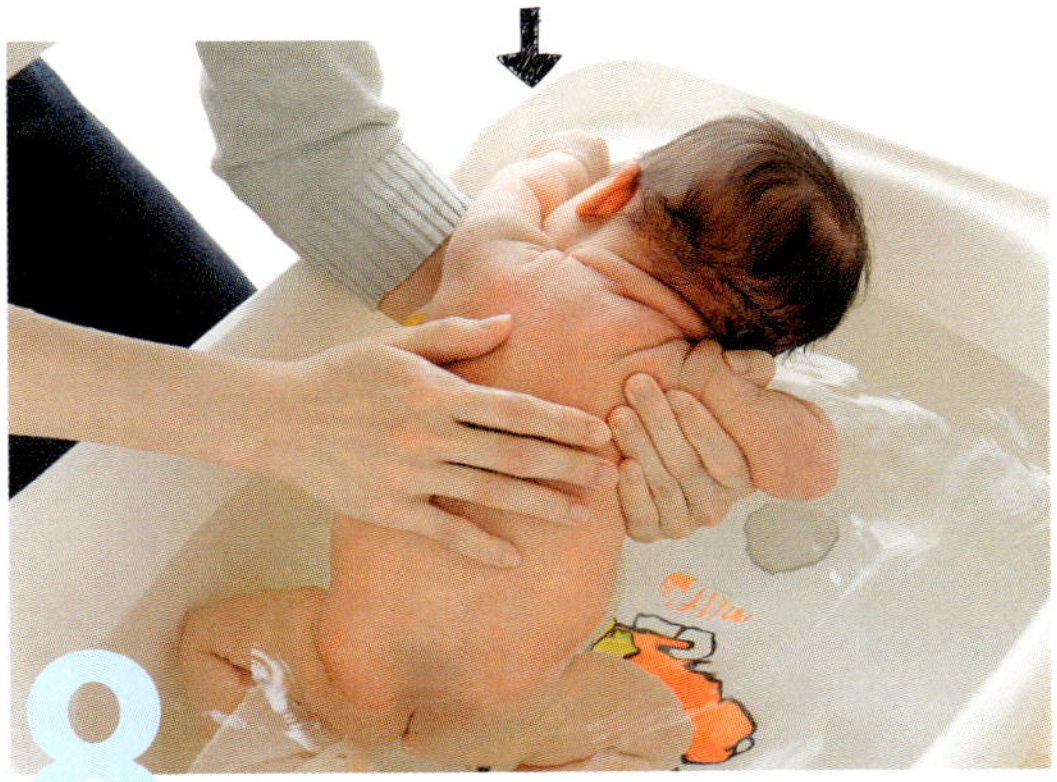

8 背中、おしりを洗う

片方の手を赤ちゃんのわきの下に入れ、手首に赤ちゃんのあごを乗せるように裏返し、背中とおしりを洗います。

Finish

5〜10分くらいで
切り上げる

9 上がり湯をかける

背中とおしりを洗い終えたら、再び赤ちゃんを上向きにします。あらかじめ洗面器に用意しておいた上がり湯を、体にゆっくりかけて終了です。

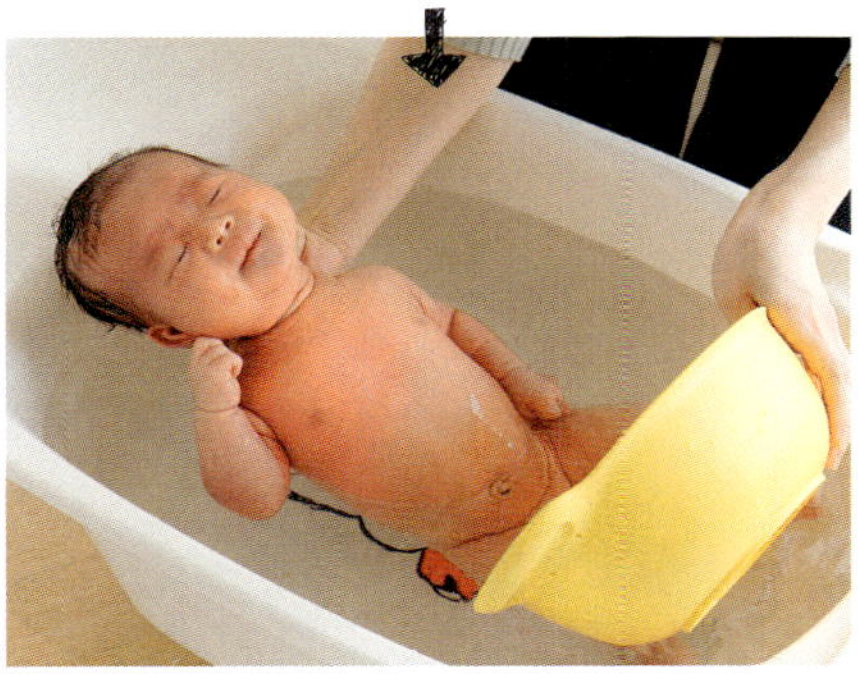

10 タオルで体をふく

バスタオルやバスローブで赤ちゃんをくるみ、両手でそっと押すようにに水分をふきとります。わきの下や首のくびれも忘れずに。

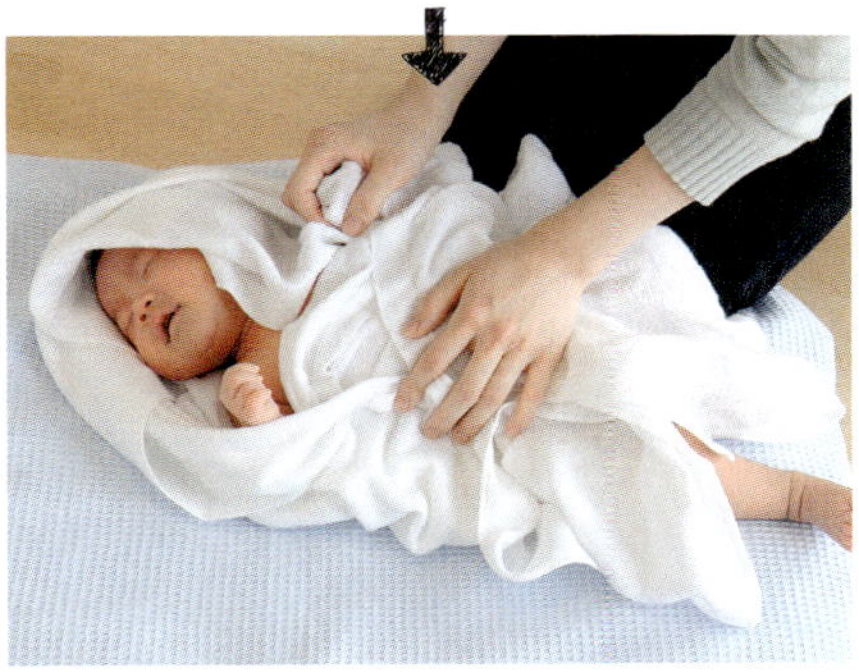

沐浴ある！ある！Q&A

Q 沐浴のたびにうんちをするけど、どうしたらいい？

A 授乳直後の沐浴は避けて。事前にうんちを流すお湯を用意して

母乳やミルクを飲むとうんちが出やすいので、授乳直後の沐浴はNG。事前にお湯を用意し、うんちをしたら赤ちゃんを洗面器に移して、お湯で体を流します。

Q パパが帰ってきてから夜遅くにお風呂に入れてもいい？

A 生活リズムを整えていくために、夜遅い沐浴は避けましょう

沐浴が夜遅いと、ねんねも遅めに。ママはたいへんですが、できれば日中に入れましょう。毎日同じ時間帯に入れていると、生活リズムも整いやすくなります。

ベビーバスを卒業したら

家族でお風呂タイム

1カ月を過ぎたら、ベビーバスは卒業です。ママひとりで入れるときは、早く手順に慣れて、親子のスキンシップをたっぷり楽しんで。

生後1カ月を過ぎたら

いっしょに入浴

1カ月ごろ、おへそが完全に乾いたら、大人といっしょに入浴ができます。時間帯は、遅くならなければ夜でもOK。湯温は赤ちゃんに合わせて、少しぬるめにしましょう。

浴室、脱衣所、リビングに必要なものをスタンバイ

ママひとりの場合は、スムーズに入浴するには準備が肝心！ 必要なものは、場所ごとに用意しておいて。

1 ママの体を洗う

スポンジベッドで待っています♪

先に、ママがすべてすませます。赤ちゃんは、バスチェアなどで浴室内に。脱衣所で待たせるときは、ドアを開けて、顔が見えるようにして。

2 赤ちゃんを洗う

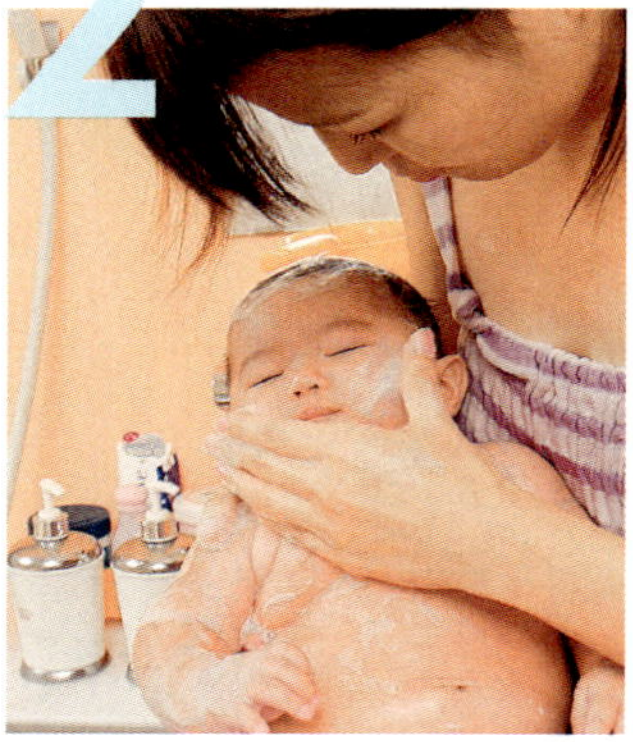

赤ちゃんを抱っこして、顔から下へと洗っていきます。片方の手で作業するので、石けんやガーゼなど必要なものは手の届くところに。

3 湯ぶねであたたまる

滑らないよう注意し、湯ぶねに入ってあたたまります。赤ちゃんはのぼせやすいので、冬でも長風呂はNGです。

4 タオルで体をふく

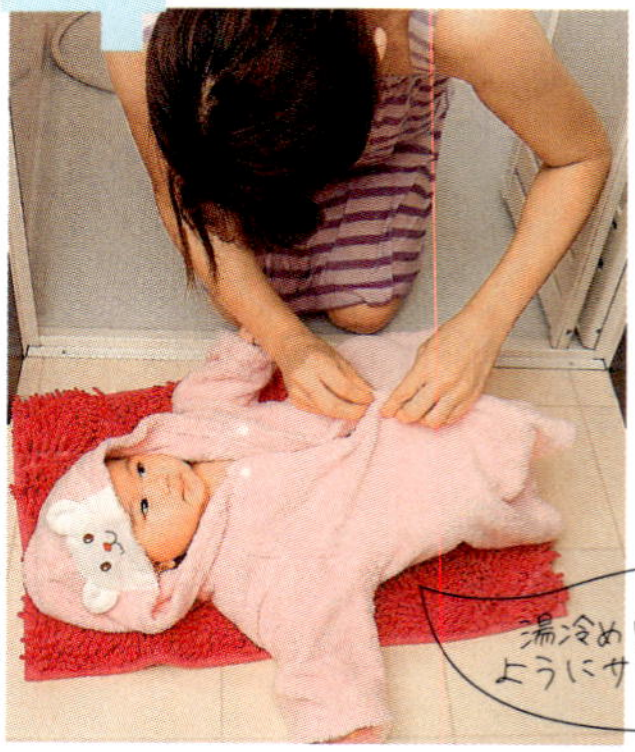
湯冷めしないようにサッサッと!

脱衣所にセットしておいたタオルで赤ちゃんをくるみ、ママも体をサッとふいたら、リビングへ。きちんと水分をふきとりましょう。

5 お手入れ＆水分補給

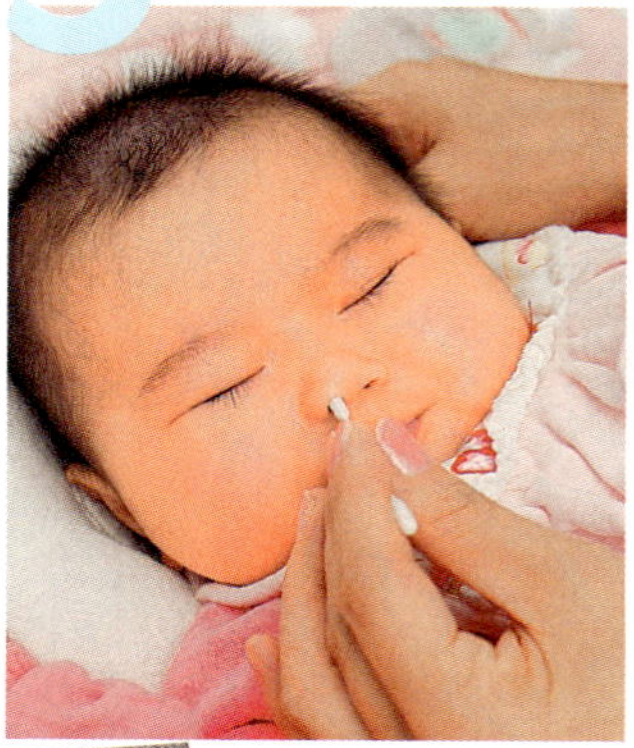

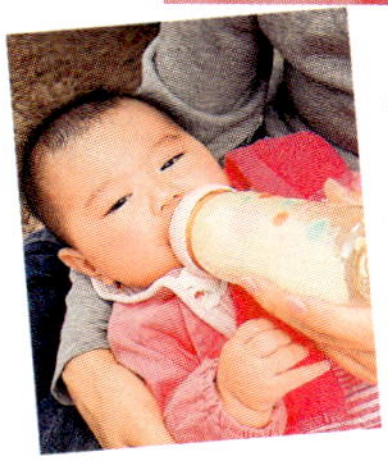

ママも着替えをすませ、赤ちゃんも落ち着いたら、耳や鼻などのお手入れタイム。最後に、おっぱいやミルクなどで水分補給をします。

みんなのお風呂DATA

Q 入浴時間は？

平均14.2分

赤ちゃんが疲れないために、入浴は15分以内ですませている家庭がほとんどでした。

Q お風呂担当は？

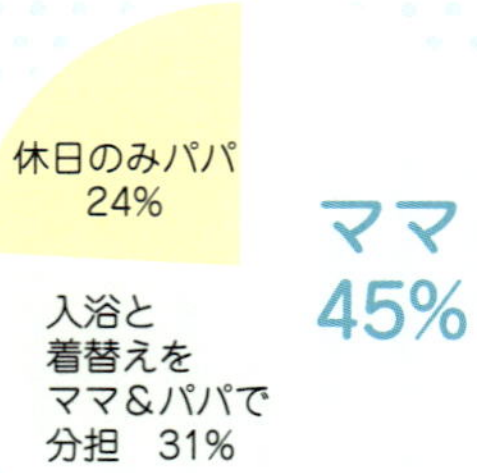

日中に入れる家庭が多く、担当は「ママ」という回答が約半数。夕方以降、入浴と着替えを連携している家庭も3割強いました。

お風呂上がりや気づいたときに

目・耳・鼻などのお手入れ

赤ちゃんの小さな目、耳、鼻は、意外にほこりや汚れがたまります。お風呂上がりや、気づいたときにきれいにしてあげましょう。

コツをつかめば大丈夫 お手入れ

小さな部位のお手入れは、沐浴や入浴のあとがおすすめ。同時に、全身の健康チェックもできるからです。最初は加減がむずかしいかもしれませんが、だんだん慣れるでしょう。

ガーゼ

お世話の必需品。ママの指に巻きつけて使っても。

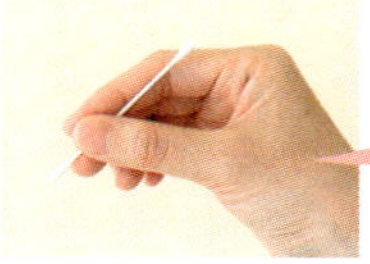

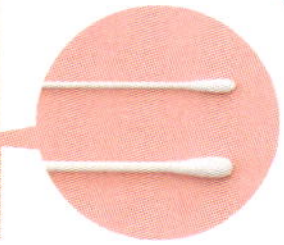

綿棒

部位や目的に合わせて、ベビー用と大人用を使い分け。

ベビー用と大人用が。

へそ へその緒がとれて乾くまで、入浴後に根元まで消毒を

へその緒の変化って!?

生後４日目

うっすら血がにじみ、ジュクジュク。

↓

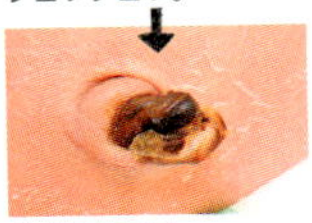

生後７日目

へその緒が乾いてきて、かたくなってきました。

↓

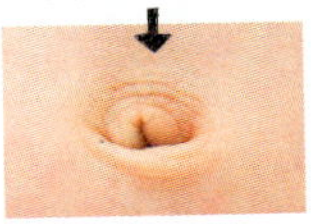

生後１カ月ごろ

へその緒がとれたら、おへそもきれいに。

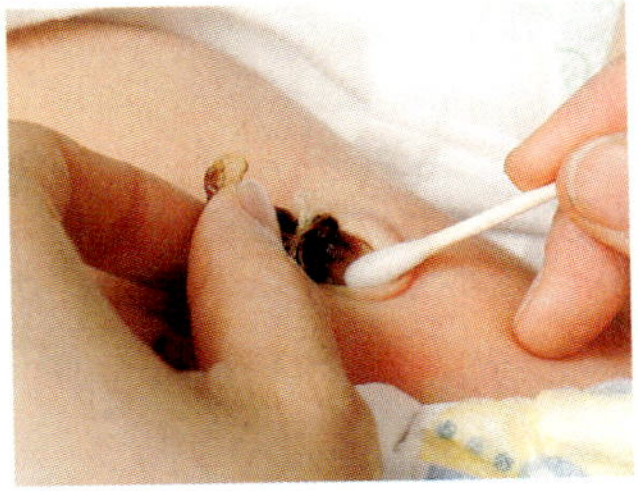

へその緒の根元まで確実に消毒する

おへそがジュクジュクしている間は消毒が必要です。へその緒を持ち、奥まで綿棒を入れて、根元までしっかり消毒を。へその緒は、多少引っぱられても痛くありません。

目 目頭から目じりに向かってふく

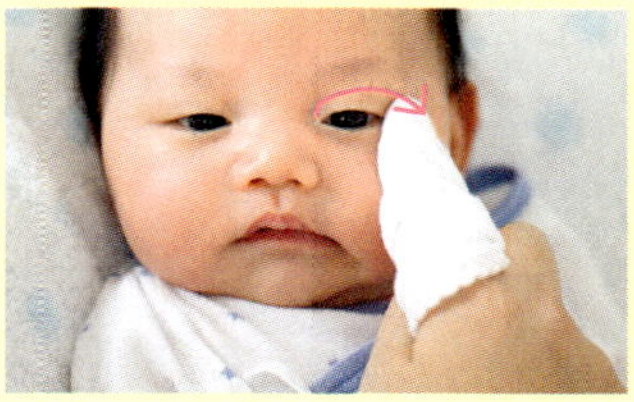

目をふくときは、目頭→目じりへ。ママの人さし指にガーゼを巻きつけて、やさしくふきます。使い捨てのコットンでもOK。

鼻 入り口にある汚れを綿棒でからめとる

赤ちゃんの顔を押さえ、鼻の入り口で綿棒を回して、粘性の汚れをからめとります。危険なので、綿棒を奥へは入れないで！

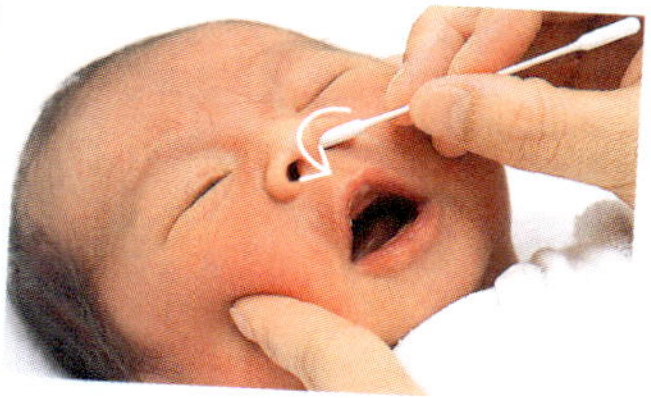

つめ すぐに伸びるので週に一度はチェックを

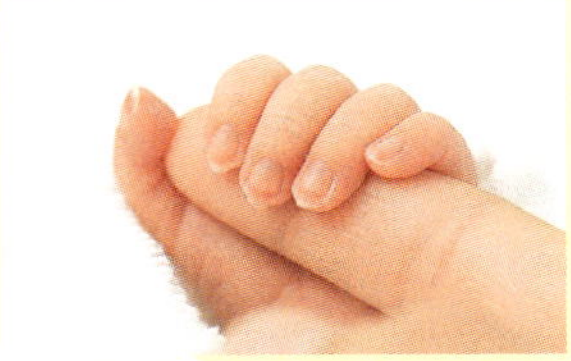

つめの先が白く見えるほど伸びていたら切りましょう。指の腹側から見て肉からはみ出た部分を切ると、深づめしません。

耳 耳あかだけでなく、みぞや裏側も清潔に

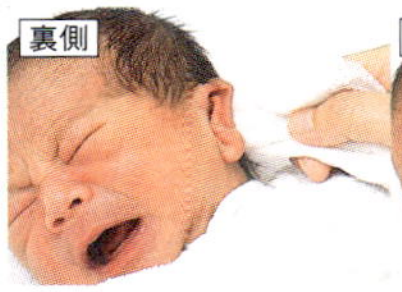

汚れがたまりやすいので忘れずに

耳の裏側も、汚れがたまりやすい場所。忘れずに、湿らせたガーゼでふいてあげましょう。

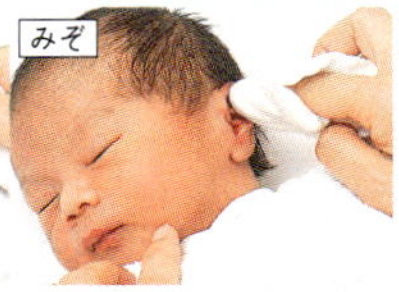

湿らせたガーゼで汚れをふきとる

ガーゼを湿らせて、みぞの奥まできれいにふきます。ふきにくい場合は、綿棒を使っても。

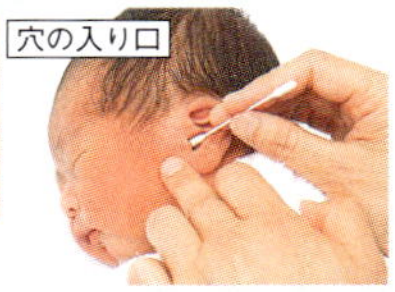

綿棒で入り口周辺だけを掃除する

綿棒を奥まで入れすぎると、耳の中を傷つける心配が。耳の入り口周辺だけきれいにすればOKです。

何を何枚、
着せたらいい？

肌着&ベビーウエアの選び方・着せ方

赤ちゃんは体温調節機能が未熟なので、着せるもの、掛けるもので調節します。ベビーウエアの素材やサイズ、着せ方を知っておいて。

＼ねんねのころは前開きで／

肌着・ウエアの選び方

赤ちゃんの衣類は、肌着＋ベビーウエアが基本。いろいろな素材や形がありますが、ねんねのころは、汗を吸う綿素材で、着せやすい前開きのデザインを選びます。

＼汗ばんでいたら着せすぎ／

何を何枚、着せる？

新生児のころ **大人＋１枚**

生後１カ月までは、体温調節がじょうずにできないので、「大人より１枚多く」が基本。布団など、掛けるものも1枚と考えます。

生後１カ月以降 **大人と同じ**

１カ月過ぎると、手足の動きがだんだん活発になってくるので、着せるものは大人と同じ枚数にして大丈夫。

生後４カ月ごろ～ **大人と同じor１枚少なく**

寝返りなど体をさらに動かすようになったら、着せるものは大人と同じか、１枚少なめに。背中をさわって、汗をかいていたら調節を。

前開きのデザイン

首がすわる前のねんねの時期は、前開きのデザインを選ぶと、不慣れな着替えも安心。

汗を吸う素材

赤ちゃんは汗かきなので、汗をしっかり吸収する、綿100%のものを選んであげましょう。

タグやぬい目が外に出ている

赤ちゃんの肌に、タグやぬい目が当たらないようになっているか、確認しましょう。

＼身長・体重を参考に／

サイズ選び

表示身長	参考月齢	体重
50cm	新生児	3kg
60cm	3カ月	6kg
70cm	6カ月	9kg
80cm	12～18カ月	11kg
90cm	24カ月	13kg

赤ちゃんの衣類は、大は小を兼ねません！
ジャストサイズを着せてあげて

赤ちゃんの動きやすさや、保温、汗を吸うことなどを考えると、ジャストサイズを着せてあげたいもの。成長のペースは個人差があるので、月齢や体重のふえぐあいなどを参考に、ピチピチになる前に買い替えを。

＼季節で変わる／

素材選び

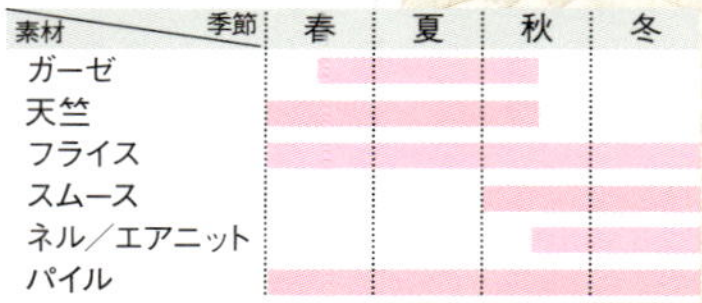

綿100%とはいっても
織り方、伸縮性、保温性はさまざま

赤ちゃんに着せるものは、綿100%がおすすめです。肌にやさしく、吸汗性にもすぐれているからです。一年を通してフライス、春夏は天竺、冬はスムースなど、季節に応じた綿素材の肌着を選んであげましょう。

袖を重ねておくとラク

肌着・ウエアの着せ方

首がすわる前の赤ちゃんを着替えさせるのは、慣れないとたいへん。事前に重ねるなど準備しておき、手順どおりに着せれば、くり返すうちにすぐ慣れるでしょう。

Before

肌着を重ねておく

肌着とウエアなど２枚着せるときは、重ねて袖を通しておくと、一度にサッと着替えさせられます。

1 袖をたぐり寄せ、腕を通す

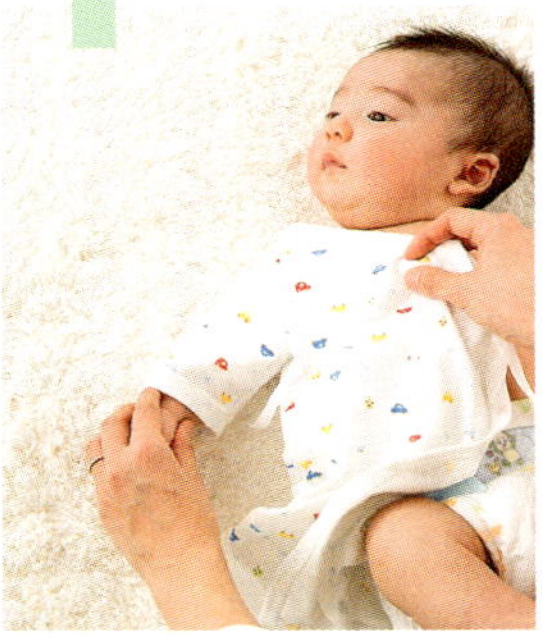

袖口からママの手を入れ、赤ちゃんの手を迎えに行き、通します。手ではなく、衣類を引っぱるのがポイント。

2 短肌着の内側のひもを結ぶ

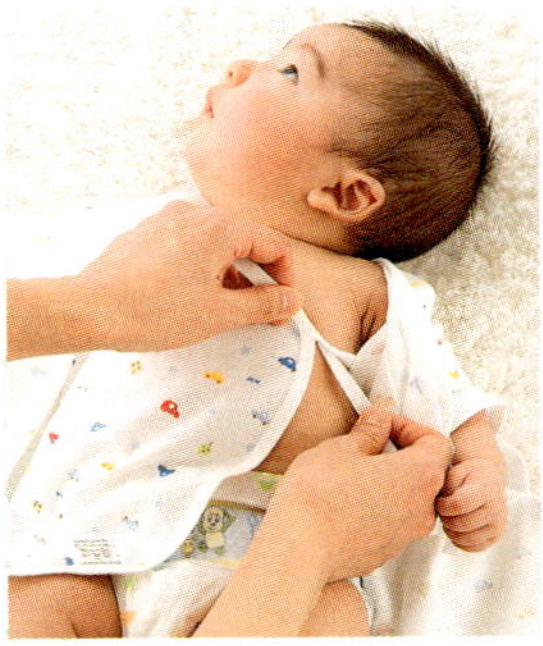

両袖を通したら、肌着の内側にあるひもを結びます。きつく締めつけないで、少しゆったりと。

3 短肌着の外側のひもを結ぶ

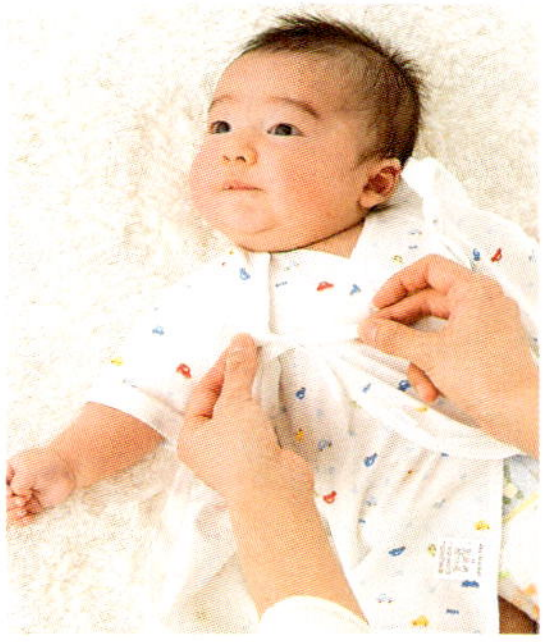

肌着の合わせを伸ばし、きれいに整えてから、外側のひもも結びます。

4 コンビ肌着のひもを結び、スナップを留める

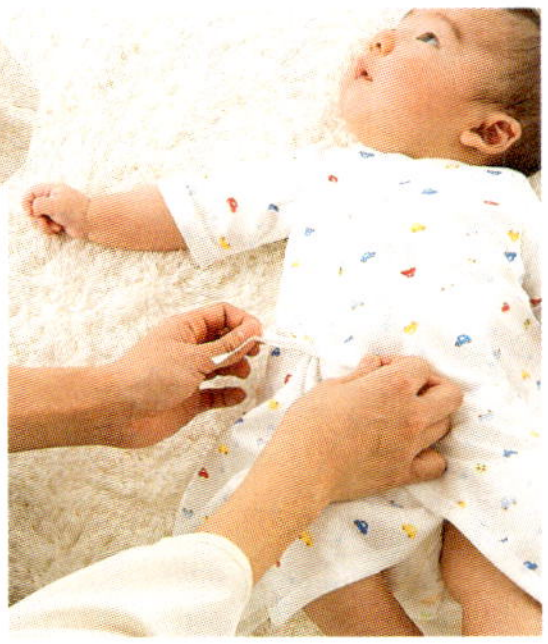

重ねたコンビ肌着のひもを結び、すそのスナップボタンを留めたら、完成！

着替えある！ある！Q&A

Q いつ着替える？

A
- ☑沐浴、入浴のとき
- ☑汗をかいたとき
- ☑授乳やおむつ替えで汚れたとき

赤ちゃんは新陳代謝が盛んなので、沐浴、入浴のあとには着替えさせます。おっぱいやミルク、おしっこなどで汚したり、汗をかいたりしたときも、着替えさせましょう。

Q セパレートの服はいつから？

A **着替えがラクになる６カ月ごろからがおすすめ**

ママの好みで決めてかまいません。ただ、おすわりができ始める６カ月ごろからなら、着替えやおむつ替えもしやすいでしょう。

Q 靴下は必要？

A **基本的には必要ありません！**

基本的には、はかせません。寒い季節のお出かけや、室内でも寒さで血行が悪くなり、足が紫色になっているときは、はかせて。

Q 赤ちゃんの「暑い」「寒い」、どう判断する？

A **手足で判断するのではなく、体をさわってみましょう**

赤ちゃんが暑いか寒いかは、首すじや背中をさわって判断します。手足が冷たいことがありますが、それは赤ちゃんが手足の血管を拡張・収縮させて体温調節をしているから。手足が冷たい＝寒いとは限りません。

日当たり良好、安全に
過ごせる場所を

ねんねスペースづくり

退院した日から赤ちゃんが1日の大半を過ごす場所は、快適に過ごせるように、環境を整えてあげましょう。

室温 夏27~28度
冬20~22度
湿度 50~60%

外気温との差は5度以内

心地よい環境とは

赤ちゃんのねんねスペースは、室温や湿度が保たれ、やわらかな日ざしが入り、うるさくない場所がベスト。生後1カ月過ぎからは、大人が快適と感じる環境でOKです。

心地よく過ごせるPOINT 5

1. 日当たりがよい
2. 直射日光が当たらない
3. 風通しがよい
4. エアコンの風が直撃しない
5. 壁や棚から物が落ちてこない

生後間もない赤ちゃんは、体温調節が苦手です。外気温との差は5度以内、湿度を50～60％に保った部屋で過ごさせましょう。安全な場所であることも大事！

NIGHT

ベビーベッド派と添い寝派が半々くらい

高さがあるからほこり対策にもなるベッド、布団で添い寝、いずれも大人の目が届く場所で寝かせましょう。エアコンの風が直接当たらない、風通しがよいなどの配慮も必要です。

3カ月ごろから
プレイマットを居場所にしても

3カ月ごろには、日中、目覚めている時間が長くなり、遊ぶ場所も必要に。リビングなどにプレイマットを置き、遊ばせてあげて。

DAY

いっしょに移動するのにハイ＆ローチェアが人気

日中は、ママといっしょにリビングなどで過ごします。ハイ＆ローチェアがあれば、移動もラクラク。

PART

3

飲ませ方、抱き方から、おっぱいトラブルまで

母乳・ミルクの気がかりを解消しよう

母乳が足りているのかわからない。乳首が切れた。
乳腺炎にならないか心配……。
未体験ゾーンの「授乳」は、わからないことだらけ。
赤ちゃんが吸うことも、ママが飲ませることも、
最初はじょうずにできなくて当然です。
みんなが悩んで通る道、ゆっくり慣れていきましょう。

母乳・ミルクの役割

赤ちゃんが元気に育っていくため、不可欠なのが母乳とミルク。授乳には悩みがつきものですが、〝期間限定〟と思って楽しんで。

赤ちゃんにとって、理想的な栄養が母乳です

赤ちゃんの骨や筋肉、内臓など、体をきちんとつくっていくために理想的な栄養が母乳です。母乳には、タンパク質や脂肪、ビタミンなど、赤ちゃんが成長するために必要な成分がバランスよく含まれています。また、母乳は消化・吸収もいいので、発達途上にある赤ちゃんの消化器官にも、負担が少なくできています。

赤ちゃんの成長に合わせて栄養分が変化していくのも、母乳のすばらしい点。最初は、母乳だけで成長できるよう、タンパク質やミネラルが多く含まれていますが、それらは少しずつ減少。脂肪の量は変わらないものの乳糖の量はふえて、成長に必要なカロリーは維持されます。

母乳の原料は、栄養たっぷりのママの血液

母乳は実は、ママの血液からつくられています。乳房に運び込まれた血液は、複数の乳腺葉《にゅうせんよう》からできた乳《にゅう》腺《せん》で乳汁に替わります。このとき、血液中のタンパク質や白血球などは吸収されますが、赤い色の赤血球はとり込まれないために白いのです。言いかえれば、ママの食べたものの栄養分が血液となり、母乳になっているのです。

免疫物質によって赤ちゃんを病気から守ってくれます

免疫物質には、細菌やウイルスが体内に侵入して病気になるのを、防ぐ働きがあります。母乳には、免疫物質のＩｇＡや、ラクトフェリンという感染防御機能を持ったタンパク質が多く含まれます。それらが赤ちゃんの体内にとり込まれると、腸の壁をおおうようにして、病原菌から守ります。腸内を健康に保つ善玉ビフィズス菌をふやしたり、体自体の免疫機能を高める効果もあります。

特に、出産後から数日間だけ出る黄色みがかった初乳には、免疫物質がギュッと濃縮されて入っています。ママの持っている免疫物質を赤ちゃんに受け渡すため、初乳はぜひ飲ませてあげたいものです。

赤ちゃんとの親密タイム♥♥

母乳をつくるためにできること

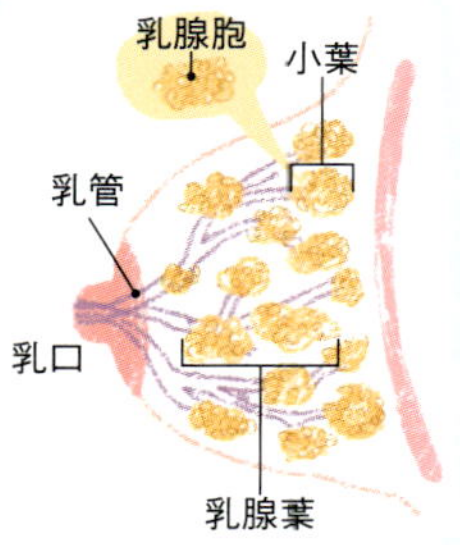

栄養バランスのとれた食事をとる

体を冷やさず、血流をよくする

締めつけない下着をつける など

大切なのは食生活と血流です。栄養バランスのとれた食事はもちろんのこと、軽い体操や入浴、体を締めつけない下着をつけるなどで、血流をよくするよう心がけましょう。

母乳・ミルクの役割

"病気から守る"以外にも赤ちゃんにいいことが

母乳には、栄養面以外にも、多くのメリットがあります。たとえば、ミルクで育った赤ちゃんと比べると、母乳だけで育った赤ちゃんは、乳幼児突然死症候群やアレルギー症状を起こすリスクや、将来に肥満になる可能性が低いことがわかってきています。また、おっぱいを吸うときの口やあごの動きで脳の発達が促される、というデータもあります。

母乳はママの食べたもので風味が微妙に変わるため、離乳食開始前からいろいろな食べ物の風味を経験することもできます。さらに、授乳時の赤ちゃんが得られる安心感は、何にも代えがたいもの。泣いて求めればママのおっぱいが出てくるという授乳をくり返すことで、ママに対する信頼感をはぐくむこともできるのです。

ただ、ママの過剰なダイエットや日焼け止めの使いすぎで、ビタミンD含有量が少なくなってしまうことも知っておきましょう。

注目

母乳が赤ちゃんにとっていいこと

- アレルギーになるリスクが減る
- 将来、肥満になるリスクが減る
- 知能と神経の発達を高める
- 離乳食開始前から、食品のいろいろな風味を感じられる
- 乳幼児突然死症候群のリスクが減る
- ママとの信頼関係をはぐくめる など

ママの体にも、いいことがたくさん

母乳で育てることは、赤ちゃんの心と体にいいことばかりでなく、ママにとってもメリットがたくさんあります。まず、産後の体の回復が早いこと。おっぱいを吸われると子宮収縮がよくなるうえ、カロリーが消費されるため、体調も体重も早く妊娠前に戻りやすくなります。長期的な健康面を見ると、骨粗鬆症、乳がん、卵巣がんなどにかかるリスクが低くなるというデータも。

また母乳なら、わざわざ調乳する必要がなく、いつでもどこでも赤ちゃんがほしがったら飲ませることができるので、便利なうえ経済的。授乳によって分泌されるホルモンには、ママの気持ちをおだやかにする効果があることもわかってきています。そして、授乳するたびに赤ちゃんとのきずなやママになった喜びを実感できるでしょう。

注目

母乳がママにとっていいこと

- 産後の子宮収縮がよくなる
- 産後、早めに妊娠前の体重に戻れる
- 閉経前に、乳がん、卵巣がん、子宮体がんにかかるリスクが低下する
- 骨粗鬆症《こつそしょうしょう》になるリスクが低下する
- 精神的におだやかになれる
- お金がかからず経済的 など

ミルクを飲ませるのはどんなとき？

母乳が出ないとき、足りないときに

母乳で育てることがいいとはわかっていても、ママの体の状態によって母乳が出なかったり、出ても不じゅうぶんということもあります。また、ママが産後すぐ働く必要があるなど生活の状況により、母乳を飲ませることができない場合もあります。そんなときには、ミルクの出番です。状況や赤ちゃんの発育に応じて、ミルクのみで育てたり、母乳のあとにミルクを足す混合栄養を。

ミルクの成分は、母乳に限りなく近づいています

ミルクを使おうと思っても、母乳に劣るのでは？ と不安に思うママもいるようです。でも、現在のミルクはできるだけ母乳に近い成分になるよう、研究されてつくられていて、栄養面では母乳に引けをとりません。ママ以外でも与えられるなど、母乳にはないよさもあるので、必要な場合は分量や作り方を守って調乳し、衛生面に気をつけたうえで、安心して使いましょう。

ミルクはパパが授乳したり、預けられることも

ママ以外でも授乳できるのは、ミルク最大のメリットです。ママが疲れているときや出かけるときなど、パパやおばあちゃんにも預けられ、"授乳"という行為によって、愛情を深めることができるでしょう。

抱き方や吸わせ方がポイントです

おっぱいの飲ませ方

赤ちゃんがじょうずに飲んでくれて、ママのおっぱいトラブルも防ぐには、吸わせ方や体勢が大きなポイントです。

授乳が軌道に乗るまで、"泣くたび"に吸わせます

生まれたばかりの赤ちゃんへの授乳は「おっぱいがほしいサインが見られたら」が基本です。最初は、母乳の出がじゅうぶんでなかったり、赤ちゃんがうまく吸えないこともあり、母乳だけで足りるのか不安になるかもしれません。特に0～2カ月ごろは、授乳間隔が1時間おき、などということもよくありますが、母乳を続けたいなら、とにかく根気よく、泣いたら何度も吸わせましょう。やがて赤ちゃんも飲むのがじょうずになり、母乳の出もよくなってくるはずです。3～4カ月ごろになると、その子なりの授乳ペースができてきて、授乳間隔もあいてきます。

授乳するときは、抱き方や体勢も大切です。それによって、赤ちゃんの吸い方が違ったり、母乳の出に影響するからです。まずは、赤ちゃんもママもリラックスできる抱き方や体勢を見つけることがいちばん！　ときどき抱き方を変えると、いつもとは違う乳腺が刺激されて、おっぱいの分泌がよくなったり、乳房のトラブルが予防できることもあります。

乳輪までくわえさせるのがコツ

飲ませ方

Before

手を洗って清潔に

感染予防のため、授乳前には石けんで手を洗います。指の間や手首までしっかりきれいに。

赤ちゃんに声をかけて抱っこ

赤ちゃんが泣いておっぱいをほしがっていたら、まずは声をかけて。安心させてから抱き上げます。

1 乳輪まで"しっかり"くわえさせる

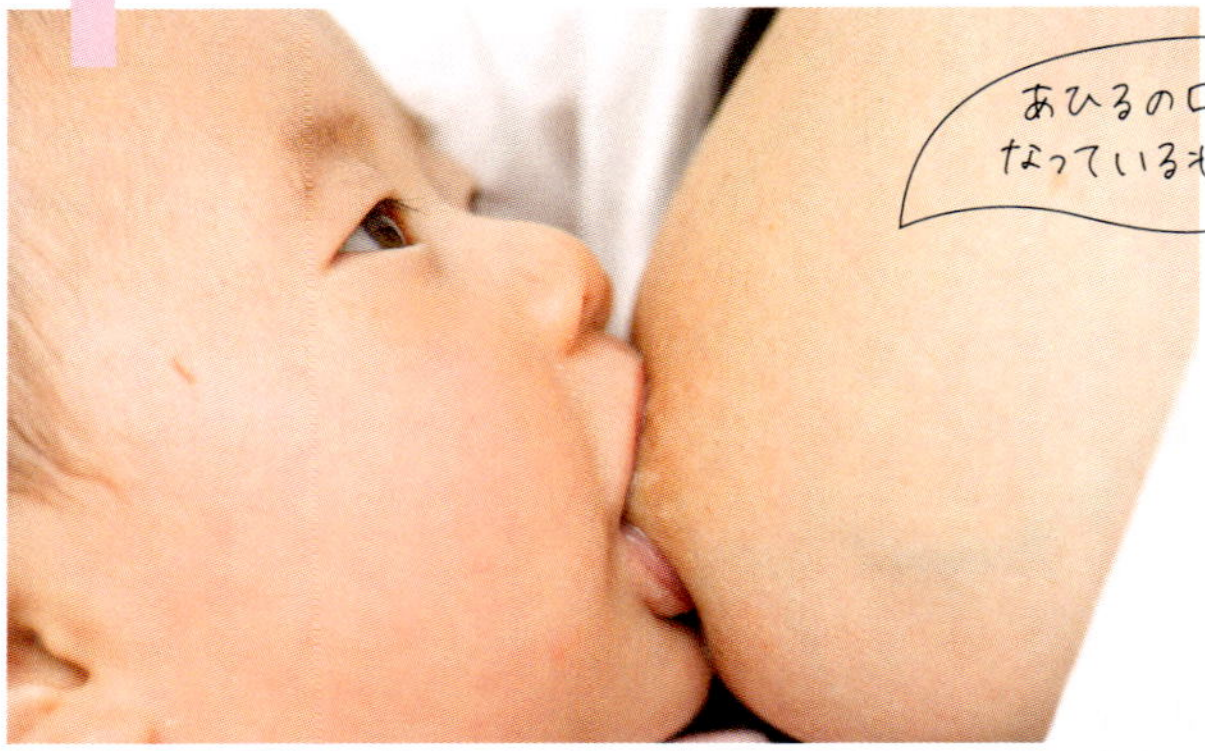

乳房を下から持ち上げるようにして、乳首を赤ちゃんの口にふくませます。乳輪がかくれるほど、深くくわえさせるのがポイント。あひるの口のように、上唇がめくれた形になっていればOK！

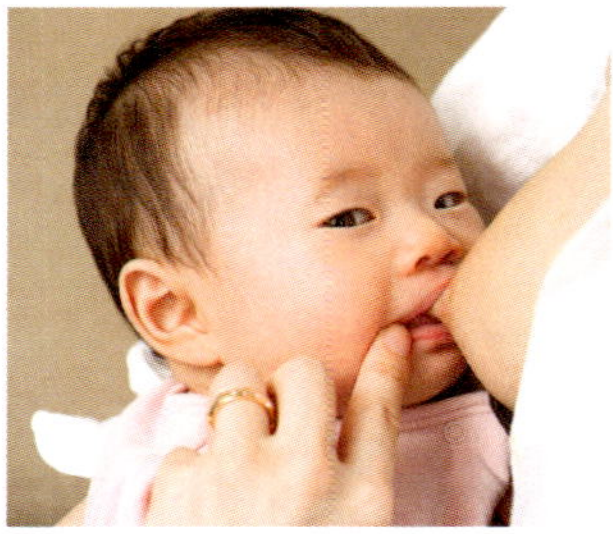

2 赤ちゃんの口から乳首を離す

赤ちゃんが自然に離したり、動きが止まったりしたら、もう一方のおっぱいに。ママの指を入れて横に引くか、乳輪の近くを押すと、はずしやすくなります。

3 反対側も飲ませる

抱っこの向きを変えて、反対側のおっぱいも吸わせます。

おっぱいがほしい！ 4つのサイン

- なんとなくモゾモゾして、ほしそう
- 抱っこすると、おっぱいを探す
- 指しゃぶりをする
- 口をパクパクする

泣く前に飲ませるのが理想です。その子なりの「おなかすいた！」のサインも見つけて。

おっぱいの飲ませ方

おっぱいの飲ませ方 3つのポイント

1. おっぱいトラブルを防ぐために
   出が悪いほうから赤ちゃんに吸わせる
2. 乳首が切れないように
   乳輪部までしっかりくわえさせる
3. ママがつらくならないように
   抱き方はいろいろ試し、自分に合う姿勢を選んで

授乳時に飲み込んだ空気を出すのがゲップ

母乳やミルクを飲むことに慣れないうちは、赤ちゃんは授乳のときに空気もいっしょに飲み込んでしまいます。その空気を出させるのがゲップです。空気を飲み込んだままだと、赤ちゃんは心地よく寝つけなかったり、母乳やミルクを吐いてしまうことがあるからです。赤ちゃんの口が胃より高い位置にくるように抱くと、ゲップが出やすくなります。ただ、赤ちゃんによっては、なかなかゲップが出ないことも。そんなときは、抱き方を変えてみるといいかもしれません。それでも出ないときは無理をせず、そのまま横向きに寝かせて様子を見てかまいません。

飲ませやすい抱き方を見つけて

授乳の姿勢

たて抱き

赤ちゃんがママと向き合うよう、太ももにまたがらせます。首をしっかり支えて、正面から乳首をくわえさせます。

横抱き

赤ちゃんの体を横たえて、頭をママの腕やクッションに乗せて抱きます。体ごと乳首の正面を向くようにするのがポイント。

添い乳

赤ちゃんとママが向き合って横たわり、体を密着させて飲ませます。顔の正面から乳首がくわえられるよう、高さの調節を。

ラグビー抱き (フットボール抱き)

赤ちゃんの首から後頭部を支えて、ママのわきの下に抱えます。高さはクッションなどで調節を。乳腺炎予防になります。

出やすい姿勢を探してあげて

ゲップのさせ方

たてに抱いて

赤ちゃんのおなかがママの肩に当たるくらいかつぎ上げ、背中をやさしくさすります。おなかが押されるので、ゲップが出やすい抱き方です。

ひざに座らせて

ママの太ももに、横向きに座らせます。ママの腕で赤ちゃんの胸を支えるようにして体を前傾させ、背中を軽くトントン。

ママと向き合って

赤ちゃんの両わきから手を入れ、親指以外の4本の指で首を支えながら、ママと向かい合うように。上体は起こした姿勢をキープ。

ゲップが出ないときは

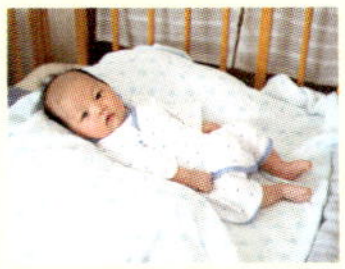

上半身を高くして寝かせる

ゲップがなかなか出ないときは、真上を向かないよう、体を少し傾けて寝かせます。万が一、吐いたときに、吐いたものを気管に詰まらせることがないよう、しばらく様子を見ましょう。

母乳が足りないときに
代わりになる

ミルクの作り方・飲ませ方

母乳が足りないときや、ママが病気や仕事で母乳を与えられないときなどに、なくてはならないミルク。正しい活用法を知っておいて。

母乳が足りない、出ないときが出番です

赤ちゃんにとって、ママのおっぱいは成長に欠かせないもの。でも、母乳の出が悪いときや、ママが病気などで、母乳が飲めない赤ちゃんもいます。そういう子たちを救うためにつくられたのが、粉ミルクです。粉ミルクは、原料の牛乳を人間の赤ちゃんに合わせて調整してつくられています。そして、ミルクは母乳と同様、赤ちゃんがそれだけを飲んで成長するのに必要な、炭水化物、タンパク質、脂質、ミネラル、ビタミンなどの栄養素がバランスよく配合されています。

日本の粉ミルクは、メーカーにより味に多少の違いはあるものの、成分の差はほとんどありません。各社ともに母乳をお手本に、より母乳に近づけるため、粉ミルクの研究開発を続けています。どうしても母乳が足りない、ママ以外の人が授乳する必要があるときには、粉ミルクをじょうずに利用しましょう。なお、母乳の不足分にプラスして混合栄養にする場合は、先に母乳を飲ませ、あとからミルクを足すようにします。

赤ちゃんを待たせずスムーズに

ミルクの作り方

1 ミルクを計量して哺乳びんへ

缶に付属の計量スプーンを使い、すりきりで量をはかり、清潔な哺乳びんに入れます。
(計量のいらないキューブタイプも)

2 規定量の1/3のお湯を注ぐ

一度沸騰させた70度以上のお湯を、でき上がり量の1/3ほど哺乳びんに。

3 ミルクをとかし、規定量までお湯を足す

哺乳びんを回すように揺らし、ミルクをとかしてから、70度以上のお湯を規定の量まで足します。

4 全体を揺すってとかす

ニプルをつけ、キャップをしっかり閉めてから、さらに哺乳びんを揺らして全体をよくまぜてとかします。

5 人肌まで冷ます

ミルクは“人肌”くらいが適温。流水や、ボールにためた水に哺乳びんをつけて、冷まします。

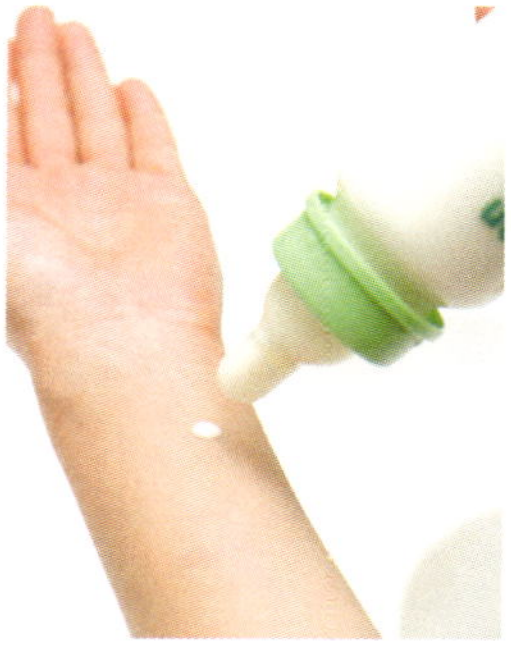

6 飲ませる前に温度をチェック

ママの腕の内側にミルクを少したらして、温度を確認します。熱さ、冷たさを感じない程度ならOK。

ミルクのある! ある! Q&A

Q 規定量を超えても、飲むだけ与えていい？

A **体重がふえすぎなら、あやすなどで様子を見て**

赤ちゃんの月齢や体格、空腹のぐあいなどによっては、規定量以上を飲んでもかまいません。ただ、体重がふえすぎているときは、母乳を飲ませてみるか、あやすなどで、ミルクではなくても満足できるか様子を見ます。

Q 規定量を飲みきれません！

A **まずは、体重のふえぐあいをチェック**

母乳不足が心配でミルクを足しているなら、体重チェックを。順調にふえているなら、出がよくなり母乳だけで足りるようになっているのかも。ミルク100％の場合も、体重がふえているなら、飲み残しても気にせずに。

Q 哺乳びんをいやがります

A **材質や穴の形を変えてみて**

ニプルの材質が嫌い、という赤ちゃんはよくいます。今までと違う材質のニプルに変えてみると、くわえることもあります。また、抱いたときの角度や、ミルクのメーカー（味）、調乳温度を変えてみる方法も。

ニプルの材質

シリコンゴム
無味無臭で耐久性が高い。一方、においや色がつきやすい欠点も。

インプレンゴム
シリコンよりやわらかく弾力性が高いが、ややゴム臭が。

ニプルの穴

丸穴
メーカーにより、穴のサイズはS、M、L。合うものを選んで。

スリーカット
丸穴より多めの量が出ます。2～3カ月以上の赤ちゃん向き。

クロスカット
吸う力により、ミルクの出る量が変わります。果汁用にも○。

Q 遊び飲みをするうえ、飲む量にばらつきがあります

A **遊び飲み、量のばらつきともによくあること。体重がふえているなら、心配しないで**

３カ月ごろになると満腹感がわかるようになり、周囲に関心も広がって、遊び飲みが始まる赤ちゃんも。また、食欲によって、量にばらつきがあるのも仕方ないこと。体重がその子なりにふえていれば、心配いりません。

Q 哺乳びんの消毒は、いつまで？

A **最低１カ月までは消毒を**

新生児は抵抗力が弱いため、生後１カ月過ぎまでは、哺乳びんの消毒が必要です。指しゃぶりが始まったら、きれいに洗って清潔であれば、消毒はしなくても。

ラクな姿勢で目を見ながら飲ませて

ミルクの飲ませ方

抱き方は横抱き

ミルクの授乳も、抱き方の基本はおっぱいと同じ、横抱きで。目を合わせ、声をかけながら飲ませます。

口を大きくあけて

おっぱいを乳輪までくわえさせるのと同じように、哺乳びんのニプルがかくれるくらい深くくわえさせます。

ゲップもおっぱいと同じように

毎回、きれいに洗って乾燥を

哺乳びんの洗い方

1 ブラシで哺乳びんを洗浄する

哺乳びんの材質に合ったブラシで洗浄。ガラス製にはナイロン、プラスチック製にはスポンジを。

↓

2 ニプルもきれいに

ニプルは汚れがたまりやすいので、専用の細いブラシを使い、先端まできれいにします。

↓

3 きちんとすすぐ

すすぎは流水で。びんの底や肩の部分に洗剤が残りやすいので、きちんとすすぎます。

↓

4 しっかり乾燥させる

哺乳びんラックなど、衛生的な場所で完全に乾かします。生後１カ月までは、乾燥後に消毒を。

おっぱいの気になることQ&A

母乳育児には、不安や疑問がいっぱい。そんなママたちからの質問に、看護師さんが答えてくれました。

量、ミルクの足し方

Q 母乳が足りているかどうか、どうやってわかる？（0カ月）

A 授乳やおしっこの回数、体重増加をチェックして

母乳が足りているか不安になったら、右の項目を参考に、授乳、おしっこ、うんちの回数、赤ちゃんの様子、体重のふえ具合をチェックしましょう。気がかりな項目があったら、ミルクを足す前にまず、小児科や母乳外来などで相談を。

CHECK

1. 1日に8回以上おっぱいを飲んでいる
2. 1日におしっこが6～8回、うんちが3～8回出ている
3. 元気があって肌にハリがあり、血色がよい
4. 体重が1週間で140～210gふえている

Q 母乳の出が悪くなってきても、飲ませるべき？（2カ月）

A 母乳を続けたいなら、回数を多く飲ませましょう

生後2～3週、6週、3カ月ごろは、赤ちゃんが急激に成長する時期なので、母乳不足が気になるかもしれません。でも母乳育児を続けたいと思ったら、母乳の出がよくなるよう、とにかく何度でも吸わせることが大切です。

＼POINT／

おっぱいは、赤ちゃんに吸われることで出がよくなります。とにかく、回数を多く飲ませましょう。

Q 授乳後1時間ほどで泣くのは、母乳が足りていないから？（1カ月）

A 授乳の姿勢や、乳首のくわえ方を見直して

赤ちゃんがじょうずに飲めていないのかもしれません。抱き方や姿勢、くわえさせ方が合っているか、見直しを。授乳に慣れるまで、授乳間隔があかないことも多いですが、足りているかは体重のふえなどで確認を。

Q ミルクを足すと飲むのは、どうして？（1カ月）

A 必要以上に飲んでしまう時期なのかも

生後1カ月ごろの赤ちゃんは、おっぱいを反射的に吸ってしまうため、必要以上に飲んでしまいがち。体重が1日50～60g以上ふえていたら飲みすぎなので、ミルクをやめて母乳だけにしてみましょう。

おっぱいの出ぐあい

Q 片方だけ吸ってウトウト。もう片方も飲ませるには？（0カ月）

A 片方だけでOK！ 次回は飲まなかったほうから

片方だけ飲んで眠ってしまったら、そのままでかまいません。次の授乳では、飲まなかったほうのおっぱいから飲ませます。ただ、飲ませないと張って痛いときは、張らない程度に軽くしぼっておきましょう。

Q 左右の出が違うとき、どうしたらいい？（1カ月）

A 出が少ないほうの授乳回数をふやして

ほとんどのママは、左右のおっぱいの出や張りに差があるものです。片側にだけしこりができたり、片側の乳腺が詰まったりすることもよくあります。授乳時はまず、出が悪いほうのおっぱいから吸わせましょう。赤ちゃんが吸ってくれることで、出がよくなっていくはずです。

Q おっぱいが張らないのは、出が悪いから？（1カ月）

A 軌道に乗れば、張らなくても出るように

最初はパンパンに張っていたおっぱいも、9日目ごろからは張りを感じにくくなることが多いものです。さらに授乳が軌道に乗ってくると、ふだんは張っていなくても赤ちゃんに吸われる刺激で張るようになってきますよ！

おっぱいの気になることQ&A

授乳間隔

Q 3時間以上眠っているときは、起こして飲ませるべき？ （1カ月）

A おっぱいがつらいようなら、起こしても

1日8回以上飲めているなら、基本は起こさなくてOKです。ただ、ママのおっぱいが張ってつらいときは、起こして飲ませても。授乳間隔があくたび、おっぱいがつらいなら、母乳外来などで相談してみましょう。

Q 泣くたびに授乳していたら、体重がどんどん増加！ （3カ月）

A 空腹以外で泣いていないか、様子を見て

母乳育児だと、2〜3カ月ごろまでは体重がぐんぐんふえがちです。ただ、赤ちゃんは、甘えたい、不安など空腹以外の理由で泣くことも。泣いても飲ませず、抱っこで落ち着くか様子を見てください。

Q おっぱいをあげるペースがわかりません！ （0カ月）

A “ほしそうなときに授乳”が理想です

泣く前に「ほしそうだな」と思ったら授乳します。生後1カ月ごろまでは、授乳間隔が1〜2時間しかあかないこともよくあります。逆にこの時期、よく眠って授乳回数が少ないときは、起こしてでも1日8回以上は飲ませてください。

＼POINT／
0〜2カ月ごろの授乳回数は、1日に8回以上を目標に

Q 夜中の授乳がなくなりません！ （6カ月）

A なくす必要はないので、ラクに授乳する工夫を

おっぱいは、夜中に飲ませるほうが出がよくなるので、ほしがる間は飲ませてあげて。ママはたいへんだと思いますが、添い乳して飲ませるなど、できるだけラクに授乳できる工夫をしてみましょう。

おっぱいトラブル

Q 乳腺炎《にゅうせんえん》って⁉ なってしまったときの対処法は？ （3カ月）

A 赤ちゃんにしっかり飲んでもらうことがいちばん！

乳腺炎とは、乳首の傷口から細菌が入ったり、乳腺に母乳がたまってしこりになるなどが原因で、乳腺が炎症を起こした状態。正しい抱き方、乳首のくわえさせ方で授乳し、乳首に傷をつくらないよう、しこりができないようにしっかり飲んでもらうことが大切です。

Q 乳首が切れてしまった！ （2カ月）

A 正しい飲ませ方ができているか見直しを

抱き方や乳首のくわえさせ方が正しいか、見直しを。乳首に母乳を塗り、ラップをして保湿すると、治りが早くなります。痛みがひどいときは、搾乳して飲ませ、乳首を休ませましょう。

Q 乳房にしこりができて、熱を持っています （1カ月）

A しこりを軽く押しながら授乳を

しこりのある乳房から授乳し、しこりを軽く押しながら飲ませましょう。授乳後もしこりが残っている場合は、搾乳を。それでもしこりがとれない場合は、抱き方や飲ませ方を見直します。

トラブルがあったときは抱え込まないで

いつ起こるかわからないおっぱいトラブル。近くて行きやすい相談先を探しておきましょう。

施設名	こんなところ
助産院	助産師さんが開業し、地域の病院や産院と提携している分娩施設。産後のママの体やおっぱいのケアをはじめ、育児の相談にも乗ってくれます。
母乳外来	医療機関に設けられている、助産師さんによる専門外来。母乳で育てたいママたちを卒乳までサポート。おっぱいのトラブル予防のための生活指導はもちろん、トラブルが起きたときのケアも受けられます。
フリーの助産師	助産師さんの中には、助産院を開業せず、フリーで活動している人もいます。個人で開設しているホームページ経由や、行政の窓口で紹介してもらうなどで申し込み、自宅へ来てもらいます。おっぱいケアのほか、育児全般についても相談できます。
行政の窓口	自治体が開設している、妊娠・出産・育児支援に関する相談窓口。保健センターの保健師さんや助産師さんが無料で相談に乗ってくれます。また、地域の母乳相談に乗ってくれる施設やフリーの助産師さんを紹介してくれることも。
母乳相談室	助産師さんなどが開いている専門の相談施設。有料ですが、おっぱいケアをしてもらえたり、おっぱいに関するあらゆる相談に乗ってもらえます。

Column 5

母乳・ミルクにさよならする日

ママたちの最大の関心ごと

卒乳は、いつ？ どうやって？

卒乳する時期は、実は赤ちゃんとママしだい

離乳食が完了期だったら、母乳の栄養的な役割は終わり、おっぱいは赤ちゃんの精神安定剤のような役割がメインになっています。卒乳の時期は、親子の関係や赤ちゃんの様子、ママの気持ちなど、さまざまな要素を考えたうえで決めるといいでしょう。理想は、自然に赤ちゃんがおっぱいをほしがらなくなる自然卒乳です。

卒乳へのステップ

1　飲ます時間を減らす

１回の授乳時間を10分→5分というように、少しずつ減らして、母乳の分泌量を抑えます。1日の授乳回数は変えなくてＯＫ。

↓

2　飲ます回数を減らす

２～３日授乳時間を減らしたら、次は１日の回数を３回→２回になどと減らします。これで、母乳の分泌量がさらに減ります。

↓

3　３日間与えない

回数を減らして１週間程度たったら、３日間授乳を完全にストップ。おもちゃなどで気を紛らわせ、泣いても絶対に与えないことです。

↓

4　乳房のケアをする

３日間飲ませず過ごせたら、おっぱいをしぼってケアを。乳管の詰まりをとっておくと、次の妊娠時にもおっぱいの出がスムーズです。

そのほか

Q　乳首をかむので痛い！やめさせる方法は？
（7カ月）

A　自分のほうに引き寄せてみて

歯の生え始めのころや、７～８カ月ごろ急におっぱいを拒否するような時期に、一時的に乳首をかむことがあります。かまれたら、赤ちゃんを自分のほうに引き寄せてみて。呼吸がしにくくなり、口を離してくれます。

Q　ママの食べたものは、どれくらい母乳に影響する？（０カ月）

A　食べたものによって違います

ママの食事は、母乳の風味には影響しますが、成分についてはほとんど影響しません。それより、おっぱいがよく出るように、ごはん、具だくさん汁など、栄養バランスのとれた食事を心がけることが大切です。

おっぱいにいい食べ物

ごはん

具だくさんの汁物

野菜スティック など

Q　授乳中なのに生理再開。母乳の味や質が落ちるって本当？
（10カ月）

A　風味は一時的に変化

排卵前や生理１～２日目は、ホルモンバランスが変わり、風味が一時的に変化したり、出が悪く感じられることも。質は変わらないので、授乳を続けて大丈夫です。

Q　かぜや頭痛のとき、授乳中に市販薬を飲んでも大丈夫？
（0カ月）

A　飲める薬は多いですが、処方薬が安心です

かぜ薬や頭痛薬などほとんどの市販薬は、成分が母乳に出たとしてもほんのわずかなため、授乳中でも飲んで大丈夫。ただ、注意書きに「効果が持続する」などと書かれているものは、念のため避けたほうが安心です。心配な場合には、受診して処方してもらいましょう。

Q　授乳中に、のけぞるのはなぜ？
（2カ月）

A　おっぱいの出を調節しているのでは

赤ちゃんが吸った刺激で、急に母乳がたくさん出たのかも。勢いよく出すぎている場合は、授乳の途中で少し休憩してみましょう。逆に、おっぱいをもっと出したくて、乳頭を引っぱって刺激している可能性もあります。

Q　キョロキョロして集中して飲んでくれません（4カ月）

A　静かな環境だと、集中することも

３～４カ月になると、周囲への興味が広がって、授乳に集中しなくなる赤ちゃんもいます。テレビを消すなど静かな環境で授乳すると、集中することも。または、満腹になっているのかもしれないので、授乳を中断して様子を見ましょう。

PART

4

大人と同じ食事を食べられるまでの“練習期間”

離乳食＆幼児食の進め方

母乳・ミルクなどの液体しか飲めなかった赤ちゃんが
固形の食事をとれるようになる！
でも、いきなり大人と同じものは食べられません。
赤ちゃんのかむ力や消化能力に合わせて、
食材のかたさや大きさを変えた
離乳食＆幼児食でステップアップが必要です。

＊ゴックン期は５～６カ月ごろ、モグモグ期は７～８カ月ごろ、
カミカミ期は９～11カ月ごろ、パクパク期は１才～１才６カ月ごろです。
幼児食は、離乳食完了後から３才の誕生日ごろまでです。
＊小さじ１は５ml、大さじ１は15ml、１カップは200mlです。
＊材料は記載がなければ、１回分です。また、分量は皮や種をとり除いた可食部の重さをあらわしています。
＊電子レンジの加熱時間は600Wが目安ですが、機種によって加減してください。

半年〜1年かけて
ゆっくり進めます

離乳食の基礎知識

おっぱい、ミルクから離れ、自分で食べる世界に一歩を踏み出すのが「離乳」。離乳食の役割と基本を知って、準備しましょう。

離乳食は〝自分で食べる力〟を身につける練習です

離乳とは、母乳・ミルクの乳汁で育ってきた赤ちゃんが、徐々に固形食から栄養をとれるように練習すること。発達に合わせた離乳食によって、赤ちゃんは自分で食べる力を身につけていきます。スタートの時期は5〜6カ月ごろ、離乳完了は1才〜1才6カ月ごろが目安。液体だけを飲んでいた赤ちゃんですから、形のある食べ物を口にするのは劇的な変化です。トロトロ状のおかゆ、すりつぶした野菜など、液体に近いやわらかいものから始め、ゆっくりと大人の食事へと近づけていきます。

1回食、2回食のうちは、「食べることに慣れる」のがいちばんの目的です。母乳・ミルクからも栄養がとれていますから、思うように進まなくても不安に思わないで大丈夫。赤ちゃんの様子を見ながら、大らかな気持ちで進めていきましょう。何よりも大切なのは、離乳食タイムを笑顔で楽しく過ごすこと。これからずっと続いていく食生活の基本をつくる時期です。「食べさせなきゃ！」と真剣になるあまり、けわしい表情にならないように注意して。食を通しての親子のコミュニケーションで、赤ちゃんの食べる意欲を伸ばしていきましょう。

赤ちゃんの発達に合わせて4つの期に分けられます

赤ちゃんの発達、成長に合わせてステップアップしていく離乳食。食べ物をかむ力、飲み込む力、消化吸収する力に加え、手指の機能、そして心まで、離乳のプロセスのなかで赤ちゃんはグングン成長していきます。この本では、赤ちゃんの発達に合わせて、ゴックン期、モグモグ期、カミカミ期、パクパク期という4つの段階に分けています。それぞれの期におおよその月齢の目安がありますが、これはあくまでも目安。行きつ戻りつしながら進んでいくのが離乳食です。月齢だけではなく、赤ちゃんの様子を見ながら、その子に合ったペースで進めていきましょう。

ステップアップの目安をチェック

5〜6カ月ごろ

離乳食スタート

- ✓ **生後5〜6カ月になった**
  5カ月になったら、遅くとも6カ月のうちには離乳食を始めましょう。
- ✓ **首がすわり、5秒以上おすわりができる**
  順調に成長、発達している目安です。おすわりができるなら、離乳食を食べる受け入れ態勢もばっちり！
- ✓ **大人が食べているのを見て、食べたそうなそぶりをする**
  口をモゴモゴ動かしたり、よだれがふえたりする赤ちゃんも。口を動かすのは、かむ運動の準備が整ってきた証拠です。
- ✓ **体調&機嫌がいい**
  離乳食の初めの1さじは、赤ちゃんの調子がいい日を見はからって。授乳タイム1回を離乳食に替えて始めます。

7〜8カ月ごろ

モグモグ期へ

- ✓ **水分を減らしたベタベタ状の離乳食を、口をモゴモゴ動かして食べられる**
  最初はやわらかなかたまりがまじるジャム状で慣らし、徐々にみじん切りや小さな薄切りに。
- ✓ **主食とおかずを合わせて、1回に子ども茶わん半分以上食べる**
  モグモグ期の食べる分量の目安は、主食＋野菜＋タンパク質のおかずで、子ども茶わん半分以上。個人差があるので、少なめ、多めでも心配しないで。
- ✓ **1日1回、または2回の離乳食を喜んで食べている**
  離乳食の時間を決めて、できるだけ毎日同じ時間に2回の食事を与えるようにしましょう。2回目の食事は、1回目から4時間以上間隔をあけます。

食材のバリエーションを少しずつふやしましょう

離乳食のスタートは、赤ちゃんの未熟な内臓に負担の少ない米がゆを1さじから。炭水化物に慣れたら、徐々に野菜や果物、そしてタンパク質（豆腐・白身魚）とバリエーションをふやしていきます。離乳食期は、味覚が育ち始める時期でもあります。甘味や酸味、塩味、苦み、そしてうまみ、さまざまな味を体験することで味覚の発達が促されます。3回食になるカミカミ期からは、栄養バランスにも気をつけ、いろいろな食材、メニューをとり入れるようにしましょう。といっても、この時期は食べなかったり、いやがったりすることもよくあります。神経質になりすぎず、2〜3日の食事でバランスがとれていればOKと考えて。

調理に工夫をすることも大切です。繊維質の野菜はこまかく刻んだり、パサパサしがちな肉や魚はとろみをつけたりと、ママのひと手間でグンと食べやすさがアップします。ママ・パパがおいしそうに食べている姿を見せるのもおすすめです。

“食べる楽しさ”を感じられる雰囲気づくりを

離乳食は、赤ちゃんの体を育てるだけでなく、心も大きく育てるものです。見て、さわって、口に運び、舌で味わい、よくかんで飲み込む……。離乳食を食べるとき、赤ちゃんの五感はフル活動！　ときには、お皿に手を伸ばしてかきまぜたり、離乳食をつかんで投げたりすることも。ママにとっては困った行動ですが、実はこれも成長の証し。食べ物の温度やかたさ、形状などを手で感じ、料理に合わせた食べ方ができるようにと学習しているのです。けわしい顔になるのをぐっとこらえて、ある程度、赤ちゃんの好奇心を満たしてあげましょう。

ただ、離乳食が遊びの時間になってしまっては困ります。テレビは消し、おもちゃなどは片づけて。赤ちゃんが食べることに集中できる環境づくりが大切です。また、ママ・パパがいっしょに食事をするのも効果的。家族みんなが笑顔で食卓を囲むことで、赤ちゃん自身にも食を大切にし、楽しむ土台が築かれていきます。

離乳食の基本ルール

1 薄味&脂肪分は控えめに

多すぎる塩分、脂肪分は、赤ちゃんの内臓にとっては負担。最初は味つけはせず、離乳食が進んでからも薄味、脂肪分控えめを守って。

2 タンパク質は順番を守って

タンパク質は体をつくる大切な栄養素ですが、赤ちゃんにとっては消化しにくい脂質が多く含まれるものも。与える順番に注意して。

3 その子のペースで進めましょう

離乳食の進みぐあいは、個人差が大きいもの。赤ちゃんの食べる様子やうんちの状態を見ながら、食材の量やかたさ、調理の仕方に注意しながら、進めていきましょう。

9〜11カ月ごろ　カミカミ期へ

✓ **豆腐くらいのやわらかなかたまりを、口を動かして食べられる**

急にかたくすると丸飲みの習慣がついてしまうので、口を動かして食べているかを観察して調整を。

✓ **1回で、合わせて子ども茶わん軽く1杯分くらいを食べている**

カミカミ期の食事量の目安は、主食とおかずを合わせて、子ども茶わん1杯程度です。

✓ **バナナの薄切りを食べさせると、歯ぐきでかみ切るようなしぐさをする**

まだ歯が生えていない赤ちゃんも、歯ぐきがかたくなってきて、完熟バナナのようなやわらかさなら、歯ぐきでかみ切れるように。

1才〜1才6カ月ごろ　パクパク期へ

✓ **朝昼夕の3食をしっかり食べる**

毎日決まった時間に食事をすることで、食前に消化酵素が分泌されて体内リズムができ、規則正しい生活の基本に。

✓ **肉だんごくらいのかたさのものを、歯ぐきでつぶして食べられる**

つなぎが多めのやわらかな肉だんごのかたさが目安。歯ぐきでかめるかたさに調整しましょう。

✓ **自分で手づかみして食べている**

手づかみ食べは、目と手と口の協調運動。脳の発達の証しでもあります。積極的に手づかみメニューをとり入れて。

離乳完了〜3才ごろ　幼児食へ

✓ **必要な栄養の大部分を食事からとっている**

3度の食事だけでは足りない栄養は、第4の食事、おやつで補います。栄養になるものを。

✓ **前歯で食べ物をかみ切って、歯ぐきでかんで食べられる**

前歯に加えて手前の奥歯が顔を出してきて、繊維の多い食材もすりつぶして食べられるように。

✓ **コップで牛乳やミルクを飲める**

乳製品は1日300〜400mlを目安にとりたいもの。コップで牛乳が飲めれば、離乳食は卒業です！

ステップアップ表

離乳食がスタートしたら、半年～1年かけてだんだんと食事の量や食材の種類をふやしていきます。赤ちゃんのペースに合わせて、あせらず、ゆっくり進めましょう。

栄養バランスの目安

ゴックン期（5～6カ月ごろ）

	母乳・ミルク	離乳食
前半	90%	10%
後半	80%	20%

離乳食に慣れるための時期。母乳やミルクはほしがるだけ与えてOK。

離乳食は1日1回

このころの赤ちゃん

- ✓ 支えてあげれば、おすわりができる
- ✓ 舌が前後にしか動かない
- ✓ 歯はまだ生えていない子がほとんど

モグモグ期（7～8カ月ごろ）

	母乳・ミルク	離乳食
前半	70%	30%
後半	60%	40%

食事量をふやしていきましょう。母乳はほしがるだけ、ミルクは1日3回が目安。

離乳食は1日2回

このころの赤ちゃん

- ✓ おすわりがしっかりしてくる
- ✓ 舌が前後だけでなく、上下にも動く
- ✓ 下の前歯が2本、生え始める子も

食べてOK? NG?

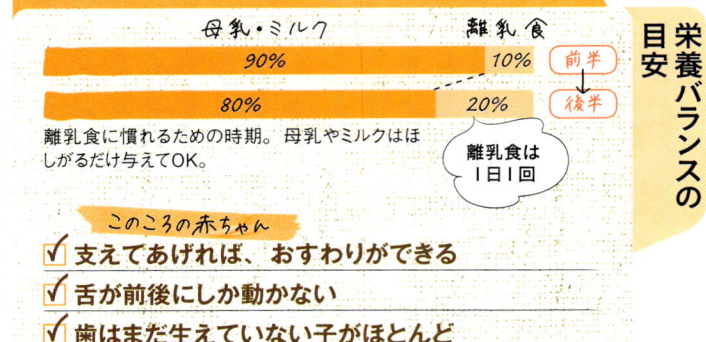

ゴックン期

OK

- 米がゆからスタート
- パン（小麦）は6カ月から
- やわらかくつぶせる野菜ならなんでも！
- 豆腐、鯛、しらす干し、かたゆで卵の卵黄を1さじから

NG

- 乳製品、肉、納豆などはまだ与えない

モグモグ期

OK

- エネルギー源は米、パンに加え、めん類もおすすめ
- まぐろ、かつおなどの赤身の魚がOKに
- 乳製品、鶏ささ身、納豆も解禁！
- 卵（加熱したもの）は卵黄1個～全卵1/3個まで

NG

- 青背魚、豚肉、牛肉はまだ与えない

そしゃく機能は?

ゴックンと飲み込むのがやっとです

口のまわりの筋肉が未発達なため、トロトロの離乳食を上唇でとり込んで、舌でのどの奥に送って飲み込むのが精いっぱい。少しのざらつきもいやがって、吐き出してしまいます。

スプーンで線がかける、ポタージュ状のトロトロが目安。慣れてきたら水分を減らしてベタベタのケチャップ状にしていきます。

舌で上あごに押しつけ、つぶして食べます

舌は前後に加え、上下にも動くように。舌で上あごに押しつけて、つぶして食べます。「舌でつぶし、だ液とまぜ合わせ、味わって食べる」ようになるのがこの時期の目標です。

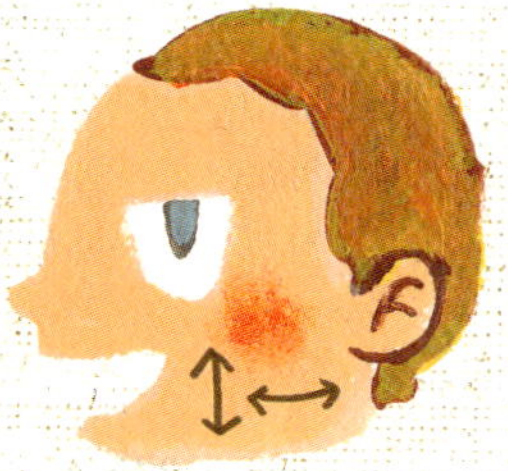

最初はジャム状にやわらかなかたまりが少しまじる程度がおすすめ。やわらかい絹ごし豆腐をスプーンで薄くすくうと、舌とあごでつぶす練習に！

食べるときの姿勢は?

ママのひざに座らせて飲み込みやすい姿勢に

おすわりが安定しないうちはママのひざに抱っこし、少し後ろに傾けるようにしてあげましょう。口からこぼれにくく、ゴックンと飲み込みやすくなります。背もたれのあるラックやバウンサーでも◎。

食事の基本姿勢をしっかり覚えて

ひとりで座れるようになったら、足が床などの面につくいすを準備しましょう。舌で押しつぶして食べるようになるため、赤ちゃんがあごや舌に力を入れられる姿勢をとらせることが大切です。

発達に合わせて
4段階

離乳食の進め方

パクパク期（1才〜1才6カ月ごろ）

母乳・ミルク 20〜25%　離乳食 75〜80%

栄養の大半は離乳食から。この時期、牛乳またはミルクは1日300〜400mℓが目安。

離乳食は1日3回

このころの赤ちゃん

- ✓ あんよができるようになる
- ✓ スプーンやフォークを使おうとする
- ✓ 舌が自由自在に動き、口まわりの筋肉も発達する
- ✓ 1才ごろ、上下の前歯が生えそろう

OK
- 薄味で食べやすく調理すれば、大人とほぼ同じ食材が食べられる
- 揚げ物はフライ、天ぷらなどもOK
- はちみつ、黒砂糖は1才以降から

NG
- 刺し身、もち、ごま、ナッツ類、塩分、糖分、脂肪分の多い食品は×

口の動きは大人と同じ、自由自在に

表情がしっかりするにつれ、かむ力も強くなります。食感の違うメニューで、形態に合わせてかみ方を変える調整力を育てましょう。前歯でかみ切るほか、手づかみ食べも積極的に。

指やフォークで軽くつぶせる、肉だんごくらいのかたさが目安。前歯でひと口量をかみ切り、歯を使う感覚も覚えます。

自分で食べやすいよう、高さを調節してあげて

足が足置き台などにしっかりつく姿勢で、まっすぐに座らせます。ひじがテーブルにつく位置に高さを調節し、赤ちゃんが自分で食べやすい状態に。手づかみ食べを基本に、ママはサポート役に。

カミカミ期（9〜11カ月ごろ）

母乳・ミルク　離乳食

前半：35〜40%　60〜65%
↓
後半：30%　70%

栄養のメインが、母乳・ミルクから離乳食へと逆転！食事での栄養バランスが大切に。

離乳食は1日3回

このころの赤ちゃん

- ✓ はいはい、つかまり立ちができる
- ✓ 手で“わしづかみ”しようとする
- ✓ 舌が前後上下に加え、左右にも動く
- ✓ 上の前歯が生え始める子も

OK
- これまでの食材に加え、あじなどの青背魚、牛肉、豚肉も解禁
- 全卵（加熱したもの）は1日1/2個までOK

NG
- 揚げ物は素揚げのみ。フライや天ぷらはまだ与えない

つぶす力は弱いけれど、大人とほぼ同じかみ方に

口のまわりの筋肉が発達し、舌は前後上下に加え、左右にも動かせるように。舌でつぶせないものは、歯ぐきでつぶして食べます。また、大きめのものは前歯でかじりとり、ひと口量を覚えます。

指でつぶれるバナナくらいが目安。歯ぐきでつぶして食べるのに最適です。にんじんなどのかたい食材は、5mm角や薄切りにしてやわらかく調理。

手づかみ食べがしやすい姿勢で

手づかみ食べがしやすい、やや前傾した姿勢がとれるように、いすとテーブルの位置を調節します。足は足置き台について力が入る状態に。下に新聞紙などを敷くと、食べこぼし対策になります。

おっぱい・ミルク以外の味に挑戦！

ゴックン期（5〜6カ月ごろ）

いよいよ離乳食デビュー！　赤ちゃんの新しい食生活の幕あけは、トロトロ状のおかゆ1さじから。ゆっくり時間をかけて慣らします。

赤ちゃんの機嫌のいい日を選んでスタート

生後5カ月を過ぎて、5秒以上おすわりができるようになったら、そろそろ離乳食の始めどき。遅くとも6カ月のうちにスタートしましょう。赤ちゃんにとっては舌ざわりも味も、においも、すべてが初めての体験。ママが想像する以上にびっくりしたり、緊張したりするもの。なるべく赤ちゃんの機嫌のいい日を選び、授乳タイムのうち1回を離乳食に置きかえます。最初に与えるのは、アミノ酸のバランスもいい、消化吸収のよい米がゆ（10倍がゆ）がいいでしょう。そのまま飲み込めるよう、なめらかにすりつぶして。口からべぇ〜と出してしまってもスプーンで受け、何度でも口にすくい入れます。だんだん液とまじって、飲み込みやすくなります。

1週間かけて米がゆに慣れ、安定して食べられるようになってきたら、野菜をプラスします。アクが少なく、トロトロ状に調理できれば、野菜の種類はなんでもOK。野菜にも慣れたら、タンパク質源食品を。低脂肪でアレルギーを起こしにくい豆腐がおすすめです。初めての食品を与えるときには、ごく少量から始め、様子を見ながら少しずつふやしていくのが基本です。

ゴックンと飲み込みやすいなめらかなペースト状に

プレーンヨーグルトのような、なめらかでポッテリとした形状がお手本です。野菜は皮をむいてやわらかくゆで、種を除き、繊維が気にならないようにペースト状にしましょう。かたまりやざらつきがないように調理するためには、すり鉢や裏ごし器が便利です。それでも食べにくそうなら、水分を加えてゆるめたり、とろみをつけても。

モグモグ期に進むころには、おかゆ（エネルギー源）、野菜（ビタミン・ミネラル源）、豆腐など（タンパク質源）の3つの栄養源を組み合わせた内容に進めていきます。少しずつ量をふやしていき、水分量を少しずつ減らし、マヨネーズのようなベタベタ状にしていきます。

タイムスケジュール例

午前か午後の授乳のうち、1回を離乳食に置きかえます。

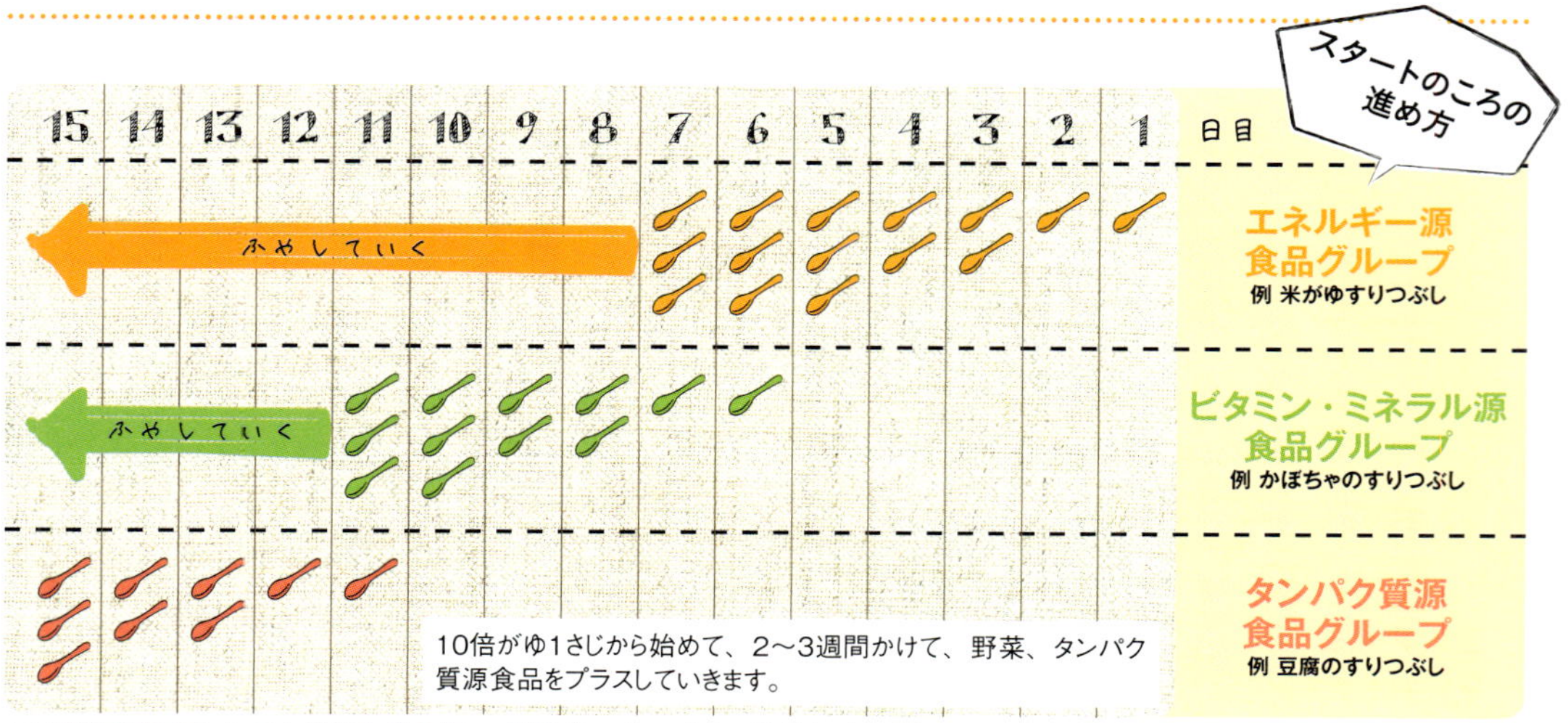

10倍がゆ1さじから始めて、2〜3週間かけて、野菜、タンパク質源食品をプラスしていきます。

＊1さじは計量スプーンの小さじ（5mℓ）のこと。離乳食スプーンなら、数さじになります。

おかゆの甘みで青菜を食べやすく

ほうれんそうがゆ

材料

ほうれんそうの葉先 …… 10g
10倍がゆ …… 30g

10倍がゆは、ごはん1：水9、または米1：水10の割合で炊いたものです。

作り方

ほうれんそうはやわらかくゆでて裏ごしし、裏ごしした10倍がゆにまぜて器に盛る。

かたい茎の部分はとり除き、やわらかな葉先だけを使うと、食べやすさがアップ。

赤と白のコントラストが目にも鮮やか

トマトと白身魚のピューレ

材料

トマト …… 10g
白身魚（鯛など） …… 10g

作り方

1. トマトは湯むきし、裏ごしして種を除き、器に盛る。
2. 白身魚はゆでて裏ごしし、トマトの上にのせる。

トマトはフォークなどで刺し、サッと火であぶっても簡単に皮がむけます。

なめらかな口当たりがゴックン期に◎

かぼちゃの豆乳ポタージュ

材料

かぼちゃ（皮つき） …… 15g
豆乳 …… 大さじ1

作り方

1. かぼちゃはラップに包んで電子レンジで約30秒加熱し、皮を除いて裏ごしする。
2. ①に電子レンジで約10秒あたためた豆乳を加えて、まぜ合わせる。

裏ごししたかぼちゃと豆乳は、すり鉢でなめらかになるまでまぜて、とろりとした食感に。

1日2回の離乳食で食生活のリズムを

モグモグ期（7～8カ月ごろ）

2回食になり、食事のリズムができてきます。ポッテリ、ふわふわの形状に調理して、舌でつぶして食べることを覚えさせましょう。

いろいろな食材を使って、食べられるものをふやして

1日2回の離乳食に慣れるにつれ、離乳食をできるだけ毎日決まった時間に食べさせるように心がけましょう。「空腹→しっかり食べる」というよいサイクルができ、生活のリズムも整っていきます。

また、鶏ささ身肉、赤身の魚など、食べられるタンパク質源食品がグンとふえます。1食当たりの分量に気をつけながら、いろいろな食材にトライしましょう。アレルゲンになりやすい卵は、かたゆでの卵黄に慣れたらかたゆで卵白も、ごく少量ずつ全卵に進みます。皮膚やうんちの様子を見ながら、量をふやしていきましょう。おかゆやパンなどのエネルギー源食品、野菜や果物のビタミン・ミネラル源食品は、赤ちゃんの食欲に応じてほしがるだけ与えてかまいません。3つの栄養源をバランスよくメニューに入れられるよう意識して。

この時期に重宝するのが「おじや」。やわらかく煮込むと舌でつぶしやすく、野菜やタンパク質源食品を加えれば栄養バランスも満点です。ただし、毎食おじやでは、食生活が単調に。野菜や肉、魚を別々に盛りつけ、それぞれの味や食感の違いを感じられる単品食べもときどき経験させて。

舌でつぶせる、絹ごし豆腐のかたさに

舌は前後に加え上下にも動くようになり、そのままで飲み込めないかたまりは舌でつぶして食べるようになります。舌と上あごでラクにつぶせる、豆腐くらいのかたさを目安にしましょう。また、少しなら味つけも可能に。ただし、1食当たりの塩分量は、0・1g以下です。素材そのもののうまみを利用し、調味するとしてもごく薄味に。

この時期、特に心がけたいのは、ゆっくり食べさせること。ママはたくさん食べてほしい気持ちから、ついスプーンの運びが速くなりがちです。次から次へと与えると、かむゆとりがなくなって、丸飲みの習慣がついてしまいます。ゴックンと飲み込んだのを確認してから、次の1さじを与えます。また、離乳食がかたすぎる場合も、舌でつぶせなくて丸飲みするか、吐き出してしまうことに。赤ちゃんが数秒間、モグモグと口を動かしているかも確認しましょう。「おいしいね」「もっと食べるかな？」などと声をかけながら、ごはんを楽しく味わえるといいですね。

タイムスケジュール例

1回目の食事と2回目の食事の間は、4時間以上あけます。初めての食材は、1回目の食事で試して。

モグモグ期の1回当たりの目安量

エネルギー源食品	穀物	全がゆ 50～80g
ビタミン・ミネラル源食品	野菜・果物	20～30g
タンパク質源食品	魚・肉なら	10～15g
	豆腐なら	30～40g
	卵なら	卵黄 1個～全卵 1/3個
	乳製品なら	50～70g

*タンパク質源食品は1種類を選んだ場合です。

とろろ昆布で手軽にうまみアップ♪

ブロッコリーととろろ昆布の白あえ

材料

ブロッコリー ………… 30g
絹ごし豆腐 ………… 30g
とろろ昆布（あれば）…… 少々

作り方

① ブロッコリーはやわらかくゆでて、みじん切りにする。豆腐はサッとゆでてこまかくつぶす。とろろ昆布はこまかくちぎる。
② すべてをまぜ合わせて、器に盛る。

バナナの甘い香りで食欲増進！

にんじんとバナナのパンがゆ

材料

にんじん ………… 20g
バナナ ………… 10g
食パン（耳を除く）…… 10g
牛乳 ………… 40mℓ

作り方

① にんじんは皮をむいてやわらかくゆで、こまかくつぶす。
② 鍋にこまかくちぎった食パン、バナナ、牛乳を入れて火にかけ、バナナをつぶしながら煮て、とろりとしたら器に盛って、①をのせる。

つるんと食べやすいそうめんにからめて

かぼちゃとささ身のだし煮そうめん

材料

かぼちゃ（皮つき）…… 20g
鶏ささ身 ………… 10g
だし ………… 1/3カップ
そうめん ………… 15g

作り方

① そうめんはやわらかくゆでて流水にとり、水けをきってみじん切りにする。
② 鍋にだしを煮立て、ささ身を加えてサッと火を通し、いったんとり出してみじん切りにする。
③ 同じ鍋に皮を除いたかぼちゃを入れて火にかけ、やわらかくなったらフォークなどでつぶし、②のささ身をもどし入れる。
④ ①を器に盛り、③をかける。

カミカミ期（9～11カ月ごろ）

離乳食が栄養のメインに。いろいろな食べ物を見て、さわって、味わって、赤ちゃんの食の世界は一段と大きく広がります。

1日3回食になり、栄養バランスにも気をつけます

カミカミ期になると、いよいよ離乳食は1日3回に。決まった時間帯に3食を食べさせ、生活リズムを整えましょう。栄養の大半を離乳食からとるようになるので、バランスのよい献立を意識することも大切です。エネルギー源食品、ビタミン・ミネラル源食品、タンパク質源食品の3つの栄養群がメニューに入るように心がけて。好き嫌いの悩みもふえてきますが、このころの「嫌い」のほとんどは、食べにくさによるものです。赤ちゃんが食べなくても、落ち込まないで大丈夫。今は、いろいろな食材を見て慣れるだけでも意味があります。苦手そうな食材も、こまかく刻んだり、とろみをつけたり調理に工夫をしながら何度もトライしてみましょう。

　また特に、この時期から意識してとりたいのが鉄分です。食事からの栄養がメインになっても、母乳に頼りきっているおっぱい好きの赤ちゃんに、鉄欠乏性貧血《てつけつぼうせいひんけつ》が見られます。赤ちゃん時代の貧血は、脳の発育にも悪影響するといわれています。大豆や卵、緑黄色野菜、赤身の魚や肉、レバーなど、鉄分豊富な食材を積極的にとり入れましょう。

手づかみメニューで〝食べる意欲〟を育てて

このころになると手指が発達し、指先がセンサーとなって食べ物の温度やかたさを感じとるように。皿の中をぐちゃぐちゃにかき回したり、食べ物をつかんで床に投げたり、ママにとってはちょっぴり困る「遊び食べ」も盛んになるころです。ママはたいへんですが、これも赤ちゃんが順調に成長している証拠。手でさわることで、食べ物の形状や感触などを学習しているのです。ある程度は赤ちゃんの自由にさせてあげましょう。いすの下にレジャーシートや新聞紙を敷いて、食べこぼしがママのストレスにならないように工夫して。

　手づかみ食べしやすいメニューをとり入れることも大切です。手づかみ食べは、目で見て、手でつかんで口に運ぶという、目と手と口の協調運動。スプーンやフォークを使う前段階としても大切なプロセスです。ゆで野菜や卵焼き、パンなど簡単なものでOK。小さな手でも持ちやすいひと口サイズのメニューで、赤ちゃんの「自分で食べたい気持ち」を応援してあげて。

タイムスケジュール例

2回の離乳食に加え、4時間以上あけて3回目を設定。3回食に慣れたら、大人と同じ食事時間に合わせていきます。

カミカミ期の1回当たりの目安量

エネルギー源食品	穀物	全がゆ 90g～軟飯80g
ビタミン・ミネラル源食品	野菜・果物	30～40g
タンパク質源食品	魚・肉なら	15g
	豆腐なら	45g
	卵なら	全卵 1/2個
	乳製品なら	80g

＊タンパク質源食品は1種類を選んだ場合です。

ごま油の香りが食欲をそそる本格派

キャベツと豚ひき肉のあんかけ焼きそば

材料

キャベツ …… 25g
長ねぎ(みじん切り) …… 5g
豚赤身ひき肉 …… 15g
焼きそばめん …… 60g
BFスープ …… 1/4カップ
水どきかたくり粉、ごま油 …… 各少々

作り方

1 キャベツは5mm幅の細切りにし、焼きそばめんは1.5cm長さに切ってサッとゆでる。
2 フライパンにごま油を中火で熱し、ねぎをサッといためたら、①のキャベツも加えていため、豚ひき肉も加えてさらにいためる。
3 ②にスープを加え、キャベツがやわらかくなるまで煮て、水どきかたくり粉でとろみをつけ、①のめんにかける。

手づかみ食べにぴったり!

キャロットフレンチトースト

材料

にんじん …… 40g
A[とき卵 …… 1/4個分
  牛乳 …… 40mℓ
8枚切り食パン …… 1枚
バター …… 3g

作り方

1 にんじんは皮をむき、やわらかくゆでてすりおろし、ボウルにAとまぜ合わせる。
2 ①に食パンをひたし、バターをとかしたフライパンで両面を弱火でしっかり焼き、食べやすく切る。

イタリアンカラーが目にも楽しい

トマトツナじゃが

材料

じゃがいも …… 40g
トマト …… 20g
玉ねぎ …… 5g
いんげん …… 5g
ツナ水煮缶 …… 15g

作り方

1 じゃがいもは皮をむき、トマトは皮と種を除き、玉ねぎとともに7mm角に切る。いんげんは小口切りにする。
2 鍋に①、汁けを切ったツナ、水1/3カップを入れ、野菜がやわらかくなるまで煮る。

手づかみ&スプーンで“自分で食べる”

パクパク期（1才〜1才6カ月ごろ）

自分で食べる意欲が高まります。こぼさないように手助けしたい気持ちをぐっとこらえて、じょうずに食べられたらたくさんほめて！

手づかみ食べをじゅうぶんにし、自分で食べるベースができあがったら、いよいよ離乳食は卒業です。その子に合ったペースで離乳を完了し、幼児食へとステップアップしていきましょう。

大人ごはんからの取り分けを活用し、家族で食卓を囲んで

舌の動きは自由自在になりますが、かむ力はまだ不じゅうぶんです。発達に合ったかたさ、大きさのメニューで、かむ練習をしていきましょう。さらに、食べ物をじょうずにおいしく食べるためには、かみつぶす力に加えて、調整力が必要です。ふわふわ、もちもち、カリカリなど、いろいろな食感を体験することで、食べ物の形態に合わせてかみ方を調整する力が身につきます。やわらかめの肉だんご、ややかためのゆで野菜など、歯ぐきでかめるかたさのメニューでしっかりかむ習慣をつけましょう。

ほとんどの食品が使えるようになるので、大人の料理を薄味、やわらかめにして取り分けるのもおすすめです。調理がラクになるのはもちろん、ごはん、汁物、おかず、副菜という「一汁二菜」の献立も作りやすくなって、自然と栄養バランスも整います。また、ママ・パパと見た目が同じごはんが並ぶことで、赤ちゃんもテンションアップ！「ママ・パパといっしょ」といううれしい気持ちが、赤ちゃんの食欲を高めます。赤ちゃんがじょうずに食べられたら、たくさんほめて、家族で喜びを分かちあえる食卓をつくっていきましょう。

赤ちゃんが自分で食べるのを見守り、ママはサポート役に

手づかみ食べを多くとり入れ、赤ちゃんが自分で食べることを中心にします。スプーンもほしがるようなら持たせて。一度につめこみすぎてむせたり、うまく口に運べずにこぼすこともありますが、それもすべて学習です。だんだんと自分のひと口量を覚え、スプーンもじょうずに使えるようになっていきます。ママは、タイミングを見てスプーンを口に運んであげる程度に。

発達につれて興味の対象は広がります。新しい食感や味わい、カラフルな盛りつけ、かわいい型で抜いた見た目など、ちょっとした工夫で食事が楽しくなります。「じょうずに食べたね」と、ママが大いにほめるのも大切で効果的！「うれしい」という気持ちが、赤ちゃんの意欲をさらに伸ばしていきます。

タイムスケジュール例

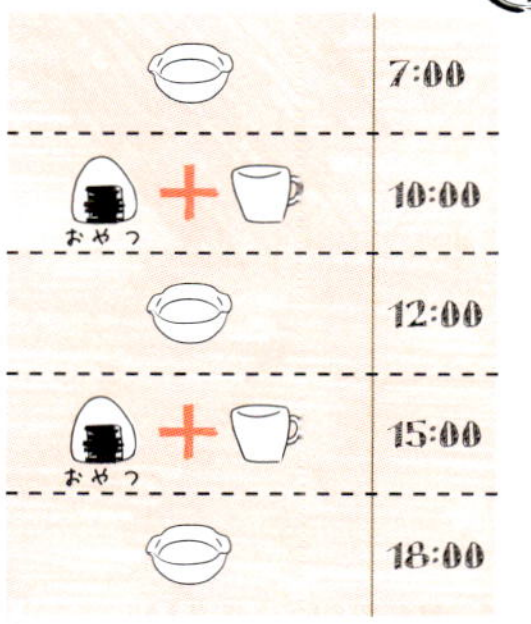

朝、昼、夕と、大人と同じ時間帯に。食事の間隔があく午前と午後に1回ずつ、栄養を補うおやつをプラス。

パクパク期の1回当たりの目安量

エネルギー源食品	穀物	軟飯90g～ごはん80g
ビタミン・ミネラル源食品	野菜・果物	40～50g
タンパク質源食品	魚・肉なら	15～20g
	豆腐なら	50～55g
	卵なら	全卵1/2～2/3個
	乳製品なら	100g

*タンパク質源食品は1種類を選んだ場合です。

ツナのうまみを生かした手軽なパスタ

ツナと玉ねぎのパスタ

材料

- ツナ …… 大さじ1
- 玉ねぎ …… 30g
- スパゲティ …… 40g
- オリーブ油 …… 少々

作り方

1. ツナは油や汁をしっかりきる。玉ねぎは薄切りにする。
2. スパゲティは2〜3cm長さに折り、やわらかめにゆで、湯をきっておく。
3. フライパンを中火にかけ、あたたまったら油を引き、玉ねぎを加えてしんなりするまでいためる。ツナを加えて1分ほどいため、②を加えて全体がなじむまでいためる。

野菜とチーズをごはんでクルン

にんじんとチーズのおかかのり巻き

材料

- にんじん …… …1cm角×10cm長さ2本（20g）
- キャベツ …… 10g
- スライスチーズ …… 1枚
- かつおぶし …… 少々
- ごはん …… 80g
- 焼きのり（全形大） …… 1/2枚

作り方

1. にんじんは皮をむいてやわらかくゆで、かつおぶしをまぶし、半分に切ったスライスチーズでそれぞれ巻く。
2. キャベツはやわらかくゆでて半分に切り、①を1本ずつ巻く。
3. のりを半分に切り、それぞれにごはんを平らに広げ、真ん中に②をのせて一気に巻き、ラップに包んで少しなじませて、食べやすく切る。

さっくり&ジューシーひと口フライ

ブロッコリーメンチ

材料

- ブロッコリー …… 20g（小さめの房6個）
- A
  - 合いびき肉 …… 20g
  - 玉ねぎ（みじん切り） …… 5g
  - パン粉、牛乳 …… 各大さじ1
- 小麦粉、とき卵 …… 各大さじ1
- パン粉（すりこ木などでこまかくする） …… 大さじ2〜3
- 植物油 …… 適量

作り方

1. ブロッコリーは小房に分けてやわらかくゆで、水けをふいて、小房の部分に小麦粉をまぶす。
2. まぜ合わせたAでブロッコリーの小房を包み、小麦粉、卵、パン粉の順に衣づけする。
3. フライパンに油を1cm深さまで入れて中火で熱し、②を揚げ焼きにする。

健康的な食生活の基礎づくりを

幼児食（離乳完了～3才ごろ）

この先の食生活の土台となる大切な時期。毎日の食事を通して、さまざまな食材や味を経験し、味覚の幅を広げていきましょう。

2才代までは離乳食の延長と考え、薄味を守って

離乳食を卒業しても、大人と同じ食事が食べられるようになるのは、まだ先です。幼児食に移行して、これからの食生活の土台をつくっていきましょう。幼児食は、2才代までを前半、3～5才までを後半と分けて考えます。前半は離乳食の延長と思って、引き続き脂肪分や塩分を控えた食事を心がけます。味つけは、大人の食事の1/2程度が目安です。また、離乳食期と同様に、生卵や生魚の刺し身などは与えないで。免疫もまだじゅうぶんについていない幼児期は、食品衛生にも注意が必要です。

　また、1才半～2才ごろは、自分でやりたい気持ちは強いのに、うまくいかなくてイラ立つこともふえる時期。食事も同じで「自分で食べたい」「スプーンを使いたい」と思うのですが、じょうずにできないことも。かんしゃくを起こして食べなくなったり暴れたり、飽きて遊び始める子もいます。でも、「ダメ！」「食べなさい！」としかりつけるのは逆効果。汚されてもがまんできる環境を整え、じゅうぶんひとりでやらせた、とママが思ったら、あとは時間を決めて切り上げてかまいません。

いろいろな食感のメニューで、かむ力を育てましょう

1才半ごろには奥歯が生え始め、2才代でほとんどの乳歯が生えそろいます。奥歯が顔を出したら、前歯でかみ切り、歯ぐきと奥歯でかみつぶす練習のスタートです。繊維の多い野菜や肉類なども、奥歯ですりつぶして食べることができるようになります。いろいろな形状、食感のメニューをとり入れて、子どもの食べる力を伸ばしていきましょう。幼児食前半は手づかみ食べを中心に、スプーンで食べる練習も。

　好き嫌いが強くなることもありますが、食材がわからないようにまぜ込んだり、すりおろしたりするばかりではなく、色や形がわかるように調理することも大切。自分が何を食べているか、食べられたかがわかることも大事な食育です。いっしょに買い物に行って調理前の食材を見せたり、簡単なお手伝いをさせるのもおすすめ。苦手な食材も、自分が選んだものならがんばって食べてみよう！とやる気が出たりするもの。キッチンやスーパー、家庭菜園などで、子どもが食に興味を持つ体験をふやしてあげられるといいですね。食事を通して、体だけでなく、心も大きく育てていきましょう。

COLUMN

幼児期の"食事"と"おやつ"の関係

幼児に必要なエネルギーや栄養素は、体重1kgあたり大人のなんと2～3倍。しかし、胃が小さく、3回の食事では必要な栄養素をすべてとりきれないため、おやつ（間食）が必要に。おやつ＝栄養を補う軽い食事と考え、不足しがちな野菜や果物を使ったものや、エネルギー補給になる焼きいもやおにぎりなどがおすすめです。

冷めてもおいしいから、お弁当にも☆

鮭ちらし

材料（大人2人＋幼児1人分）

	ごはん	300g
A	塩	小さじ1/2
A	砂糖	大さじ1
A	酢	大さじ1.5
	生鮭	50g
	塩、酒	各少々
	卵	1個
	絹さや	5～6枚

作り方

1. Aをまぜ合わせて塩と砂糖をとかし、あたたかいごはんに加えてさっくりまぜ、そのまま冷ましてすしめしにする。
2. 鮭に塩と酒を振ってラップをかけ、電子レンジで約1分加熱し、骨と皮をとり除いてほぐす。
3. 卵は割りほぐして塩少々（分量外）を加える。フライパンに入れて、火にかけながらまぜ、いり卵にする。
4. 絹さやは筋をとってゆで、斜め細切りにする。
5. ①に②、③、④を加えて、まぜる。

シャキシャキした食感を楽しんで

れんこんのカレーエッグサラダ

材料（大人2人＋幼児1人分）

れんこん	100g
卵	1個
マヨネーズ	大さじ1/2
カレー粉	少々
レタス	2～3枚
プチトマト	3個

作り方

1. れんこんは皮をむいて薄いいちょう切りにし、酢少々（分量外）を加えた水に2～3分さらしてアク抜きする。
2. 鍋に湯を沸かして酢少々（分量外）を加え、①の水けをきって入れ、やわらかくなるまでゆでて水けをきる。
3. 卵はかたゆでにして殻をむき、ボウルに入れて白身があらみじん切り程度になるようにフォークなどでつぶす。
4. ③のボウルに②、マヨネーズ、カレー粉を加えてよくまぜる。
5. 器にレタスを敷き、④をそれぞれに盛りつけ、半分に切ったプチトマトを添える。

ごはんが進む、中華風おかず

牛肉とアスパラのオイスターいため

材料（大人2人＋幼児1人分）

	牛切り落とし肉	100g
	酒、かたくり粉、油	各大さじ1/2
	こしょう	少々
	玉ねぎ	1個
	アスパラガス	1束
A	オイスターソース	小さじ2
A	しょうゆ	小さじ1
A	水	大さじ2

作り方

1. 牛肉は1cm幅に切り、酒、こしょうを振ってかたくり粉をまぶし、さらに油を振って軽くほぐす。Aはまぜ合わせておく、
2. 玉ねぎは1cm幅の半月切り、アスパラガスは根元を1cm切り落とし、かたい皮をむいて斜め薄切りにする。
3. フッ素樹脂加工のフライパンに①の牛肉を入れて火にかけ、色が変わったらとり出す。
4. ③のフライパンに油大さじ1/2（分量外）を熱して玉ねぎをいため、アスパラガス、Aを加えて2～3分いため煮にする。③を戻していため合わせる。

卵、乳製品など、与えても大丈夫？

Column 6

自己判断での除去はNGです
食物アレルギー

乳幼児期にアレルゲンとなりやすい食品は何？
もしも「食物アレルギー」と診断された場合も気長につきあいましょう。必要以上にこわがらないで！

気をつけたい 食品リスト

表示が義務づけられている特定原材料７品目

卵

卵白に含まれる「オボムコイド」が、アレルギーを引き起こす主な原因になります。

乳製品

加熱していない生乳はもちろんのこと、調整乳、乳製品も表示することが義務づけられています。

小麦

パン、パスタ、うどんなどに幅広く使われています。早期からの摂取がふえて、アレルギーも増加傾向に。

そば

ごく少量のそば粉でも激しいアレルギー反応を引き起こす場合が。離乳食時期は与えません。

ピーナッツ（落花生）

激しいアレルギー症状を引き起こす場合があるので、注意が必要です。

えび

呼吸器症状を含めた、激しいアレルギー反応を引き起こす場合も！　パクパク期までは与えません。

かに

重症だと、激しいアレルギー症状が出ます。ふれるだけで、じんましんが出る場合も。

特定原材料に準ずる21品目

あわび、いか、いくら、鮭、さば、牛肉、豚肉、鶏肉、大豆、ごま、カシューナッツ、くるみ、オレンジ、キウイフルーツ、もも、りんご、バナナ、まつたけ、山いも、ゼラチン、アーモンド

初めての食材は少量から

症状が出たら自己判断での除去は行わず、医師の診断を！

タンパク質は、体にとって不可欠な栄養素。むやみに制限をしては、成長に悪影響を与えかねません。食物アレルギーの症状が出ることがあるので、少しずつ様子を見ながら与えます。心配な食材は午前中に試してみると、万が一アレルギー反応が出ても、すぐに病院へ行って、医師の診断を受けられるから安心です。除去をする場合も、医師の指導のもとで行います。

食物アレルギーって何？

特定の食品のタンパク質が原因に

摂取した食品を、体が“異物”と判断して攻撃するため、体にかゆみなどの症状が出るのが、食物アレルギーです。乳幼児期の３大アレルゲンは、「卵」「牛乳・乳製品」「小麦」。そのほかの食品でも、アレルギー反応が起こる場合もあります。アレルギー反応を引き起こす原因は、タンパク質。乳幼児期は消化機能が未熟で、タンパク質をうまく分解できません。そのため乳幼児によっては、卵や牛乳などを「じゃまもの」と感知し、体から追い出そうとしてさまざまな症状が出てしまうのです。

ただし、乳幼児期の食物アレルギーは、成長とともに改善するものがほとんど。食物アレルギーと診断された場合も落ち込まないで！　子どもの成長を見ながら、気長につきあっていきましょう。アレルゲンになる可能性がある食品７品目は、加工品などに表示が義務づけられています。食品を選ぶときは、原材料の表示をチェックしましょう。

食物によるアレルギー症状の主なもの

湿疹　便秘　下痢
じんましん　ショック症状
嘔吐　鼻水　ゼーゼー

下痢や嘔吐などの消化器系の症状や、じんましんなどの皮膚症状、ゼーゼーという呼吸器系の症状などがあり、複数の症状が同時に出る場合も。重症だと、アナフィラキシーショックを引き起こす危険性もあります。

PART

5

「ほめる」「しかる」って、意外にむずかしい!?

生活習慣&しつけのコツ

早寝早起きの生活リズムづくり、歯の仕上げみがき、
人としてのルールを伝えていくこと。
毎日を心地よく過ごすための生活習慣だけでなく、
赤ちゃんに善悪やマナーを教えていくことも
親としての大事な役目です。
“ブレない親”、目指しましょう☆

赤ちゃん時代から
規則正しい生活を

早寝早起き・生活リズム

「早寝早起き」は、赤ちゃんがすくすく元気に育つためにも欠かせないもの。習慣になれば、ママの育児もラクになります！

昼夜の区別がついてきたら早寝早起きを心がけて

昼間に起きている時間が長くなり、夜にまとめて眠るようになるのは、生後3～4カ月ごろ。早起きさせると不機嫌だから、自分から起きるまで寝かせておくママもいると思いますが、昼行性の動物である人間にとって、明るいときに起き、暗くなったら眠るというリズムを身につけるのは、人生最初の学びです。赤ちゃんに昼夜の区別がついてきたら、生活リズムを規則正しく整えてあげて。朝、早めに起きることから始め、離乳食、昼寝、遊び、入浴などのポイントを見直してみましょう。子どもが大きくなってから生活リズムを改善するのはとてもたいへん。赤ちゃんの将来のためにも、今後の育児を少しラクにするためにも、今、このときが大切です。

大人にとっても早寝早起きは理想的なスタイル。人間本来の自然なリズムで生活することで、体力も気力も充電されます。また、赤ちゃんを早めに寝かしつければ、大人の就寝まで少しでも夫婦の時間、趣味の時間にあてることも。リフレッシュタイムが持てると、育児の疲れも癒やされます。メリットだらけの早寝早起き、早速チャレンジしてみましょう。

早寝早起き生活のための7カ条

1 朝日を浴びよう

朝起きたら、窓辺に近づいて光を浴びることを意識しましょう。赤ちゃん時代は、できれば朝7時までに、遅くとも8時には起床する習慣を。

2 朝の授乳や離乳食をきちんと

朝食は睡眠中に低下した体温を上げ、体を元気にするウォーミングアップ効果大！　食事は決まった時間にとれるように心がけましょう。

3 テレビの視聴は1日2時間まで

長時間のテレビは赤ちゃんには刺激が強く、眠りの妨げになります。テレビの時間を減らし、体をたっぷり動かす遊びをとり入れて。

4 昼寝は午後3時までに切り上げる

遅くまで昼寝をすると、夜の離乳食、お風呂などがすべて後ろにズレ込んで、就寝時間も遅めに。午後3時までには起こしましょう。

5 早めの時間にお風呂に入る

入浴後は一度上がった体温がぐっと下がるので、寝つきがよくなります。就寝前の熱いお風呂は体温が上がりすぎるため、ぬるめのお湯が◎。

6 夜8～9時までには寝る態勢に

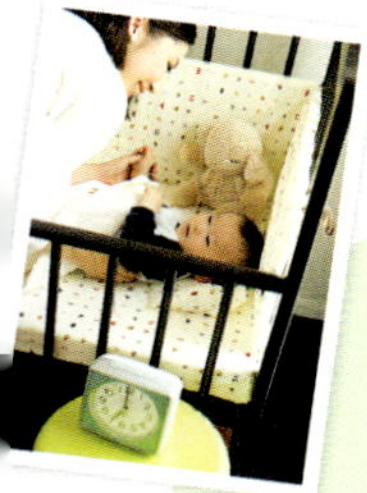

部屋を暗くして、落ち着いた環境を整えましょう。寝る直前には「たかいたかい」などの興奮するような遊びはさせないこと。

7 ママ&パパも早起きに

親の生活リズムが子どもの生活に与える影響は絶大！　どうしても夜ふかしになる場合は、子どもを巻き込まないように気をつけて。

こんなときどうする？生活リズムQ＆A

Q パパの帰宅に合わせてつい夜ふかしに

A パパとのふれあいは朝にして、就寝を優先させて

　発育に不可欠な成長ホルモンは、夜の深い睡眠時にどっと出ています。また、遅く寝て遅く起きる生活になると、体温のリズムがくずれて午前中にボーッとしがちに。赤ちゃんの成長と正しい生活習慣のためにも、パパはそっと帰宅して、朝にコミュニケーションを。

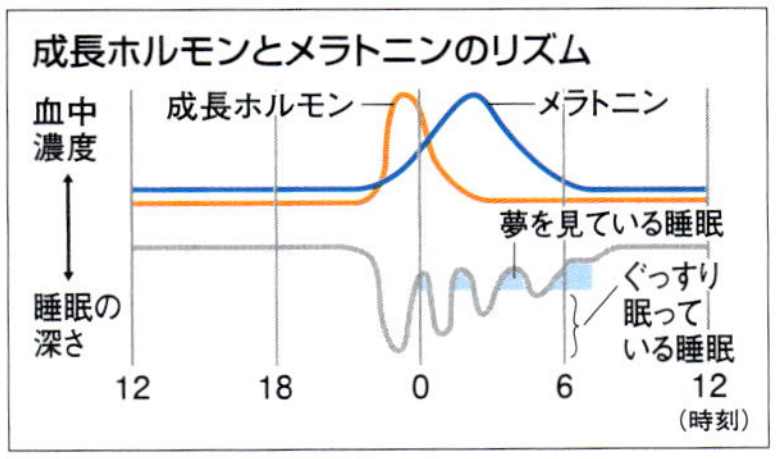

成長ホルモンは寝入って最初の深い眠りのときにまとまって分泌されます。眠けを起こすメラトニンは、夜、暗くなると分泌が開始され、睡眠が深くなるにつれ、量がだんだんふえていきます。

Q お昼寝の時間がまちまち、きちんと決めないとダメ？

A 夜の寝つきが悪いなら時間の調整が必要です

　夜の睡眠に影響しないのであれば、昼寝の時刻や長さは、毎日同じでなくてもかまいません。ただし、夜なかなか寝つけないなら、昼寝が影響している可能性が高いので、調整したほうがよいでしょう。昼寝を切り上げても、夜ぐっすり眠れれば大丈夫です。

Q 旅行や帰省で早寝早起きのリズムがくずれたら？

A まずは、朝早く起こすことから始めてみて

　旅行や帰省で、ときに遅寝遅起きになってしまうのは、気にしなくても大丈夫。自宅に戻ってから、元に戻せばいいのです。まずは朝、いつもの時間に起こすことからスタート。寝ない子を早く寝かせようと思っても、それは無理だからです。

成長ホルモンにより“寝る子は育つ”

　骨を伸ばしたり、筋肉をふやしたりするなどの働きを持つ成長ホルモンが分泌されるのは、昼夜のリズムができ始める生後3～4カ月ごろから。特に夜10時～深夜2時の熟睡中は多量に分泌されるため、「寝る子は育つ」はまさに真理をついた言葉といえます。すこやかな成長には、じゅうぶんで良質な睡眠が必要不可欠なのです。

　反対に、夜しっかり眠らないと、成長ホルモンの分泌が減って、成長が阻害される可能性もあります。乳幼児期に9時間半に満たない短時間睡眠が続くと、体力の低下、注意力や集中力の不足、イライラしてじっとしていられないなど、キレやすい子の兆候が……。赤ちゃん時代に眠りのリズムを整えることは、親としての大切な役目なのです。

ねんね中の赤ちゃんは

脳と体の休息

人間は、昼行性の動物です。昼間、脳を活発に動かすためには、夜はしっかりと眠り、脳と体を休める必要があります。夜の休息がじゅうぶんでないと、昼間の脳の働きも鈍くなってしまいます。睡眠不足だと体がダルく、やる気が起きないのは大人も赤ちゃんもいっしょです。

記憶の整理・定着

夜の睡眠中に、脳は昼間あったこと、学んだことを「これは覚えたほうがいい」「これは忘れてもいい」などと整理しています。こうして必要なことを記憶として定着させるのです。毎日、新しい発見が続く赤ちゃんには、その記憶を整理するためにもじゅうぶんな睡眠が必要です。

メラトニンの分泌

眠けを起こすホルモン「メラトニン」も睡眠中に分泌されます。メラトニンには、酵素の毒素から体を守り、将来の老化やガン化を抑制する働きも。性的成熟を抑える作用もあるので、乳幼児期に夜ふかしすると、将来、初潮が早まるなど、過剰に促進されるおそれも。

成長ホルモンの分泌

成長ホルモンは、夜10時～深夜2時までの間に分泌されます。特に深夜0時前後の熟睡中に分泌量はピークに。成長ホルモンには、骨を伸ばしたり、筋肉をふやしたり、傷んだ神経を修復する働きが。「寝る子は育つ」といわれるのも、そのためです。

毎日の歯みがきで
むし歯予防を

歯の生え方・歯みがきのコツ

「乳歯をむし歯にしない！」は、もはや常識。赤ちゃんの歯をむし歯から守るコツを知って、正しいケアを始めましょう。

生えたての乳歯には むし歯の危険がいっぱい！

乳歯は、永久歯に生え変わるまでの数年間しか使わない「期間限定」の歯です。だからといってむし歯になっても大丈夫、というわけではありません。乳歯がむし歯だらけになってしまうと、口の中にはむし歯の原因菌がふえて、永久歯までむし歯にしてしまいます。また、むし歯の痛みなどによって、片方の奥歯でばかりものをかんだり、よくかまないで飲み込んでしまうことも。そうなると、あごが大きく成長できずに、歯並びやかみ合わせにも影響が出てきます。さらに、早めに乳歯が抜けてしまうと、正しい位置に永久歯が生えないこともあるのです。

将来の健康や顔立ちに大きな影響を与える大事な乳歯。でも残念ながら、生えたての歯はエナメル質が弱く、むし歯になりやすい特徴があります。歯を強くするのは、日々のケア。まず、だ液中のミネラル分を使ってエナメル質が強くなり、さらに歯みがき剤のフッ素の効果で強くなっていきます。ていねいにケアすればするほど強くなるのが、子どもの歯のすばらしいところ。仕上げみがきで、大切な乳歯を守っていきましょう。

歯の生える順番は？

2本
5～6カ月ごろ
下の真ん中の前歯
生える時期には個人差が大きいので、月齢は目安程度に。

4本
10カ月ごろ
上の真ん中の前歯
続いて上の前歯が。上の前歯から先に生える子もいます。

8本
1才ごろ
上下で8本に
1才くらいになって「やっと最初の1本が生えた」という子も。

12本
1才半ごろ
第一臼歯が生える
前歯4本から少し離れたところに、奥歯が顔を出します。

16本
2才ごろ
犬歯が生えてくる
歯と歯の間の汚れに注意して、仕上げみがきをしましょう。

20本
2才半ごろ
上下で20本の乳歯列完成！
最後に生える第二臼歯は、小学校卒業くらいまで使う歯です。

痛くない歯みがきのコツ

歯みがきのコツは、ママの手を赤ちゃんの顔に固定させること。歯ブラシを持つ手は、赤ちゃんのほおにぴったりくっつけて固定させます。また、みがく力が強すぎないか、一度、自分の手の甲などをみがいてみて確認を！

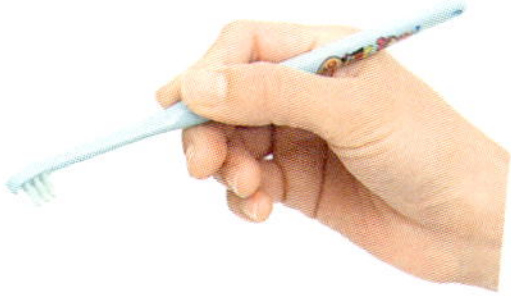

歯ブラシの持ち方も大事。鉛筆を持つように軽く握って、やさしくみがいて。

上の歯

歯ブラシを持つ手は赤ちゃんのほおに固定させ、上唇小帯を指で押さえて保護します。

下の歯

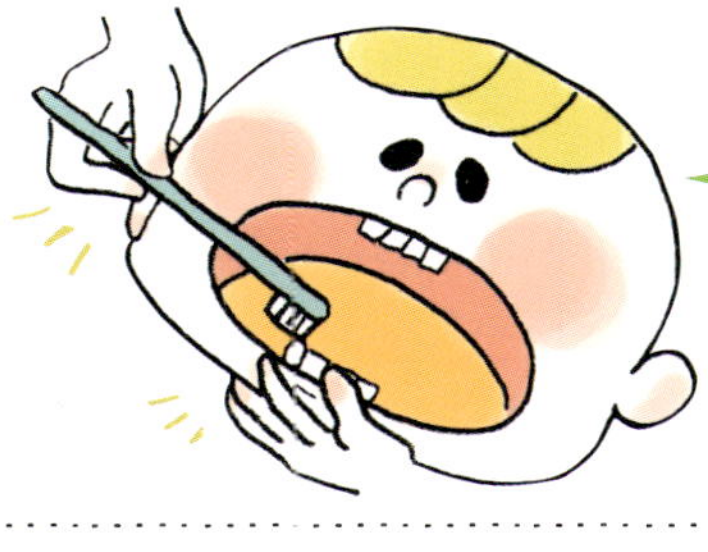

歯ブラシを持つ手の小指と薬指を、赤ちゃんのほおからあごに固定させます。

下の奥歯

歯ブラシを持つ手は赤ちゃんの下あごに固定。もう片方の指で唇のわきを保護します。

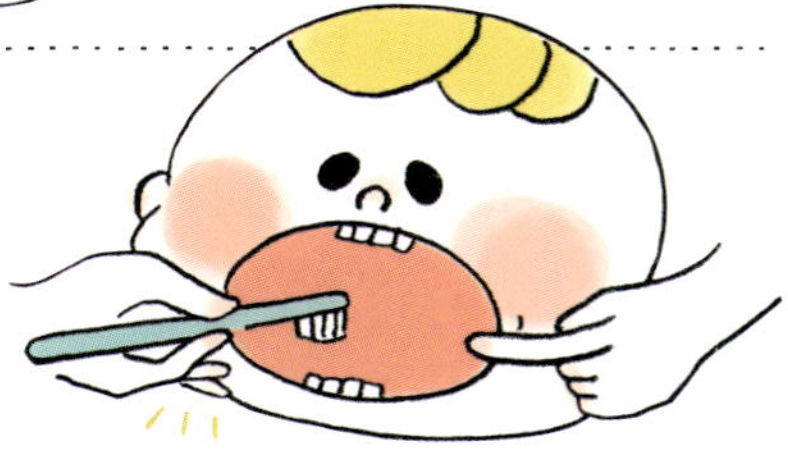

赤ちゃんの歯 なんでもQ&A

発育にも大きな影響を与える赤ちゃんの歯。歯をめぐるソボクな疑問や気がかりにズバッとお答えします！

Q むし歯がママから感染するって本当？

A 本当！ ミュータンス菌の感染に注意

むし歯菌は、食べ物の口移しやだ液を通じて感染します。なかでも注意したいのが、悪玉むし歯菌のミュータンス菌。スプーンの共用やペットボトルの回し飲みはやめましょう。

Q むし歯と生活リズムは関係あるの?

A 大いにあり！ だらだら食べはNG

食事やおやつなどをだらだら食べ続けていると、口の中はいつまでも酸性に。歯からミネラルがとけ出し、むし歯になりやすくなります。食事の時間は規則正しく！

Q フッ素って、何?

A 歯を丈夫にするために欠かせません

生えたての乳歯の薄くて弱いエナメル質を、かたく強くしてくれるのがフッ素。むし歯の酸に負けないエナメル質をつくり、ごく初期のむし歯なら修復してくれる力も。

Q 歯みがき剤は使ってもいい？

A 分量に注意しながら使いましょう

口をゆすげないうちは、歯ブラシにゴマ粒1つ分をつける程度。ゆすげるようになったら3㎜くらいの量をつけて。フッ素入りの歯みがき剤を選びましょう。

Q 痛くない仕上げ用歯ブラシってどんなもの？

A 毛先がやわらかくヘッドが小さいものを

いろいろな種類が市販されているので、何種類か購入して、試してみて。ママのつめや手の甲を軽くこすって、最もやわらかいものをファースト歯ブラシに選びましょう。

Q 寝る前の母乳はむし歯になる？

A 日中のケアがじゅうぶんなら問題なし

母乳に含まれる糖分にはプラークをつくりにくい性質が。授乳だけの時期にはむし歯の心配はありません。離乳食が始まったら、日中の歯のケアをしっかりすることが大切です。

Q 歯並びのいい子にするには？

A 赤ちゃん期から"かむ"ことが大事

歯並びをよくしたいなら、第一にあごの骨を大きく育てることです。あごは「よくかむ」ことで成長します。離乳食ではさまざまな食材をとり入れ、しっかりかませましょう。

最初の1本から仕上げみがきをスタート

乳歯が1～2本のうちは、ガーゼでふくだけでもきれいになりますが、歯の本数がふえると、歯と歯の間の汚れはガーゼではふきとれません。また、ガーゼでふくことに慣れてしまうと、ナイロン製の歯ブラシをいやがるようになることもあります。おすすめなのは、最初の1本から仕上げ用の歯ブラシを使って、歯みがきをスタートさせること。歯の生え始めの時期は、ちょうどなんでも口に入れたがる時期です。ここで歯ブラシに慣れてしまえば、これから先の歯みがきケアも抵抗なく受け入れられるはず。仕上げみがきの回数は、最初のうちは1日1回、赤ちゃんの機嫌のいいときに。慣れてきたら朝晩2回にふやしましょう。奥歯が顔を出してきたら、特に就寝前の歯みがきはていねいに。

また、歯ブラシは2本、「仕上げみがき用（ママが使うもの）」と「自分みがき用（赤ちゃんが自分でカミカミするもの）」を準備しましょう。もちろん、まだ自分できれいにみがくことはできませんが、将来、自分で歯みがきするための練習です。月齢に合わせた安全なものを選んで、赤ちゃんに持たせてあげましょう。

歯の本数がふえてきたらみがく順番を決め、あちこち動かさないこともじょうずな仕上げのコツ。痛くないようソフトに手早くが鉄則です。歯みがきをいやがるときは、明るい声かけや歌など、ママの知恵と工夫で乗り切って。歯みがきを生活習慣のなかに自然にとり入れていきましょう。

たっぷりの愛情が
しつけの土台です

ほめる・しかる

善悪の区別がつかない赤ちゃんを「しかる」のは、ママ・パパにとってむずかしいこと。「ほめる」「しかる」の基本姿勢を学びましょう。

「ほめる」「しかる」はしつけのための手段の一つ

人間社会には、たくさんのルールがあります。「他人の生命を奪ってはならない」という大原則から「お茶わんは持って食べましょう」といったこまかなマナーまで、実にさまざまです。人は、それらのルールを赤ちゃんのうちから少しずつ学んでいきます。それを教えることが「しつけ」で、その主な手段が「ほめる」「しかる」です。

親は、赤ちゃんをほめることで、望ましい行動の回数をふやし、今後も続けてもらおうとします。してほしくない行動があれば、しかってその回数を減らしたり、やめさせようとします。

「赤ちゃんには言ってもわからないのでは？」と思うママもいるかもしれませんが、0才の赤ちゃんにもみずから「学ぼう」という意思があります。生後9カ月ごろになると、何かに手を伸ばそうとした瞬間に、チラッとママの顔を見たりします。にっこりしていれば手にとり、こわい顔なら手を引っ込める……。ママの表情を読みとって「これはやっていい」「これはダメみたい」というルールを学習しているのです。

でも、社会のルールは簡単には身につきません。0～1才の赤ちゃんであれば、記憶の容量に限界があり、理解力もまだ低いため、何度しかられても同じことをくり返します。さらに個人差もあって、1回でスパッとやめる子もいれば、何回言われてもくり返すツワモノも。かんしゃくを起こす子もいれば、シュンとなってしまう子もいて、反応もいろいろです。

赤ちゃん時代の「しつけ」は、くり返し伝えていくことに意味があります。しつけの効果までは期待しないこと。子どもに親の価値観をおだやかに伝えつつ、その子に合わせたしかり方、ほめ方を探していけたらいいですね。

信頼関係を積むことが大切！

しかる：「絶対にダメ！」なことを教えるためには「しかる」ことが必要。でも「しかる」が効果を発揮するには、安定した土台が不可欠。

ほめる：ほめられることで自分への信頼感が生まれます。自信があるからこそ、否定的なメッセージ（しかられる）も受け止められるのです。

生活リズム：たっぷり寝て、規則正しい生活をすることで、赤ちゃんの心は安定します。安定しているからこそ、何かを学ぶことができるのです。

愛情・お世話：いちばん大事な土台は、授乳、おむつ替え、お風呂など、毎日のお世話。ママとのあたたかなかかわりあいが、心の基礎をつくります。

ほめる・しかるの基本

1 「ほめる」「しかる」で社会のルールを伝えていく

人間社会にはルールがあり、「何をしてもOK」ということはありません。「してはいけないこと」「してもいいこと」「積極的にしてほしいこと」が何なのか。赤ちゃんは、ママ・パパの反応を見ながら学びます。「ほめる」「しかる」は、社会のルールを教えるための大切な手段なのです。

2 “しかる”大原則は、「危険なとき」と「人の権利を奪うとき」

赤ちゃん時代に、しかってでも教えるのは2つ。1つは危険なこと。ケガのおそれがあることはなんとしてもやめさせます。もう1つは、人の権利を奪うこと。たとえば、お友だちを突き飛ばしておもちゃをとったり、砂場で砂を投げたり。そういう場面では、毅然としてしかることが大切です。

ほめる

ほめるとは、赤ちゃんと喜びを共有すること

赤ちゃんのほめ方は、大人がふつうに考える「ほめる」とは少し違います。一般的に「ほめる」というと、何かの目標をクリアしたとか、人に感謝されるようなことをしたときに、「よくやったね」と〝上から目線〟で評価するようなイメージがあります。そう考えると、赤ちゃんをほめるシーンは「おすわりができた」「スプーンが持てた」というような、「できたこと」に限定されてしまいがち。でも、そうではありません。

赤ちゃんをほめるということは、うれしい、楽しいといったポジティブな感情を共有すること。これは、親子だけでなく、人間同士のコミュニケーションにはとても大切なことです。「うんち出たね」「よく食べたね」「いい笑顔だね」、日々の小さなことでいいのです。自分の存在や行動をママが喜んでいる、と赤ちゃんが感じられれば、それが「ほめられた」ということになるのです。

しかる

メリハリが大事！しかる回数は少なく

しかることは、社会のルールを教えるうえで欠かせないしつけの方法です。育児の過程では、親が子の前に立ちはだかり、厳しい言葉で止めなくてはならないこともあるはず。危ないことをしたとき、物を奪ったり、人を傷つけるようなことをしたときには、毅然とした態度でしからなければなりません。

でも、しかることの土台に、親子が愛情でしっかり結ばれていることが大事。もしも「しかりすぎ？」と思うなら、「これって、しかる以外の方法はないのかな？」と考えてみましょう。環境を整える、やり方を教える、しばらく待ってあげる、ほうっておく、気分転換をさせてあげる、睡眠時間や遊びの時間をふやす……。多くの場合、しかる以上に効果があるものです。一日中怒ってばかりのママでは、ママ自身も赤ちゃんもつらくなってしまいます。メリハリをつけて、本当にいけないことだけをしかるようにしましょう。

3 すぐに結果を求めないで、根気よく教えていく

しつけの最終目標は、社会のルールを、子どもが「自分自身のルール」として心に根づかせること。それはまだまだずっと先。しかられてもワンワン泣くばかりで同じことをくり返すこともありますが、「悪いことをした」とは感じています。今はその程度でじゅうぶんなのです。

4 成長に合わせて、「ほめる」「しかる」も進化する

しつけは、子どもが巣立つ日まで続く気の長い作業です。だからこそ、親のしつけ方も進化が必要。0才の子には、効果を期待せずにくり返し教えていきますが、3才の子ならやりとげるところまで見届けたほうがいいかもしれない。発達や理解力に合わせて「どうしたら伝わるか」を考えて。

column 7

今どき夫婦の性生活は!?

ホントはしたくないママが多数派!? 産後のセックス

産後すぐは心も体もナイーブ。さらに慣れない赤ちゃんのお世話に大忙しで、「それどころじゃない！」というのが、多くのママの本音みたい。でも、今後の夫婦関係を考えると、セックスってやっぱり大事？ パパ＆ママのセックス事情に迫ります。

再開後すぐのおすすめ体位

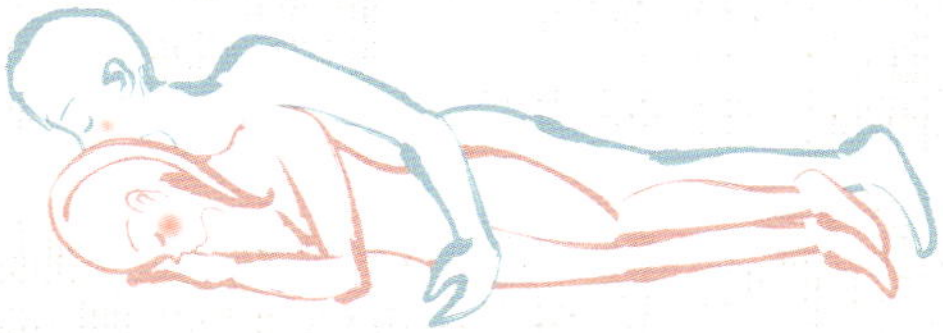

後ろからの側臥位《そくがい》

２人とも横向きになり、男性が後ろから挿入。挿入が浅めなので、体に負担がかからずおすすめ。男性は激しく動かず、やさしく。

負担をかけない座位

深く挿入できない座位は、男性の動きをセーブすることができます。回復したばかりの膣や子宮にも負担がかからずおすすめ。

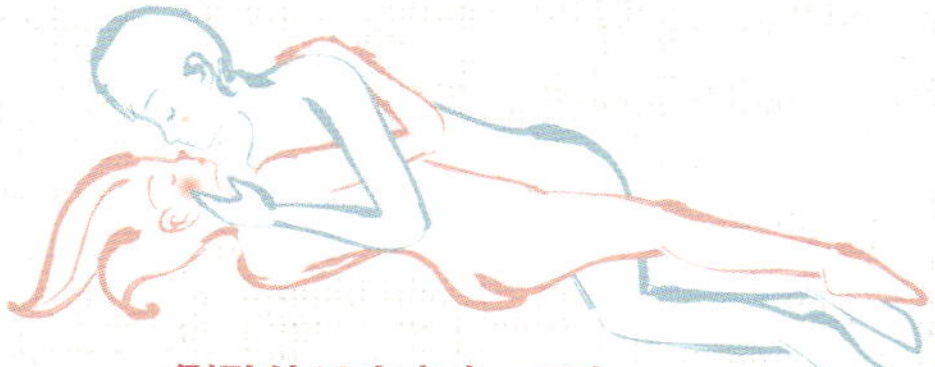

側臥位は向き合っても

横になって向き合うパターン。後ろからと同様に挿入は浅め。抱きしめあえるぶん、女性も安心でき、産後の不安定な時期にも◎。

産後すぐに無理は禁物！

お互いを思いやることが大切です

産後のセックスは、１カ月健診で医師のOKが出てから再開します。初めは傷が気になったり、痛くて挿入できないことも。でも、子宮や傷の戻りぐあいを医師がチェックして、「問題なし」と診断されているなら大丈夫。会陰切開の傷が開いてしまうこともないので、安心して。また、赤ちゃん優先の日々のなかで性欲がなくなってしまったという声も聞かれます。これは出産後のホルモンの変化によるもので、多くのママが感じていること。ただ、セックスは、夫婦の大切なコミュニケーションでもあります。出産をきっかけにセックスへの恐怖感や嫌悪感を持たないように、自分の体や心の状態をきちんと夫に伝え、理解してもらいましょう。体位は挿入を浅めにし、体に負担がかからないように。また、生理が再開しないまま妊娠することもあるので、すぐに妊娠を希望しない場合はきちんと避妊をしましょう。

みんなの産後セックスDATA

Q セックスの頻度は？

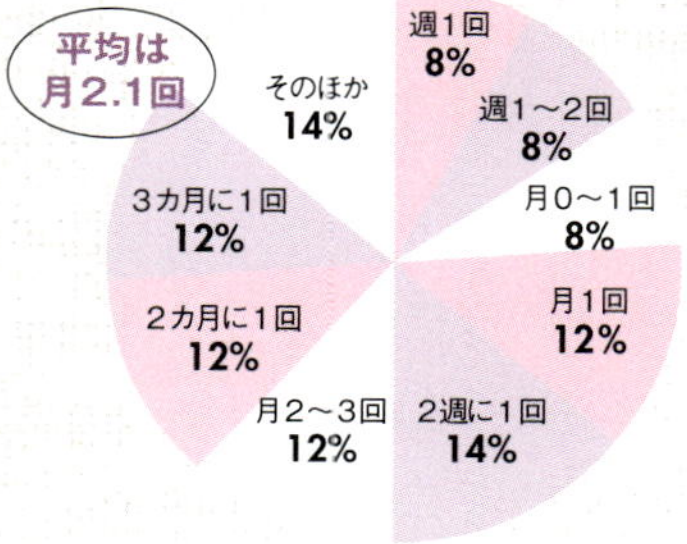

平均回数は、月に2.1回という結果に。「パパと今後も仲よしでいるためにもセックスは大切」という思いが、多くのママたちの共通意識。気乗りしなくてもパパの誘いに応じることも。

Q セックスを再開したのはいつ？

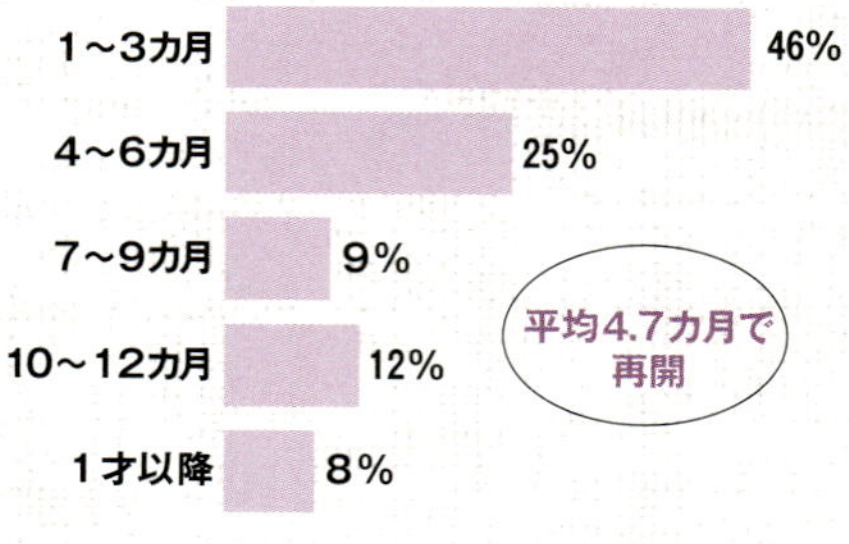

産後は育児に追われる日々。ママのほうに性欲はないながらも「夫のがまんの限界」「セックスレスになりたくない」「浮気予防」などの理由で再開しているケースが多いよう。

Q 再開するときに気になったのは？

1位　痛みや違和感はないか？

「痛そうでこわかった」「引きつれる感じがあった」など、産後の第一歩はみんなドキドキ。

2位　傷が開かないか？

「そんなことは起こらない」といわれるものの、会陰切開の傷がどうも気になってしまうママは多いよう。

3位　子どもが起きないか？

セックスには集中力も大事？「最中に子どもが起きるのではと思うと気が散って、結局、初回は途中で断念」という人も。

4位　ちゃんとぬれるか!?

「ぬれなくて夫にどう思われるか不安だった」「いつ性欲が戻るのかと、あせった」という声も。

5位　体型の変化

体型が戻っていない、乳首の色や形が気になるなど、「ベストではない自分」をさらけ出すのは勇気がいるもの。

PART
6

命にかかわる病気から、赤ちゃんを守る！

知っておきたい予防接種

育児に少しは慣れてきたと思ったら始まる予防接種。
ロタウイルス、肺炎球菌、五種混合……、
覚えるのもむずかしいし、
スケジュールを管理するのもたいへんですが、
かかりつけ医と相談しながら確実にクリアしていくこと。
こわい病気から赤ちゃんを守りましょう。

3才までに
定期8、任意2種類

予防接種の基礎知識

種類が多く、接種時期も回数もさまざまな予防接種。赤ちゃんを病気から守るため、基本を理解して受けていきましょう。

赤ちゃんが受けておきたい予防接種

月齢

3カ月	4カ月	5カ月	6～8カ月	9～11カ月	1才	1才3カ月	1才6カ月	2才	3才
2回目			3回目						
2回目									
2回目	3回目								
2回目	3回目				4回目				
2回目	3回目					4回目			
		1回目							
						1回目			
					1回目		2回目		
					1回目				
									1,2回目
			毎年接種、流行期前（10～11月）に1回目、2回目						

かかると重くなる病気から赤ちゃんを守ります

病気のなかには、赤ちゃんがかかりやすく、かかると重症化して重い後遺症を残したり、命にかかわるものがたくさんあります。こうした病気に感染しないように、たとえかかったとしても軽くすむように、との目的で行われているのが予防接種です。予防接種は、病原性を弱めたり毒性をなくした病原体を体内に入れて、病気に軽くかかった状態をつくって免疫力をつけます。

3才までに受けておきたい予防接種は10種類

3才までの接種がすすめられている予防接種は10種類あり、10種以上の病気を防ぎます。このなかには耳慣れない病気もいくつかありますが、それは予防接種が普及した結果、発生が抑えられているから。病原菌がなくなったわけではないので、接種しない人がふえると、その病気が再び流行する可能性があります。予防接種を受けることは、赤ちゃんを守るだけではなく、病気の伝染を抑えて社会全体の人々を守っていることになるのです。

定期接種のおすすめ期間　定期接種ができる期間　任意接種のおすすめ期間　任意接種ができる期間

ワクチン名（予防する病気）		ワクチンの種類	3才までの接種回数	6週	2カ月
B型肝炎		不活化	3回		1回目
ロタウイルス（ロタウイルス胃腸炎）	ロタリックス（1価）	生	2回		1回目
	ロタテック（5価）	生	3回		1回目
肺炎球菌（細菌性髄膜炎など肺炎球菌感染症）		不活化	3回＋追加1回		1回目
五種混合（ジフテリア、百日ぜき、破傷風、ポリオ、Hib）		不活化	3回＋追加1回		1回目
BCG（結核）		生	1回		
MR（はしか、風疹）		生	1回		
水ぼうそう		生	2回		
おたふくかぜ		生	1回		
日本脳炎		不活化	2回		
インフルエンザ		不活化	毎年2回		

●2024年8月現在、「日本小児科学会が推奨する予防接種スケジュール」に基づいて、Baby-mc編集部が作成した一例です。

ワクチンの種類

不活化ワクチン

［次の接種まで6日以上］

死んだ病原体の成分を無毒化したもの。そのため、免疫がじゅうぶんできるだけの回数を接種します。病原体が体内でふえるわけではないので、接種後1週間たてば、ほかの予防接種を受けられます。

生ワクチン

［次の接種まで27日以上］

毒性をごく弱くした病原体を生きたまま接種し、病気に軽く感染した状態にして免疫力をつけるもの。体内で病原体がふえるため、接種後4週間は、ほかの予防接種が受けられません。

予防接種法により「定期」と「任意」に

任意接種

希望者が自費で受ける予防接種。定期接種の病気と比べて、症状が軽い、感染力が弱いなどですが、後遺症の危険を伴う病気もあるので、接種がすすめられます。事故が起こったときに受けられる薬害補償制度があります。

定期接種

ある年月齢になったら、「保護者が積極的に接種に努めなければならない」とされる予防接種。決められた期間内なら公費（無料か一部自己負担）で受けられ、万が一事故が起こったときは、国の救済制度が受けられます。

予防接種のスケジュール・受け方

予防接種のスケジュールを組むには、コツがいります。5つのポイントを押さえつつ、かかりつけ医と相談しましょう。

生後2カ月からスタートするため、計画は早めに

3才までに受けたい予防接種のうち、多くは1才までに受けることになっています。早いものは生後2カ月から接種ができますが、単独で受けていくと、約10カ月間で十数回も接種しなければなりません。スタートが遅れると、赤ちゃんが病気にかかる危険性が高まるうえ、熱や体調不良などで予定どおりに受けられなかったときに、スケジュールを立て直すのもたいへんです。2カ月になったら受け始められるよう、スケジュールは早めに立てておくことが大切です。

スケジュールの組み方や変更は、小児科で相談を

スケジュールの組み方や日程の変更で迷ったとき、受けそびれてスケジュールが乱れたときは、小児科で相談しましょう。赤ちゃんの健康状態や体質などを考えて、的確にアドバイスしてくれるはずです。小児科がはじめての場合は、病気のときに通うかかりつけ医として信頼できるかどうかも、見きわめるといいでしょう。

POINT 1
時期が来たらすぐ接種する

予防接種によっては、病気のかかりやすさや、かかったときの重症度を考え、接種の推奨時期がピンポイントの場合があります。接種が可能な時期が来たら、すぐに受けましょう。

POINT 2
集団接種から予定に入れる

スケジュールを組むときには、日程が決まっている集団接種を優先します。多くの自治体で集団接種をしているのは、おもにBCG。まず接種日程を調べて、BCGの前後に個別接種の予定を入れていきます。

POINT 3
接種は"優先順位"を決める

- ☑ 重症化しやすい病気
- ☑ 流行している病気

まず優先したいのは、低月齢でもかかり、重くなりやすい病気を防ぐ予防接種。生後2～3カ月から受けられるものは、早めに受けます。季節や地域によって流行が予測できる病気も、流行前に予防接種を受けましょう。

POINT 4
次回までの間隔を確認する

次の接種までにあけるべき日数は、生ワクチンの場合が中27日以上、不活化ワクチンの場合は中6日以上が原則です。スケジュールを組むときは、ワクチンの種類を確認して、効率よく受けられるようにします。

POINT 5
同時接種をじょうずにとり入れる

同じ日に複数のワクチンを接種するのが、同時接種です。3才までに受けたい予防接種をすべて単独で受けると、接種回数は二十数回に。効率的に接種していくには、医師と相談のうえ、同時接種をとり入れることも必要です。

知っておきたい

予防接種の基本用語

副反応

予防接種による免疫反応以外の症状があらわれること。熱が出たり、局所がはれたりしますが、たいてい2～3日でおさまります。重い症状が起こることはごくまれで、予防接種が原因とは言い切れないことも。

アナフィラキシー

予防接種に含まれる成分により、接種後30分以内に強いアレルギー反応が起こること。血圧低下や呼吸困難などが起こることもあるので、すぐ対応できるよう、接種後はしばらく会場で様子を見ることが多いでしょう。

予防接種の受け方シミュレーション

予防接種はどんなふうに行われ、何が必要？
事前の準備から当日、接種までの流れを知っておくと安心です。

Mama
着脱しやすい靴を
病院や会場で、靴を脱ぐことも。荷物と赤ちゃんで手いっぱいでも、ラクに脱ぎはきできる靴が◎。

Baby
袖、すそがまくりやすい服装を
検温、診察、接種がスムーズにできる服がおすすめ。袖やすそがまくりにくい場合は脱がせて。

事前に

資料に目を通し、予診票に記入

予防接種のお知らせは、通知が届く、広報紙に掲載されるなど、自治体によって異なります。お知らせとともに資料が届いたら、事前に目を通し、前日までに予診票に記入をすませておきます。

家で

検温し、体調をチェック

当日は、赤ちゃんに変わったところはないか、体調を確認しておきます。検温は会場でもしますが、念のため家でも測っておきましょう。

会場で（BCG集団接種の場合）

1 受付
事前に書いておいた接種票、予診票、母子健康手帳などを提出。受付がすんだら、検温のため体温計を渡されます。

▼

2 検温
家ではかっていても、会場で体温をはかります。37度5分未満なら、問診コーナーへ。37度5分以上の場合は、医師に相談します。

▼

3 問診
予診票を参考に、これまで受けた予防接種や赤ちゃんの様子について医師が質問を。次に診察をして、接種が可能かどうか判断します。

▼

4 接種
問診でOKが出たら、接種へ。ほとんどの予防接種は注射ですが、ロタウイルスは口から飲み、BCGは腕にスタンプを押します。

▼

5 待機
接種後、すぐ帰宅OKの場合もありますが、急な副反応が起きないか見るため、30分ほど会場で過ごすように言われることも。

帰宅後

出かけたりせず様子を見て

接種後の生活は、いつもどおりでかまいません。授乳や離乳食も、赤ちゃんのペースで。入浴もOKですが、激しい運動だけは避けて、ゆったり過ごします。

定期接種

ワクチンは接種回数の違う2種類

ロタウイルス

予防する病気	ロタウイルス感染症 （おもに嘔吐と下痢）
回数	ロタリックスは2回、ロタテックは3回
接種する時期	●ロタリックスは生後24週までに2回 ●ロタテックは生後32週までに3回
注意ポイント	ワクチンは2種類。混在して飲めないので、どちらか1種類だけを受ける

副反応	下痢、せき、鼻水などの症状が見られることがある
受診が必要な場合	まれに接種後1週間以内に腸重積症《ちょうじゅうせきしょう》を起こすことが。腹痛や血便があったら、すぐに受診を

1回目は生後8週～ 15週未満（14週6日まで）に接種

ロタウイルスのワクチンは、飲むタイプの生ワクチン。2回飲むロタリックスと3回飲むロタテックのうち、どちらか1種類を接種します。ロタウイルス感染症は、初めてかかったときの症状が最も重くなるうえ、低月齢でかかると重症化しやすいので、とにかく早く予防することが大切。接種期間が短いので、ほかの定期接種と同時接種でスケジュールを組み、2カ月から受け始めることが望まれます。

嘔吐・下痢によって、感染力が強いのが特徴

ロタウイルス感染症は、ロタウイルスが原因で、毎年春先に流行する急性の胃腸炎。感染力が強く、かぜのような症状から始まり、やがて激しい下痢と嘔吐が起こります。ピークのときは、便は水のようにゆるく白っぽくなることもあり、回数は1日10回以上になって、赤ちゃんが脱水症を起こす危険も。重症になると、けいれんや脳炎などの合併症を引き起こすこともあります。

定期接種

ママがキャリアではなくても、接種を推奨

B型肝炎

予防する病気	B型肝炎
回数	3回
接種する時期	●母子感染予防の場合は健康保険が適用され、生後すぐ、1、6カ月の計3回接種　●それ以外は2～3カ月ごろ4週以上の間隔で2回、初回から20週以上あけて1回の計3回接種
注意ポイント	●母子感染予防の場合は生後すぐから接種可能 ●それ以外は、2～3カ月から

副反応	まれに接種部位がはれることがある
受診が必要な場合	ほとんどない

母子感染の予防には生後すぐに接種

ママがキャリア（血液中にウイルスを無症状で持っている人）の場合は、生後すぐから免疫グロブリンの投与やB型肝炎ワクチンが保険適用で接種できます。ママがキャリアではなくても、生まれてすぐから接種できますが、接種のスケジュールは、かかりつけ医と相談して、ほかの定期接種のスケジュールとのかね合いも考えて決めるといいでしょう。2016年10月から定期接種になりました。

集団生活でうつる可能性も

B型肝炎は、B型肝炎ウイルスにより肝炎を発症し、肝硬変《かんこうへん》や肝臓《かんぞう》がんになることもある病気です。ママがキャリアだと、出産時に母子感染する可能性が高くなるので、出生後すぐに予防することが必要です。また最近はパパからうつったり、保育園などでうつるケースも報告されています。そのため、WHO（世界保健機関）では、乳児全員が予防接種を受けるようすすめています。

定期接種

Hibと同様、細菌性髄膜炎を予防

肺炎球菌

予防する病気	細菌性髄膜炎などの肺炎球菌感染症
回数	3回＋追加1回
接種する時期	●2カ月から1回目を接種し、4週以上の間隔をあけて1才までに2、3回目を接種　●1才～1才3カ月で追加を1回接種
注意ポイント	●7～11カ月で1回目を接種した場合は、合計3回の接種　●1～2才未満で1回目の接種をした場合は、合計2回の接種　●2才以降で1回目を接種した場合は、接種1回のみ

副反応	約10%に38度以上の熱が出ることがある
受診が必要な場合	38度以上の熱が出たり、高熱が続いてぐったりするようなとき

生後2カ月から受け始めたい

肺炎球菌が引き起こす細菌性髄膜炎などの病気は、月齢が低い赤ちゃんがかかるほど重くなるので、早めに接種をすませておきたいもの。2カ月から接種を開始して1才までに3回受けるため、五種混合などのワクチンと同時接種で受けていくといいでしょう。なお、接種の開始が「7カ月以上1才未満」「1才以上2才未満」の場合は、合計の接種回数がそれぞれ異なるので確認しましょう。

2才以下の乳幼児がかかると重症化

2才ごろまでの赤ちゃんがかかりやすく、肺炎球菌が入り込んだ場所によって、細菌性髄膜炎、肺炎、中耳炎《ちゅうじえん》、菌血症《きんけつしょう》などを引き起こします。これらのなかでも赤ちゃんがかかると重症になるのが細菌性髄膜炎。かかる頻度はHibより低いですが、肺炎球菌が原因の細菌性髄膜炎は、死亡率も後遺症が残る確率もHibより高くなります。そのため、Hibと同様に、早めに接種して予防することがとても大切です。

最新情報など、**日本小児科学会のホームページ**でチェックできます！

5つの病気をまとめて予防する

五種混合

定期接種

低月齢でもかかる 5つの病気をまとめて予防

五種混合は5つの病気を予防するワクチン。以前は、三種混合ワクチンと、ポリオの生ワクチンが使われていました。ポリオの生ワクチンは、副反応でまれに麻痺《まひ》が起こることがあったため、2012年から不活化ワクチンが導入に。免疫を確実につけるため４回接種します。

五種混合ワクチンができ、接種回数が減って負担が軽減

2012年のポリオ不活化ワクチンの導入を機に、三種混合ワクチンにポリオの不活化ワクチンを加えた四種混合フクチンが作られました。さらにHibワクチンが加わり、2024年2月以降に生まれた赤ちゃんは原則として五種混合ワクチンを接種します。接種回数を減らして、赤ちゃんの負担を軽くする目的からです。

予防する病気	**ジフテリア、百日ぜき、破傷風《はしょうふう》、ポリオ、ヒブ感染症**
回数	**3回＋追加1回**
接種する時期	2カ月から3～8週の間隔をあけて3回接種。3回目終了後、6カ月以上経過すれば追加を受けられ、1才過ぎから1才6カ月までに追加を1回接種
注意ポイント	●11～12才で、二種混合（ジフテリアと破傷風の混合）ワクチンを1回接種する

副反応	接種部位が赤くはれたり、しこりのようになることがある。回数を重ねるごとに副反応が出やすくなる
受診が必要な場合	接種部位が痛んだり、ひじから下が広くはれたり、腕全体がはれたとき。接種後 24 時間以内に発熱したとき

破傷風

破傷風菌に感染してかかります。菌が出す毒素のため、けいれんや筋肉の硬直などが起こり、命を落とすことも。破傷風菌は土の中にいるため、感染や発症を防ぐには、予防接種を受けることが最善策です。

小児麻痺（急性灰白髄炎《きゅうせいかいはくずいえん》）

ポリオウイルスが口から入って感染します。かかった人の0.1 ～2%に手足に麻痺が残ったり、死亡することもある病気。予防接種のおかげで、日本では自然感染の患者は出ていません。

ヒブ感染症（Hib）

Hib菌は、重症化しやすく、赤ちゃんの命を奪うような病気を引き起こします。特に細菌性髄膜炎にかかると、ぐったりしたりけいれんを起こしたりし、死亡率は2～5%、後遺症の残る確率は30%といわれています。喉頭蓋炎を起こした場合は、短時間で悪化して呼吸困難に。

ジフテリア

ジフテリア菌がのどや鼻、目などの粘膜に感染して起こります。呼吸困難、神経麻痺や心筋炎《しんきんえん》などが起き、亡くなることもある重い病気。予防接種のおかげで、今はほとんど見られなくなりました。

百日ぜき

百日ぜきの免疫はママからもらえないため、生まれたばかりの赤ちゃんでもかかります。月齢が低いほど重くなり、合併症を起こして命にかかわることも。今でも流行することがあるので、早めの予防接種で防ぐことが必要です。

定期接種

1才過ぎたら最優先で接種を

MR

予防する病気	はしか（麻疹《ましん》）、風疹《ふうしん》
回数	1回（追加1回）
接種する時期	1才を過ぎたら、2才になるまでに受ける。追加接種として、5才を過ぎたら7才になるまでの就学前の1年間に1回
注意ポイント	定期接種できる期間は長いが、1才過ぎたら早めに受けたい

副反応	接種後7～10日くらいで、5～20%の子が軽く熱を出すことがある。発疹が出たり、リンパ節がはれることも
受診が必要な場合	熱が続いたり、全身にじんましんが出たとき。熱を出して熱性けいれんを起こしたとき

1才になったらすぐ受けたい！

MRは、はしかと風疹を同時に予防するワクチンです。どちらの病気も感染力が強いのですが、特にはしかは今でも流行することがあり、かかると重くなって命を落とすこともあります。風疹も、かかると合併症の心配がある病気。公費で受けられる1才になったら、すぐに接種しましょう。また、免疫を確実につけるために、小学校入学前の1年間に、2回目を忘れずに受けることが必要です。

かかると重くなるはしか、合併症の心配もある風疹

はしかは、麻疹ウイルスが原因で高熱が続き、全身に発疹が出ます。また、中耳炎、気管支炎、肺炎、脳炎などを併発して、後遺症を残したり命を落とすことも多い、重い病気です。風疹は、風疹ウイルスが原因で、首のリンパ節がはれ、発熱、発疹が見られます。はしかほど症状は重くないものの、脳炎を併発したり、妊娠初期にかかると、先天性風疹症候群《せんてんせいふうしんしょうこうぐん》の赤ちゃんが生まれるおそれがあります。

定期接種

スタンプを押して接種する生ワクチン

BCG

予防する病気	結核《けっかく》
回数	1回
接種する時期	1才になるまでに接種する
注意ポイント	9本の針がついたスタンプを上腕2カ所に押しつける

副反応	接種部位が赤くなったり、うみをもつなど、100人に1人は接種後1～3カ月して、接種した腕のつけ根のリンパ節がはれることがあるが、数カ月で治る
受診が必要な場合	接種後10日以内に接種部位が赤くはれたら、結核菌に感染していて「コッホ現象」を起こした可能性も。すぐに予防接種を受けた医療機関か市区町村に報告する

5~8カ月での接種を目標に

結核を予防する生ワクチン。針のついたスタンプを腕に押しつけ、ワクチンを皮下に押し込みます。今は結核菌に感染している赤ちゃんはほぼいないので、以前に行われていた接種前のツベルクリン反応検査はせず、全員が接種します。公費で接種できる期間は1才までなので、2カ月から受けられる予防接種を先にすませ、標準的には5～8カ月でBCGを接種することがすすめられています。

大人が感染源になり、赤ちゃんにうつる

結核は、結核菌によって感染します。原因不明の発熱が数週間続いて、顔色が悪くなったり食欲が落ちたりします。ひどくなると、重症の粟粒《ぞくりゅう》結核に進んだり、結核性髄膜炎を併発することも。予防接種が普及したとはいえ、結核患者は毎年約3万人も出ています。赤ちゃんの場合は、結核にかかった大人からうつされるケースがほとんどなので、感染を防ぐためにはBCGの予防接種を受けておくことが必要です。

任意接種

難聴《なんちょう》など後遺症予防のために受けたい

おたふくかぜ

予防する病気	おたふくかぜ
回数	1回
接種する時期	1 才を過ぎたら早めに受ける
注意ポイント	確実に免疫をつけるには、2 回接種するのが理想。2 回目は MR 追加と同じ、5才を過ぎて7才になるまでの就学前の 1 年間に 1 回接種するとよい

副反応	接種後2～3週間して、耳の下がはれたり発熱することがある
受診が必要な場合	1000 ～ 2000 人に 1 人の割合で無菌性髄膜炎《むきんせいずいまくえん》を起こすことが。後遺症の心配はないが、発熱、嘔吐《おうと》、頭痛など様子がおかしいと思ったら急いで受診を。

合併症予防のためにも ぜひ接種を

おたふくかぜは、自然感染しても症状は比較的軽いのですが、こわいのが合併症です。任意接種ですが、合併症予防のためには、流行前の接種を心がけたいもの。副反応の無菌性髄膜炎を心配する人もいますが、ワクチン接種後に起こるのは1000 ～ 2000人に1人の割合で、軽くすむうえ後遺症も残りません。一方、自然感染した場合はかかった人の10%と、無菌性髄膜炎の発症率は高くなります。

症状は軽いが、合併症の難聴や髄膜炎がこわい

おたふくかぜは、ムンプスウイルスに感染して耳下腺《じかせん》が炎症を起こす病気。熱が出たり、耳の下がはれておたふくのような顔になります。症状自体は軽いのですが、無菌性髄膜炎を起こすことが多いほか、脳炎を起こすことも。また、1000人に1人は後遺症で一生治らない難聴になることも。思春期以降にかかると、精巣炎《せいそうえん》や卵巣炎《らんそうえん》を起こすなど、さまざまな合併症が心配な病気です。

定期接種

2014 年秋から、定期接種の仲間入り

水ぼうそう

予防する病気	水ぼうそう
回数	2回
接種する時期	1才を過ぎたら1才3カ月までに1回目を接種。1回目接種後、3カ月以上あけて標準的には6カ月～1年の間に2回目を接種
注意ポイント	2014 年秋から定期接種に。免疫をしっかりつけるため、2回目は2才までに接種したい

副反応	ほとんどないが、まれに発疹が出ることもある
受診が必要な場合	ほとんどない

水ぼうそうと帯状疱疹《たいじょうほうしん》を予防！ 2014年10月から定期接種に

水ぼうそうと、水ぼうそうに自然感染したあと起こる帯状疱疹を予防します。以前は任意接種でしたが、2014年10月から定期接種になりました。確実に免疫をつけるために、接種は2回受けます。接種期間は1才以上2才未満で、1回目を接種後、3カ月以上たつと2回目が受けられます。水ぼうそうは感染力が強いので、1才になったらすぐ1回目を受け、2回目も早めに受けると安心です。

感染力が強く、合併症の心配も

水ぼうそうは水痘帯状疱疹ウイルスが原因で、感染力がとても強く、ママからもらった免疫にもよりますが、新生児でもかかります。症状は比較的軽いのですが、発熱が続いたり全身に発疹が出て、治るまでに1～2週間かかります。脳炎や肺炎などを併発して亡くなることもあります。また、水ぼうそうに自然感染後はウイルスが神経節にひそんでいて、のちに過労やストレスなどで免疫力が落ちたとき、帯状疱疹となって出てくることも。

任意接種

流行する前に、家族全員で受けて

インフルエンザ

予防する病気	インフルエンザ
回数	毎シーズン2回
接種する時期	毎年。流行する前の 10 ～ 11 月に接種が望ましい
注意ポイント	ウイルスを培養するときに鶏卵を用いている。ワクチンを精製したときに卵成分は除かれるが、卵アレルギーがある場合は接種前に医師に相談を

副反応	まれに接種部位が赤くはれたり発熱することがあるが、2～3日で治る
受診が必要な場合	接種後しばらくして、アレルギー反応（アナフィラキシーショック）が起きたとき

流行する前に接種を終えるのが基本

インフルエンザウイルスの型は複数あるので、ワクチンは翌年に流行する型を予測して作られます。そのため、予防接種をしてもかかることがありますが、症状は自然感染よりも軽くすみます。赤ちゃんの場合、インフルエンザにかかるのは、感染した家族からうつることがほとんど。流行するのは、毎年12月中旬ごろからなので、その前に予防接種を家族全員ですませておくことが大切です。

赤ちゃんがかかると重くなりやすい

インフルエンザウイルスがくしゃみなどで飛び散ることで感染します。冬から春先まで流行し、高熱が数日続いて、鼻水やせきのほかに、頭痛、下痢、関節痛などが起こります。高熱は一度下がり、また急に上がるのも特徴です。体力のない乳幼児や高齢者は、肺炎や気管支炎、インフルエンザ脳症などの合併症を起こすこともあります。さらに赤ちゃんの場合は、熱の上がりぎわに熱性けいれんを起こすこともあります。

定期接種

2010 年から、より安全なワクチンに

日本脳炎

予防する病気	日本脳炎
回数	2回
接種する時期	3 才で2回接種
注意ポイント	追加接種として、4才と9才で1回ずつ接種

副反応	ほとんどないが、約 10%は接種部位が赤くなったり軽くはれることがある。ごくまれに発熱や発疹が出ることもある
受診が必要な場合	高熱が続いたり、けいれんを起こしたとき

2010年にワクチンを変更し、定期接種に

日本脳炎の予防接種は、2005年に副反応で急性散《きゅうせいさん》在性脳脊髄炎《ざいせいのうせきずいえん》（ADEM）という病気が報告され、厚生労働省がワクチンの積極的な接種をすすめない時期がありました。その後、安全なワクチンが開発され、2010年には定期接種となり、現在では積極的な接種が推奨されています。日本での発症例はほとんどありませんが、国内の豚の多くは日本脳炎に感染しているので、予防接種を受けることが必要です。

高熱や頭痛、嘔吐をともない重症化

原因は、日本脳炎ウイルス。日本脳炎に感染した豚を刺したアカイエカが、人を刺すことでかかります。日本でも、日本脳炎に感染する豚はいるので、かかる可能性があります。感染しても症状が出ないことが多いのですが、100 ～ 1000人に1人は発症し、40度以上の高熱や頭痛、吐きけがして、やがて意識障害やけいれんを起こします。死亡率も20 ～ 40%と高く、助かっても45 ～ 70%の人に重い後遺症が残る、こわい病気です。

予防接種の気がかりQ&A

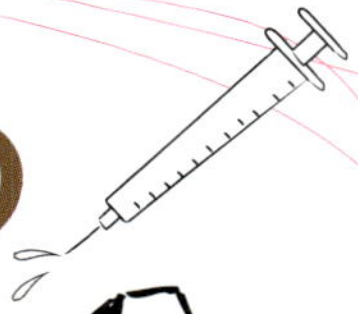

予防接種について、ママたちが
抱くソボクな疑問や不安を、
ズバリ解決！

Q 次々とワクチンを接種して、赤ちゃんの負担にならない？

A 次々と接種しても負担がないように作られています

予防接種は、多量のウイルスや病原菌を体内に入れるわけではないので、次々と接種しても赤ちゃんの体に負担はかかりません。予防接種のある病気は、月齢の低い赤ちゃんほどかかったときに症状が重くなることが多いもの。自然感染する前に予防するため、月齢が低いうちから次々と接種するようになっているのです。

Q 熱性けいれんを起こしたことのある子の接種は？

A 3カ月以上たてば受けてもOK

熱性けいれんを起こしたあと、以前は1年以上あけないと予防接種ができませんでした。でも現在は「けいれんの原因となる病気は早めに予防すべき」という考えから、けいれん後3カ月たてば予防接種が受けられるようになっています。いずれにしても、けいれんを起こしたあとの接種は、かかりつけ医と相談して決めましょう。

Q 副反応が心配だけど、受けさせないとダメ？

A 副反応よりも、自然感染するほうがハイリスク

接種後に局所がはれる、熱が出るなど軽い副反応が出ることがありますが、ほとんどは数日でおさまります。重篤な症状を引き起こすことはごくまれで、その場合も予防接種との因果関係はわからないことが多いものです。自然感染して重症化したり、後遺症や合併症が起こるリスクは、副反応よりもずっと高いことを知りましょう。

Q 小さく生まれた赤ちゃんの接種は？

A 発育に関係なく、受けられる月齢になったら

小さく生まれた赤ちゃんの場合も、予防接種は出生日から数えて、接種できる月齢になったら受けられます。小さく生まれると、体内の免疫がじゅうぶんでないことが多く、病気にかかると重くなりがちです。ワクチンが体に負担となる心配はないので、小さく生まれた赤ちゃんほど、積極的に予防接種を受けて、病気を防ぐことが大切です。

Q 予防接種よりも自然感染したほうがいいのでは!?

A 自然感染すると、重症化や後遺症、合併症が心配

自然感染すると、症状が重くなりやすく、後遺症を残したり合併症を併発して、命にかかわることがあります。予防接種をしても、1回の接種ではじゅうぶんな抗体がつかなかったり、年月がたつと抗体が少なくなって病気にかかることもあります。それでも、予防接種を受けていれば、自然にかかるよりもずっと軽くすむでしょう。

Q 同時接種をすると、副反応がどの注射かわからないのでは？

A 原因特定よりも、副反応の心配が減るメリットを考えて

同時接種後、接種部位に反応が出た場合にはどのワクチンのものかわかりますが、それ以外の副反応は区別できません。同時接種をしても、副反応の頻度は上がりませんが、別々に打って接種回数が多くなれば、副反応を心配する回数はふえることに。同時接種であれば接種回数も少なく、効率よく受けられるという利点を知りましょう。

Q スケジュールどおりにいきません！どう立て直せばいい？

A 集団接種と重症化しやすい病気を優先して接種を

BCGのような集団接種を受けそびれたときは、決まっている次回の日程を中心にスケジュールを組み直します。個別接種では、肺炎球菌、五種混合、MRなど、かかったら重症化しやすい病気の予防接種を優先して受けましょう。かかりつけ医にも相談して同時接種もとり入れながら、早めに受けていくことが大切です。

PART

7

危険は未然に防ぐ！　赤ちゃんの生活を安全に

事故＆ケガ対策と応急手当て

事故＆ケガ対策の基本は、赤ちゃんの発達を予測して
トラブルが起こらない環境をつくること。
飲み込んでしまいそうな小さなものは落ちていないか、
やけどしそうなものは置いていないか……、
赤ちゃん目線になって見直しましょう。
応急手当てをひととおり知っておくことも大切です！

「きのう安全だから、きょうも安全」ではありません！

室内の事故&ケガ対策

いつ起こるかわからない事故やケガ。まずは、家の中の危険ゾーンをチェックして、安全対策を万全にしておくことが大切です！

事故は必ず起こると考え、「目を離してもいい環境」を

赤ちゃんが大ケガをしたり、命を落としたりする不幸な事故が、毎年たくさん起きています。しかも、そうした事故の多くが、周囲の大人が「ちょっと目を離したすきに」「うっかりして」といった状況で発生しています。

赤ちゃんが事故にあうなど想像するのもつらいことですが、24時間ずっと

赤ちゃんの目線、気持ちになって

室内の危険をチェック

- ☑ 水がたまっている
- ☑ 火・湯気が出る
- ☑ 段差がある
- ☑ 小さなものがある
- ☑ 滑りやすい

赤ちゃんの成長につれて、危険ゾーンも広がります。赤ちゃんの低い目線や気持ちになって、ときどき室内をチェックしましょう。

キッチン
赤ちゃんの興味をそそる危険物がいっぱい
火や水、刃物、食器など、赤ちゃんがさわりたがる危険なものばかり。まず片づけておくことが大切ですが、入り口に柵をつけるなどして、進入禁止にしておくと安心です。
寝室
ベッドからの転落が多い！柵は必ず上げて
ねんね期でも柵のないベッドに寝かせておくのは危険。手足をバタバタさせたり、急に寝返りするようになって落ちることがあります。ベビーベッドなら、柵を必ず上げる習慣を。
リビング
物が多い“事故多発エリア”とにかく片づけて
誤飲の危険があるこまかいものや、やけどの原因となる熱源などは、赤ちゃんの手の届かないところへ片づけて。赤ちゃんの発達に合わせて、危険がないか見直すことも忘れずに。
お風呂
水の事故予防のため、入らせない＆残し湯をしない
赤ちゃんがひとりで入らないように、ドアにカギをかけることが第一！万が一入ったときに備えて、残し湯をする、浴槽の近くに踏み台になるものを置く、などは絶対にNGです。

室内の事故&ケガ対策

目を離さないでいることは不可能です。事故を確実に防ぐためには、「どんなに注意していても、事故は起こってしまうもの」と考えること。そのうえで、「目を離してもいい環境を整えること」がとても重要です。

「次にできること」を見越した予防策を

事故の予防に必要なのは、具体的な安全対策です。それには、過去の事故例を参考に。そして一般的な赤ちゃんの発達段階を理解するとともに、わが子の発達の度合いも考えて対策を講じることです。「まだねんねの時期だから」とソファに寝かせていた赤ちゃんが、急に寝返りをして転落、といった思いがけない事故も多いもの。赤ちゃんは日々成長しているので、「今できること」に対応するだけでは、不じゅうぶん。「次にできるようになること」までを見越した早めの対策をすることで、赤ちゃんを事故から守ってあげましょう。

赤ちゃんの発達によっても違います!

発達別★起こりやすい事故

起こりやすい事故は、赤ちゃんの発達段階によって変わってきます。今、赤ちゃんは何ができるかを知って対策をするとともに、次にできることを見越した予防をしておくことが大切です。

ねんね・寝返りのころ

- ☑ 赤ちゃんを落とす
- ☑ 赤ちゃんの上に物を落とす
- ☑ 顔に布団などがかかって窒息する
- ☑ 落ちているものを口に入れる
- ☑ ソファ、ベッドから落ちる など

動けない時期とはいえ、手足をバタバタさせているうちに思わぬ事故にあったり、大人の不注意が事故につながってしまうことが。寝返りが始まったら、誤飲や転落に特に注意を。

おすわり・はいはいのころ

- ☑ 倒れて頭を打つ
- ☑ 段差、玄関から落ちる
- ☑ 熱いものをさわってやけどする
- ☑ 固形物や液体を飲み込む など

自由に動けるようになると、転落、やけど、誤飲などさまざまな事故への対策が必要になります。また、頭が重くバランスをくずしてよく転ぶので、段差のある場所にも注意を。

つかまり立ち・伝い歩きのころ

- ☑ 浴槽に頭から落ちる
- ☑ テーブルの角に頭をぶつける
- ☑ 不安定なものにつかまって転倒する
- ☑ こまかいものを飲み込む など

興味のおもむくままに移動するので、浴室に入り込んだり家具の下にもぐり込んだり。危険な場所には柵をつけるなどの安全対策を。また、つかまり立ちする際に転倒することも。

歩くころ

- ☑ 転んで頭を打つ
- ☑ ブランコ、滑り台から落ちる
- ☑ ドアや引き出しに指をはさむ
- ☑ 道路に飛び出す など

行動範囲が広がり、動きも活発で、すばやくなります。外での事故もふえるので、外出時は特に目を離さないように。バランスをくずし、転倒や転落することも多くなります。

洗面所
こまごましたものの誤飲と、洗濯機での事故に注意！
ヘアピンやカミソリ、化粧品のビンなど、危険なものは出したままにしておかないようにしましょう。洗濯機がある場合は、踏み台になるものを周囲に置かないで。
トイレ
便器内の水でも溺死する要注意ゾーン
赤ちゃんは10cmの水深で溺死することがあります！ たとえ水が少なくても、便器に頭を突っ込んで抜けなくなり、おぼれることも。入らないよう、ドアに外カギをつけましょう。
階段
上り口と下り口、両方に柵を設置して
はいはいが始まると、階段も上れるようになるので、目を離したすきに転落する危険が。階段の上下には柵をつけ、大人が通ったあとは忘れずにロックしておく習慣をつけて。
ベランダ
踏み台になるものを置かないなど、転落防止策を
赤ちゃんがベランダに出ないよう、出入り口に柵をつけるか、窓や網戸にロックをつけて。転落防止のため、柵近くには踏み台になるものを絶対に置かないようにしましょう。

いざというとき、あわてないために

知っておきたい応急手当

注意していても、絶対に起こらないとは言い切れない事故。いざというときパニックにならないよう、応急手当ても知っておきましょう。

転んだ・打った

まず、すること！

1 **名前を呼び、意識確認**

2 **全身チェック**
☑出血していない？
☑痛がる場所はない？

応急処置

- 傷がある場合は手当てを（P.182）
- 腕や手足をだらりとしているとき、さわると激しく泣くときは骨折や脱臼《だっきゅう》の疑いが。添え木になるものを当てるか、タオルでくるむなどして病院へ
- こぶやあざ、皮下出血があるときは、いやがらなければぬれタオルなどでしばらく冷やす

受診の目安

様子を見てOK	すぐ大声で泣き、泣きやんだあとはケロッとしている、変わった様子はない →念のため、48時間は様子に注意する
診察時間に受診を	機嫌が悪い、顔色が悪い、反応がいつもと違う →できるだけ早く病院へ
救急車を呼んで！	意識がない、顔色が悪くぐったりしている、ぼんやりしている、ウトウトしている、何度も吐く、けいれんを起こした、耳や鼻から血や液体が出ている →ゆすったり動かしたりしてはいけない

事故発生までにかかる時間は0.5秒！起こることを見越した対策を

赤ちゃんは、頭が重くバランスが悪いため、とてもよく転びます。しかも「危ない！」と思ってから事故が起こるまでの時間は、わずか0.5秒程度。危険な場所に近寄らせないよう柵を設置するなど、事故は起こるものと考えたうえで、安全対策をしましょう。

誤飲《ごいん》した のどに詰まった

誤飲は100%起こると考え、直径40mm以下のものは要注意！

赤ちゃんは、手にしたものはなんでも口に入れて確認するので、誤飲事故は、どの子も必ず経験します。赤ちゃんが飲み込めるのは、直径40mm以下のもの。手の届く範囲にこまかいものがないか、常にチェックし、片づけておくことを習慣に。

まず、すること！

口の中を確認
□**すぐにとり出せそう**
→指でかき出す
□**飲み込んでしまった**
→飲んだもの、量、時刻をチェック
□**のどに詰まらせている**
→呼吸、顔色をチェック

受診の目安

様子を見てOK	飲み込んでいない、口の中のものをとり出したらケロッとしている →念のため、5～6時間は様子に注意する
診察時間に受診を	小さな固形物、石けん類、化粧品、蚊取り線香、紙類、酒類などを飲み込み、吐かせたあとで様子がおかしくなった、大量に飲み込んだ →できるだけ早く病院へ
救急車を呼んで！	「毒性の強いもの（医薬品・タバコ）→なるべく吐かせる」「吐かせてはいけないもの」を飲み込んだとき、固形物をのどに詰まらせてとれず、意識がなかったり呼吸が苦しそうなとき →大至急病院へ！

応急処置

- のどに詰まらせたとき

1才未満
赤ちゃんをうつぶせの状態で、ママの腕にまたがらせるように乗せて、もう一方の手で、肩甲骨の間を強く4～5回たたく。

1才以上
ママが立てひざをついて、太ももの上に赤ちゃんをうつぶせにして乗せ、手で肩甲骨の間を強く4～5回たたく。

- 何かを飲み込んだとき

吐かせてはいけないもの[吐かせるとかえって危険！]
揮発性のあるもの（マニキュア、除光液、灯油、ガソリン）**強酸性、強アルカリ性のもの**（漂白剤、排水パイプ剤、カビ取り剤、トイレ・風呂用洗剤）**電流の流れるもの、とがったもの**（ボタン電池、画びょう、針、くぎ、ガラス）

おぼれた

まず、すること！

1 水から引き上げる

2 名前を呼び、意識確認

応急処置

- 水を飲んでいたら吐かせる

うつぶせにして、肩甲骨の間をすばやくたたく。吐かないときは無理せずに

- すぐに泣いて意識がある場合は、ぬれた衣服を着替えさせ、体をあたためながら落ち着かせる

受診の目安

様子を見てOK
水から引き上げたらすぐに大泣きし、その後はケロッとしていて、いつもと変わりがない
→念のため、数時間は様子に注意する

診察時間に受診を
機嫌が悪い、顔色が悪い、いつもとなんとなく様子が違う、水をたくさん飲んだ
→できるだけ早く病院へ

救急車を呼んで！
意識がない、呼吸が弱い、顔色が悪くぐったりしている、脈はあるが呼吸をしていない
→救急車を呼び、胸骨圧迫（P.182）や心肺蘇生法を行う

浴室での溺死《できし》が多発！ 水深10cmでもおぼれます

２才未満の溺死事故は、約８割が浴槽で起こっています。それも、親がシャンプー中にという事例が多発。赤ちゃんは、洗い場から浴槽のふちまでの高さが50cm未満の場合、転落しておぼれる危険があります。入浴中は目を離さない、ひとりで入らないよう浴室のドアにカギをかける、などを徹底して。浴室以外でも、赤ちゃんは鼻と口さえ水でおおわれれば、水深10cmでもおぼれる可能性が。トイレなど水のある場所にも近づかせないようにしましょう。

やけどした

まず、すること！

1 やけど部位を確認

2 冷やしながら、皮膚の状態、範囲をチェック

応急処置

- やけどの程度にかかわらず、流水で20分以上冷やす

目や耳など流水で冷やしにくい部位の場合は、冷たいタオルなどでできるだけ長く冷やす

受診の目安

様子を見てOK
やけどの範囲が１円玉大以下で、皮膚が少し赤くなった程度
→じゅうぶんに冷やす。自己判断で市販の軟膏やアロエなどを塗らない！

診察時間に受診を
やけどの範囲が赤ちゃんの手のひら大以上のとき、低温やけどをしたとき、範囲は狭くても水ぶくれができたり皮膚が白や黒に変色しているとき
→できるだけ冷やして、早めに病院へ

救急車を呼んで！
やけどが片腕や片足など体の一部分すべて、またはそれ以上の広い範囲の場合
→ぬれバスタオルなどで全身をくるみ、冷やしながら大至急病院へ！ 衣服は脱がせない！

よくある熱源のほか、電気ケトルも注意して

生後５カ月ごろまでのやけどで多いのは、大人が抱っこしながら熱いものを飲んでいて、赤ちゃんにかかってしまう事例。動くようになると、鍋の中身をかぶる、やかんやアイロン、温風ヒーターをさわる、などの事故がふえます。最近は、低い場所に置いた電気ケトルや炊飯器によるやけども増加中。赤ちゃんは皮膚が薄いので、やけどは重症になることも。やけどの原因となる熱源は、手の届く場所に絶対に置かないで！

意識がないときに行う

胸骨圧迫

心肺が停止しても、すぐに適切な応急処置をすれば救命率が大幅にアップします。万が一に備え、胸骨圧迫の方法を知っておきましょう。まずは救急車を呼び、救急隊に引き継ぐまで胸骨圧迫を続けます。

1才未満

1 圧迫する場所を決める。片手の人さし指を赤ちゃんのどちらかの乳首に当て、中指と薬指を曲げた場所が圧迫ポイント。

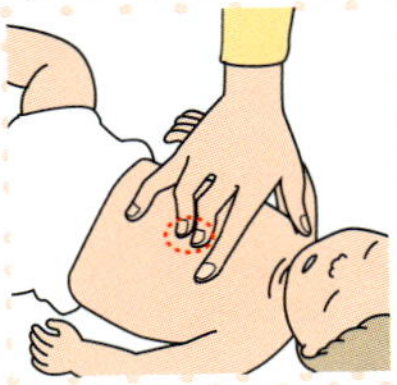

▽
▽
▽

2 中指と薬指をまっすぐに立てて、1秒に2回くらいのテンポで胸の3分の1が沈むくらい、強く絶え間なく押す。

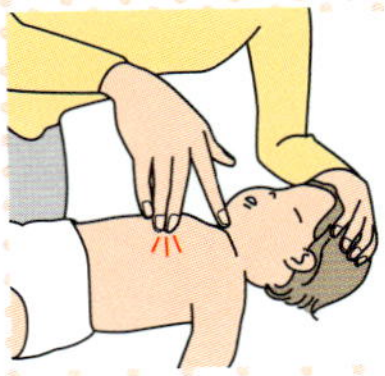

1才以上

胸骨の下半分に手のつけ根を押し当て、1秒に2回くらいのテンポで胸の3分の1が沈むくらい、強く絶え間なく押す。

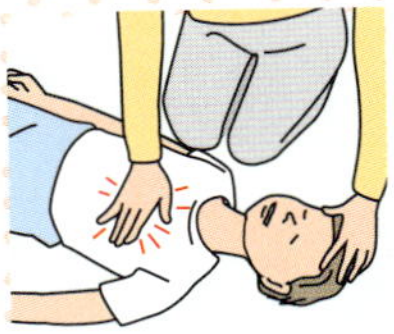

心肺《しんぱい》蘇《そ》生法《せいほう》をマスターしているなら、気道確保や人工呼吸も同時に

救命法の講習会を受けるなどで、心肺蘇生法ができる場合には、気道確保や人工呼吸も行って。心臓マッサージに加えて行うことで、救命効果がさらに期待できます。

鼻血が出た

顔をやや下に向けさせ、10分ほど小鼻を指で強めにつまむ。止まらないときは、横向きに寝かせて、湿らせて棒状にねじったティッシュや綿を鼻の穴につめ、20分ほど小鼻を強くつまむ。

出血した

傷口に清潔なガーゼを当てて、指や手のひらで5〜10分強く圧迫する。出血量が多いときは、完全に止血したら病院へ。

口の中を切った

患部の汚れをふきとり、ガーゼを当ててしっかりかませるか、強く圧迫して止血する。歯が折れた場合は、乾燥しないように歯をぬれタオルに包むか牛乳にひたして、急いで歯科へ。歯をぶつけてグラグラしているときもすぐに受診を。

目・鼻・耳に何か入った

目に入ったものは、目頭の下を押さえて涙で流し出すか、水道水で洗い流す。鼻に入ったものは、こよりなどでくしゃみをさせて出させる。鼻・耳に入ったものが奥のほうにあるときは、無理してとろうとせず耳鼻咽喉科へ。

指をはさんだ

流水や保冷剤で冷やす。1〜2日してはれてきたら病院へ。患部が青黒く変色している場合は、骨折や内出血の疑いがあるので、動かさないようにして受診を。

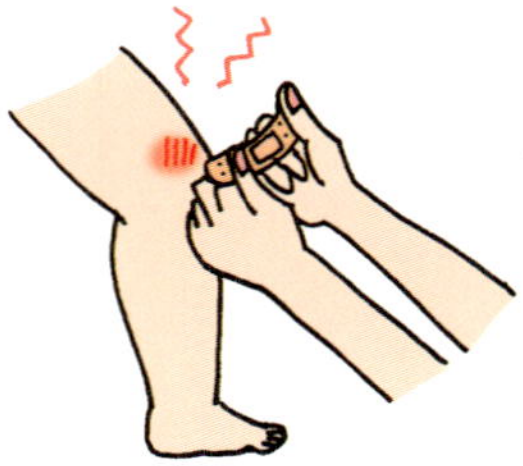

切り傷・すり傷

切り傷は傷口をしっかり押さえて止血し、すり傷は傷口を流水で洗い流してから、保湿タイプのばんそうこうで保護する。傷口からしみ出てくる体液には傷を治す成分が含まれているので、消毒液は使わない。

PART

8

つらい症状を少しでもラクにしてあげたい！

赤ちゃんの病気とホームケア

できれば病気にかかることなく過ごしたいけど、
かぜをひかずに成長するなんて無理です。
病気は「早めの発見」「早めの治療」が鉄則！
赤ちゃんの“いつもと違う”ことに気づき、
適切なケアで少しでもラクに過ごさせてあげましょう。
きっといつの日か、丈夫になります☆

赤ちゃんの「つらい」を
やわらげてあげたい

病気のときのホームケア

熱が出た。せき込んでいる。下痢をした……。赤ちゃんがつらそうなときは、適切なケアで、少しでもラクに過ごさせてあげましょう。

熱があるとき

赤ちゃんの全身状態と水分補給が重要！

赤ちゃんの平熱は36・5～37・5度と、大人よりもちょっと高め。熱が出たときにまず確認したいのは、赤ちゃんの全身状態です。たとえ高熱でも、機嫌がよく、水分もとれているようなら、診療時間内に病院を受診すれば大丈夫。

一方、ぐったりとして反応が鈍《にぶ》い、呼吸が苦しそう、顔色が悪い、水分を受けつけないという場合は、熱の高さにかかわらず、すぐに病院へ。

1 もしかして熱？と思ったら体温をはかる

体温計は赤ちゃんのわきの下のくぼみにしっかり当ててはかります。汗をかいていると皮膚の表面温度が下がるため、体温をはかる前には、タオルなどでわきの下をふきましょう。

2 熱の上がり始めは体をあたため、上がりきったら涼しく

熱の出始めは、体温を上げるために血管が収縮し、顔色が白く、手足が冷たくなります。赤ちゃんが寒そうにしているときはあたためて、熱が上がりきって顔が赤く、汗ばんできたら少し薄着に。

首の後ろ、わきの下などを冷やしてあげると、解熱効果が高まります。

3 熱があるときは水分補給をこまめに

熱が続くと、汗などで体の水分やミネラル分が奪われて、脱水症を起こすことも。水分補給を心がけましょう。母乳、麦茶など、赤ちゃんが飲めるものを、こまめに、ほしがるだけ与えます。

できるだけとらせる
母乳、ミルク、白湯《さゆ》、麦茶、番茶、野菜スープ、ベビー用のイオン飲料

とらせない
大人用のイオン飲料、赤ちゃん用ではないジュースなど

4 安静を保ちましょう

熱があるときには、室温や湿度に配慮した環境（室温の目安は23～25度、夏は25～28度）で、静かに過ごします。汗をかいたら、こまめに着替えさせてあげて。

下痢をした吐いたとき

水分をこまめに補給して脱水症を予防！

下痢や嘔吐でいちばん心配なのが、体から多くの水分が失われたことで起こる脱水症。ふだんよりこまめな水分補給を心がけます。ただ、吐きけがある場合には、一度にたくさん飲ませると吐きけを誘うことがあるので、様子を見ながら少量ずつ、何回かに分けて与えます。

POINT

吐いたとき
- 水分補給は吐きけがおさまってきてから
- 次の嘔吐に備えておく

下痢のとき
- おしりのケアはうんちのたびに
- 食欲があるなら消化のよいものを与えてOK

受診の目安

おしっこが出ない、少ない、ぐったりしているといった様子が見られたらすぐに病院へ。嘔吐や下痢が長引く場合も、再受診しましょう。

1 脱水症にならないよう、水分補給を

母乳やミルクのほかに、体への吸収がいい赤ちゃん用イオン飲料もおすすめ。嘔吐が激しいときには、スプーンなどで少しずつ与えます。

- ☑ 様子を見ながら、少しずつ水分補給を
- ☑ 一度にたくさん飲めないときは授乳間隔を短く
- ☑ 酸味のあるもの、かんきつ系は、吐きけを誘うので避けて

2 家庭内に感染が広がらないよう、衣類、うんちの始末、手洗いが大切！

ウイルスや細菌の中には感染力の強いものもあるので、おむつや吐いたものがついた衣類などを始末したあとは、必ず手を洗います。汚れ物の洗濯は、家族のものとは分けましょう。

吐いたとき

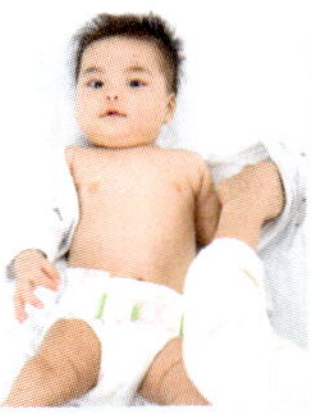

衣類や寝具はとり替えて

吐いて汚れた衣類はすぐに替えます。吐いたあとは、口まわりと口の中をぬれたガーゼでぬぐってあげるとスッキリします。

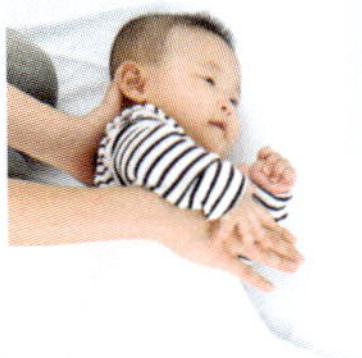

あおむけにせず横向きに

注意したいのが、吐いたものをのどにつまらせる事故。吐きけが落ち着いても、しばらくは顔を横向きにして寝かせます。

下痢のとき

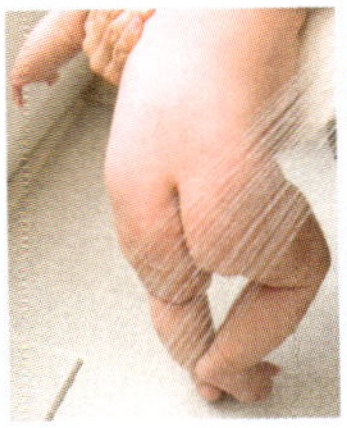

おしりを清潔に保つ

下痢便は刺激が強いので、すぐにおむつを替えます。たっぷりの水分を含ませた使い捨てのガーゼでふくか、座浴やシャワーで洗い流してあげましょう。

離乳食を与えていい？

症状のある間は消化のいいものを

離乳食は、消化のいいものを少しずつ与えます。場合によっては１段階戻しても。吐きけがあるときは無理に食べさせず、食欲が戻るのを待ちましょう。

POINT

- 熱が下がったあとぶり返すことも。引き続き安静に
- 熱以外の症状や全身状態を見ながら、こまめに水分補給して、１～２日は様子を見る。

受診の目安

- ３カ月以内の赤ちゃんの発熱
- 食欲がなくぐったりしている
- 水分を受けつけない
- ３日以上、熱が続く　など

お出かけしてもいい？

熱が下がっても２～３日は自宅で過ごして

熱が下がっても、体力が落ちているので２～３日は外出せず、体を激しく動かすような遊びも控えて。室内で静かに遊ぶなど、ゆっくりと過ごしましょう。

お風呂に入っていい？

機嫌がよければOK 長風呂はNG

ぐずったり元気がないときは、お湯でぬらしたタオルで体をふく程度に。機嫌が悪くなければ湯ぶねに軽くつかってもかまいませんが、体力を消耗する長風呂はNGです。

鼻水がひどいとき

鼻水で鼻がつまると、おっぱいを飲むときも苦しそう。適度に吸いとることも効果的。

POINT

- 鼻水は出たままにせず、こまめにふきとる
- 鼻水の状態、色、においなどをチェック

受診の目安

鼻水がダラダラと続いて眠れない、おっぱいやミルクも飲めないで、脱水症が心配なとき。

1 苦しそうなら鼻水を吸いとってあげて

鼻がかめるようになるのは早くても2才ごろ。それまでは鼻吸い器で鼻水を吸いとってあげると、呼吸がラクになります。強く吸いすぎないよう注意して。使用後、ママはうがいをしましょう。

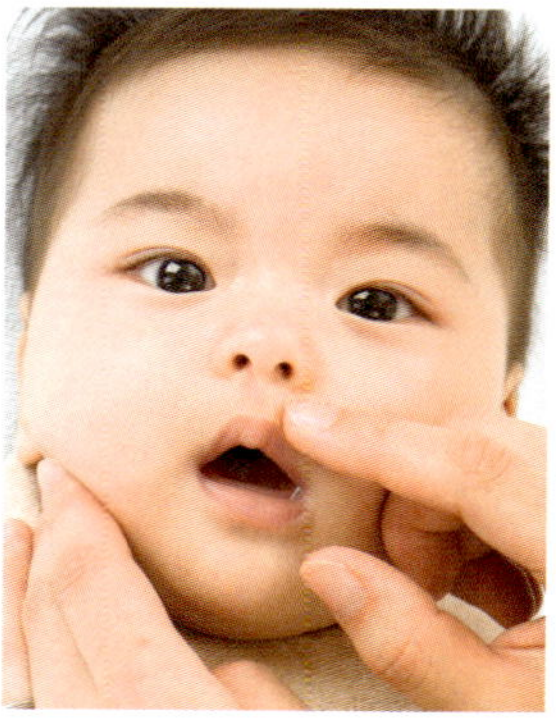

2 鼻の下が荒れないようにケアを

鼻水がずっと出て、何度もふきとっていると、鼻の下が荒れて赤くなることもあります。肌トラブルを起こさないよう、ワセリンや保湿クリームを塗り、皮膚を保護しましょう。

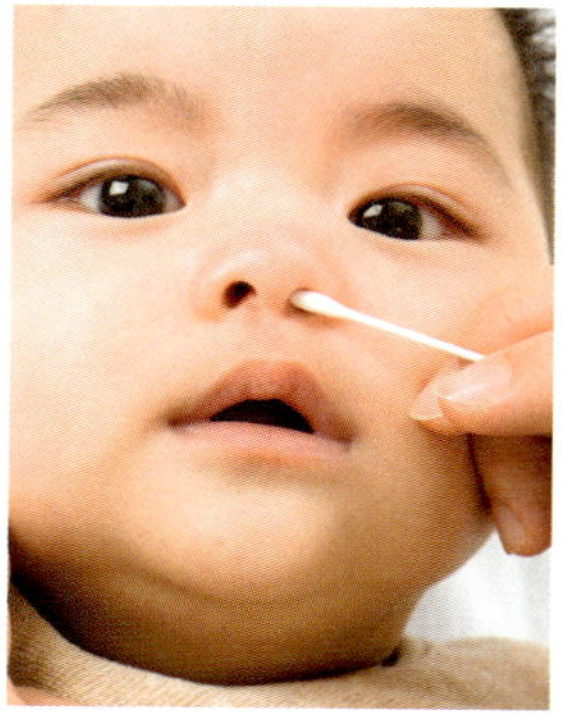

3 鼻くそは無理してとらない

鼻くそが見えると、ついとりたくなりますが、無理にとらなくても大丈夫。気になるようなら、入浴後の鼻の穴が湿っているときに、入り口付近だけを綿棒でぬぐいます。

せきが出た！ ゼーゼーするとき

せきが出るときは換気をしたり、湿度などの環境を整えると、症状が緩和することが。

POINT

- 赤ちゃんがラクな姿勢にする
- 湿度と換気（せきを出しやすくしてあげる）

受診の目安

眠れないほどのせきやゼーゼーのときは受診を。呼吸困難なほどのせきの場合は大至急病院へ！

1 湿度を50～60％に保ち、のどにやさしい環境を

室内が乾燥すると、気道の粘膜も乾燥して、せきが出やすくなります。室内に洗濯物を干すなどして、湿度を保ちましょう。換気も大切です。ときどき窓を開けて、空気を入れ替えて。

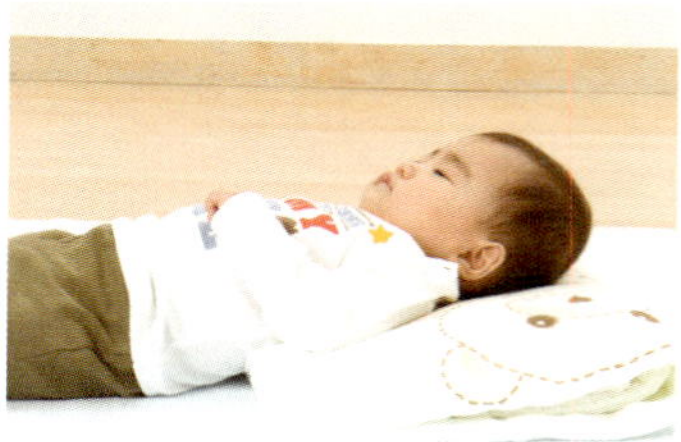

2 寝かせるときは上半身を少し起こすとラクに

寝ていてもせき込んだり、せきで呼吸が苦しそうなときには、布団の下にタオルや座布団などをはさんで。上半身を少し起こした姿勢にしてあげると、呼吸がラクになります。

3 背中を軽くトントンすると気道のたんがはがれやすい

胸からゴロゴロと音がするのは、たんが気管支にはりついているから。背中をトントン軽くたたいてあげると、その振動で、たんがはがれやすくなります。

便秘ぎみのとき

「便秘」とは、便がかたくていきんでもなかなか出ない状態。まずは食事を見直して。

POINT

- 毎日の食生活を見直す
- 浣腸《かんちょう》などは医師に相談してから

受診の目安

食事や生活リズムを見直しても出ない、赤ちゃんが苦しそうなとき。

1 その子なりの排便リズムで出ていればOK

たとえ3日に1回の排便しかなくても、不機嫌な様子がなければ、まず大丈夫。便通のリズムは月齢によっても変わります。まずはその子なりの排便リズムをつかみましょう。

2 繊維質の多い食事やじゅうぶんな水分補給を心がけて

便秘しがちな子は、日ごろから繊維質の多い食事（いも類、豆類、葉野菜など）や、じゅうぶんな水分補給を心がけて。ヨーグルトやオリゴ糖なども効果があります。

3 どうしても出ないなら浣腸やマッサージで手助けを

綿棒の先端にワセリンやベビーオイルをつけ、肛門に出し入れして刺激する方法もあります。初めて便秘になったときや、浣腸をするときは、受診することをおすすめします。

赤ちゃん体操も刺激に

赤ちゃん体操で股関節を動かすと、腸の動きが活発になります。お風呂上がりなどに楽しみながら試して。

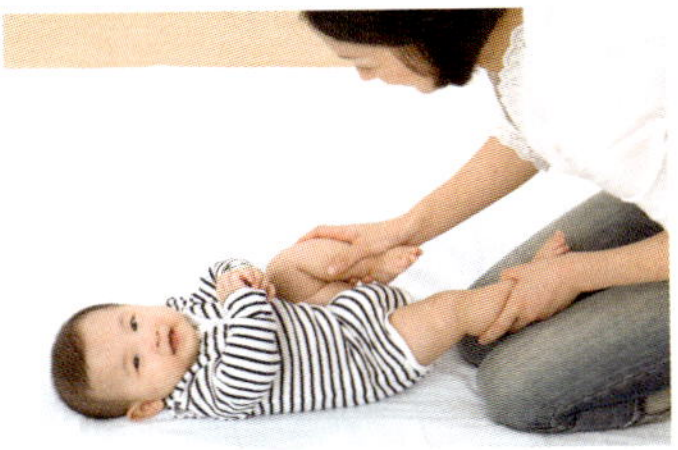

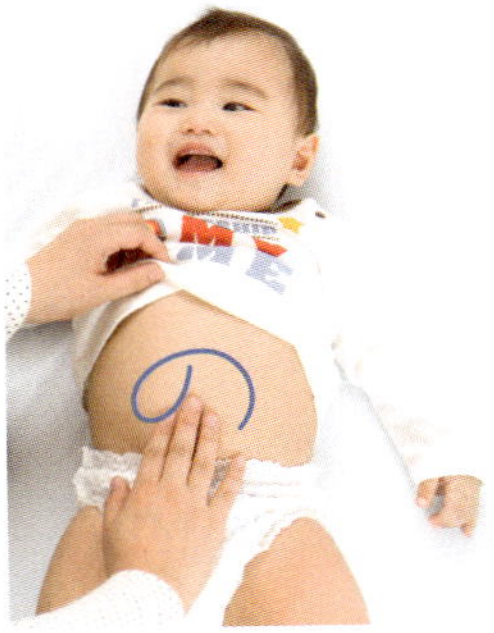

のの字マッサージ

おへそのまわりに「の」の字を書くように、軽く押しながらマッサージ。腸を刺激すると、蠕動《ぜんどう》運動が活発になり、便が出やすくなります。

目やにが出るとき

赤ちゃんは涙を鼻に通す鼻涙管《びるいかん》がとても細いため、目やにが出やすいものです。

POINT

- うつりやすい病気が多いので、目の清潔に注意する
- ぬらしたガーゼでふいて清潔を保つ

受診の目安

目やにが続く場合、かゆみの強いとき。

清潔なガーゼをぬらしてやさしくふきとる

目全体に目やにがついているときは、滅菌ガーゼをぬらして、目頭から目じりに向かってふきます。目頭の目やにには、押しつけるようにぬぐいとりましょう。

鼻を吸って通りをよくするのも効果的

鼻がつまっていると、涙の通り道がつまりやすくなって、目やにが出ることもあります。まずは鼻を吸って、通りをよくしましょう。

かゆみがあるときは冷やして

むやみに目をこすると症状が悪化します。なるべく目をさわらせないようにしましょう。かゆいようなら、冷やしたタオルなどを当てて、かゆみを軽減してあげて。

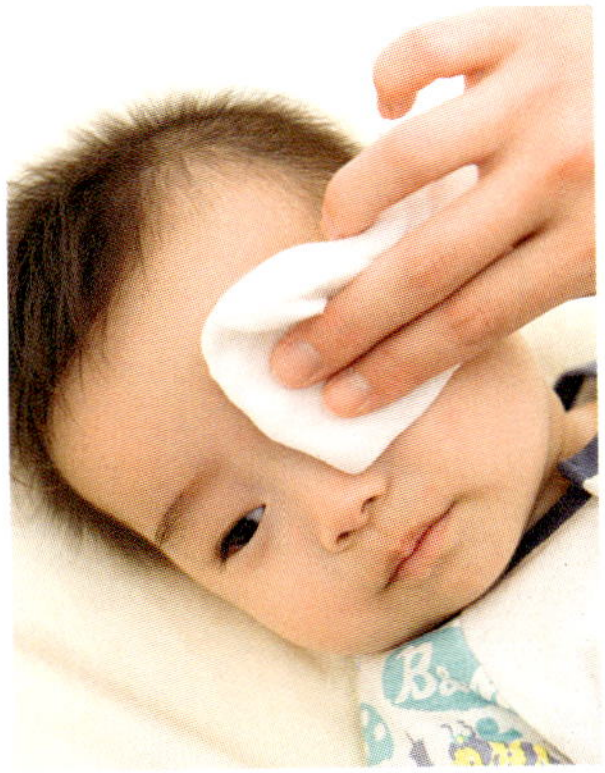

粉薬、座薬……
どう使ったらいい？

薬の飲ませ方・使い方

赤ちゃんに薬を飲ませるときや座薬などを使うときは、ちょっとしたコツがいります。きちんと保管、管理することも大切です。

赤ちゃんの薬は、医師の指示に従って使用を

赤ちゃんは体が小さく、内臓や免疫機能が未発達のため、病気にかかった場合には小児科による診断と薬の処方が必要です。処方される薬の種類や分量は、赤ちゃんの症状や月齢、体重によっても大きく異なるので、医師の指示どおりにきちんと使いましょう。自己判断で、「症状が落ち着いたから大丈夫」と服用を途中でやめたり、「同じような症状だから」ときょうだいの薬を使ってはいけません。たとえば抗菌薬は、症状が消えても原因となる細菌をやっつけるまで飲み続けないと、ぶり返したり、耐性菌（薬剤が効かない、効きにくい現象）ができてしまうこともあるからです。

また、赤ちゃんに処方される薬は、大人の場合と違い、症状をすぐに抑えるというよりは、症状のつらさをやわらげて自然治癒力をつけるものがほとんどです。薬を飲んですぐに症状がおさまるものではないことも知っておきましょう。

処方された薬を効果的に服用するためには、分量や時間などきちんと管理し、正しい飲ませ方や使い方を知っておくことも大切です。もう一つ、飲み忘れて余ってしまった薬は、次回のためにとっておかず、原則として処分しましょう。

薬を扱う前に 準備

1 回数、量を確認する

飲ませる前に、薬の袋や容器に書いてある注意を見直します。飲ませるタイミング、回数、１回量を、毎回チェックしてから飲ませる習慣をつけましょう。

2 手を洗って清潔に

粉薬など飲ませるタイプの薬でも、薬を扱う前には手を洗いましょう。飲ませるときに使う器やスプーンも清潔を保って。薬の使用後も、手を洗いましょう。

3 味（甘い・苦い）を確認

飲み薬が処方されたら、飲ませる前にママ・パパが少しなめてみましょう。赤ちゃんがいやがるときに、味から理由が推測でき、対処法を考えるヒントにもなります。

赤ちゃんが飲みやすい方法で飲ませてみて

スタンダードなのはスポイト
処方せん薬局などでもらえることも。

哺乳びんの乳首で
計量カップやスプーンで飲めない低月齢の赤ちゃんは、哺乳びんの乳首にシロップを入れ、吸わせても。ミルク嫌いにならないように、ふだんとは別に、薬専用の乳首にするといいでしょう。

計量カップ
容器から１回量のシロップを計量カップではかり、そのまま飲ませてかまいません。カップの底に薬がたまって残るときは、少量の水を足して最後まで飲ませ切りましょう。

小さな器で
おちょこなどの小さな器で飲ませる方法もあります。数種類の粉薬をまぜて飲ませるときに便利です。底に薬がたまって残ったときは、少量の水を足して、きちんと飲ませ切ります。

小さなスプーンで
カップやスポイトが苦手な赤ちゃんでも、離乳食が始まっているなら、スプーンで飲ませる方法もあります。離乳食用のスプーンが、小さな口に飲ませやすくおすすめです。

薬の飲ませ方・使い方

ドライシロップ

甘い粉末！ 水では練れないので、とかして飲ませる

ゆるめに水でといて飲ませる

ベタベタになるので練れません。飲みやすい程度にゆるくとき、いやがるときはさらにゆるくして、スポイトなどで飲ませます。

シロップ

甘みがついているものが多いので、飲みやすい

1 ボトルを振って、成分を均一に

底に成分が沈殿して、濃度が均一でなくなっている場合があります。ボトルを上下にゆっくり（泡が立たないように）振って、濃さを均一にしましょう。

2 水平の目線で正しくはかる

容器は平らな場所に置き、目盛りを水平に見て、正確な１回量をはかります。直接スポイトで吸い上げてもかまいません。

3 スポイトなどで赤ちゃんの口に入れる

薬をスポイトで吸い上げ、吐き出しにくいように赤ちゃんの口の奥のほうに入れ、チュッと流し込みます。勢いをつけて押し出すと、むせることもあるので要注意。

粉薬

水などでといて飲ませる（苦みがあるときは薬用ゼリーを使っても）

1 水をたらしてすばやく練る

小さな器に１回量を入れ、水を数滴たらして指で練ります。耳たぶくらいのかたさが目安。かたいときには、スポイトや箸で１滴ずつ水を加えていきます。

2 ほおの裏にはりつける

練った薬を、ほおの内側や上あごなどにはりつけます。舌の上は味を感じるので避けましょう。すぐに、湯冷ましなどといっしょに飲み込ませます。

3 いやがるときは薬用ゼリーでくるんでも

苦みのある粉薬は、いやがる子もいます。その場合は、市販の薬用ゼリーで包み込み、味がわからないようにして飲ませる方法もあります。

赤ちゃんの薬 ○まぜていいもの ×悪いもの

OK

- 水・白湯《さゆ》
- 薬ゼリー
- ジャム
- プリン
- バナナ

薬は、水か白湯でといたりまぜるのが基本です。甘くて薬の質に影響しないものもOK。

薬による

- オレンジジュース
- グレープフルーツジュース
- 牛乳
- イオン飲料
- ヨーグルト
- アイスクリーム

薬によっては、まぜると苦みを増したり、副作用を引き起こすこともあるので、注意して。

まぜない

- 粉ミルク
- おかゆ
- うどん
- スープ
- 熱いお湯（漢方薬を除く）
- ミネラルウオーター

ミルクや離乳食とまぜると、それらを嫌いになることが。成分を変質させるものも×。

点眼《てんがん》薬

変質しやすいので、冷蔵保管＆残りは処分する

保管方法
開封後は、冷蔵庫で保管するものがほとんどです。専用の遮光《しゃこう》袋があるなら、必ず入れて。使用期限を守り、残ったら処分します。

1 赤ちゃんを動かないように固定する
あおむけ寝にした赤ちゃんの肩を、大人が両足でしっかりはさんで固定します。腕だけを押さえると、脱臼しやすいので避けて。

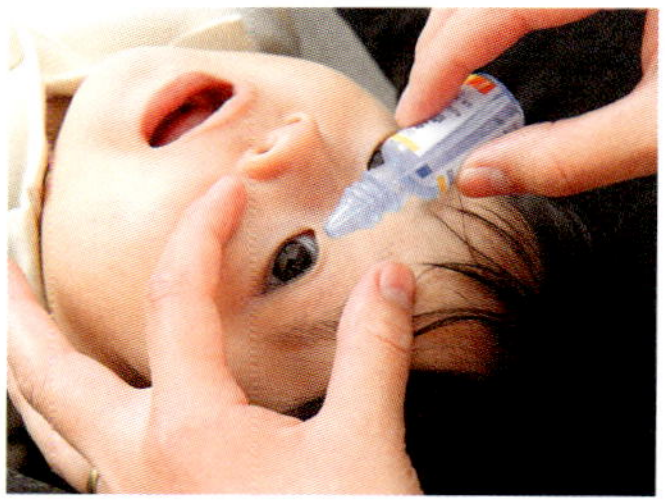

2 目にすばやく1滴落とす
冷蔵庫から出した点眼薬を手であたため、目に1滴たらします。眠っている間に目頭に薬を落とし、下まぶたを引っぱって入れる方法も。

3 あふれた分をふきとる
あふれたら、ティッシュで軽く押さえるようにふきとります。家族への感染を防ぐため、ガーゼではなく使い捨てのものがおすすめ。

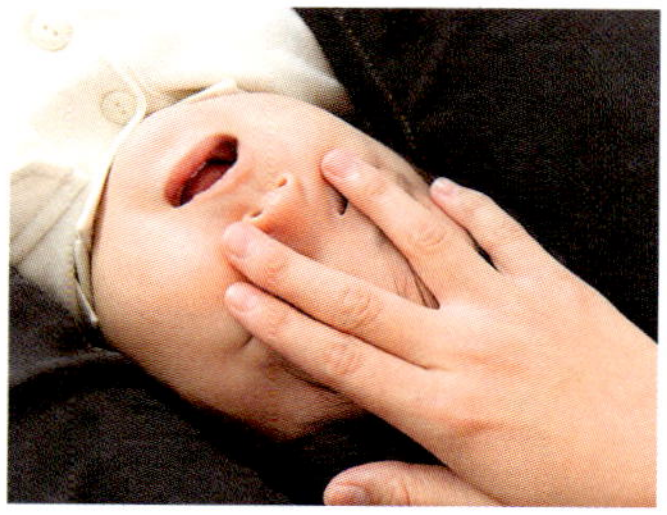

4 目頭を押さえる
赤ちゃんが自然にまぶたを閉じることができるよう、目頭を押さえます。目に薬がなじむまでしばらくその状態をキープ！

座薬《ざやく》

しっかり奥まで入れるのがコツ

保管方法
常温だとやわらかくなりやすいので、冷蔵庫で保管するのが基本です。

1 必要量に応じてカット
「$\frac{1}{2}$量」「$\frac{2}{3}$量」など指示された場合は、カッターやハサミなどで切ります。カットした場合は、丸みのある先端部分を使います。

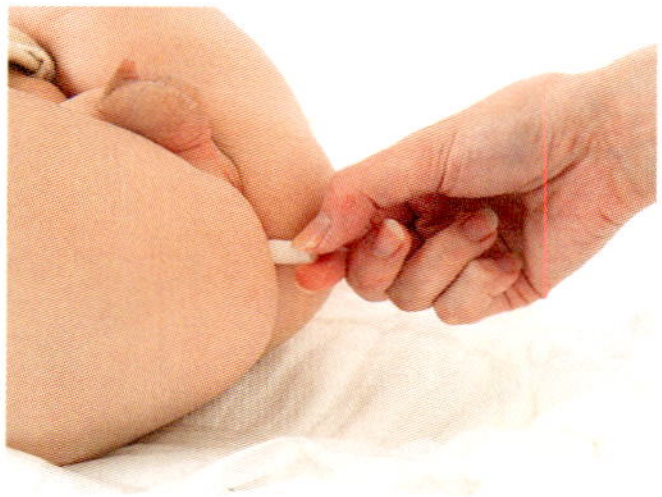

2 先端に丸みをつけて挿入
先端を手で少しあたため、丸みをつけてからすばやく押し入れます。肛門にベビーオイルやワセリンをつけて、滑りをよくしても。

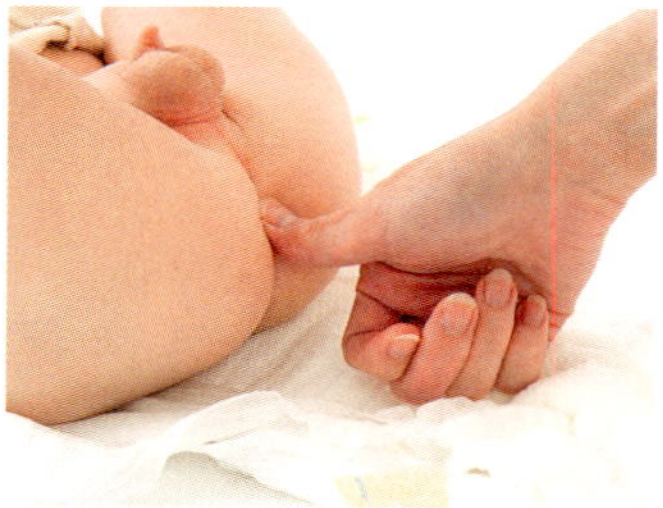

3 肛門をしばらく押さえる
座薬を入れたら、指でしばらく押さえ、出てしまうのを防ぎます。特に下痢をしているときは刺激でうんちが出やすくなるので注意！

NG

泣いているとき、はしゃいでいるときは避けて

赤ちゃんが泣いていたり、興奮ぎみにはしゃいでいたりすると、座薬を入れるのがむずかしくなります。静かに落ち着かせてから薬を使いましょう。

塗り薬

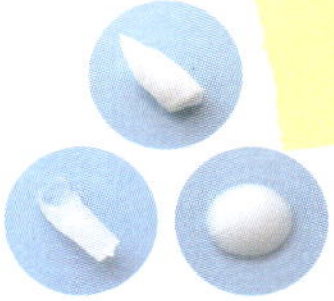

使う薬や量、使い方は、症状や塗る部位によって異なる

保管方法
常温で、直射日光の当たらない場所に置きます。

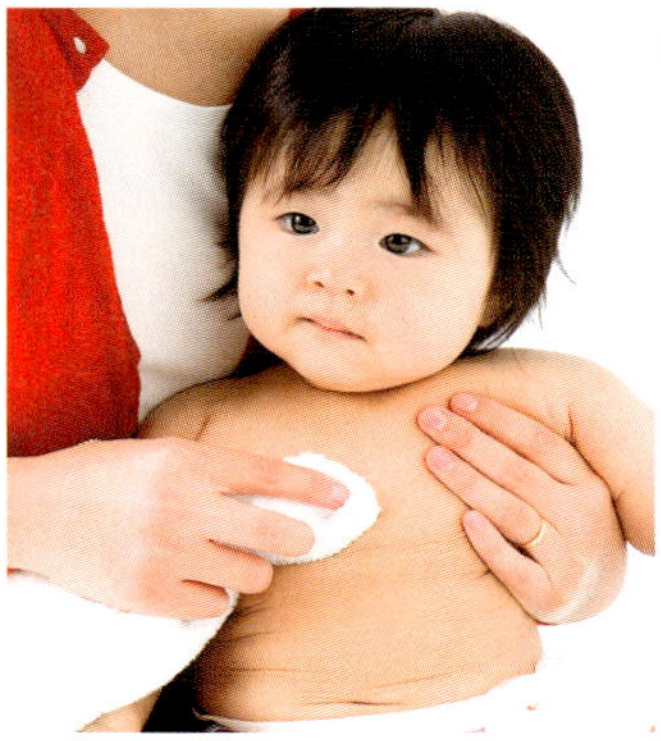

1 塗る部位を清潔に

塗る前には、入浴などで患部をきれいに。汚れていたり汗をかいていると、薬の効果が得られなかったり、悪化や感染の原因に。

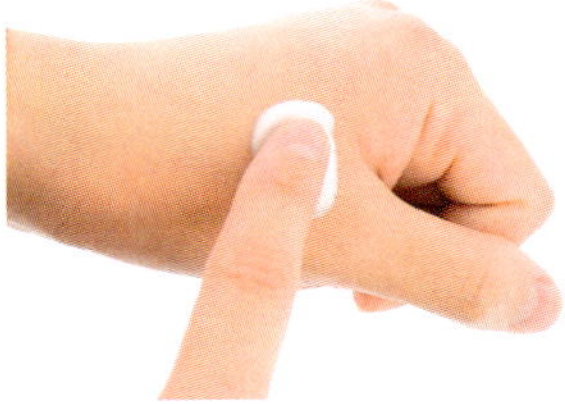

2 使う分を手の甲に出す

ママの清潔な指で、使う分を手の甲にとります。容器から患部に直接つけるのは、雑菌が入って繁殖することがあるので、やめます。

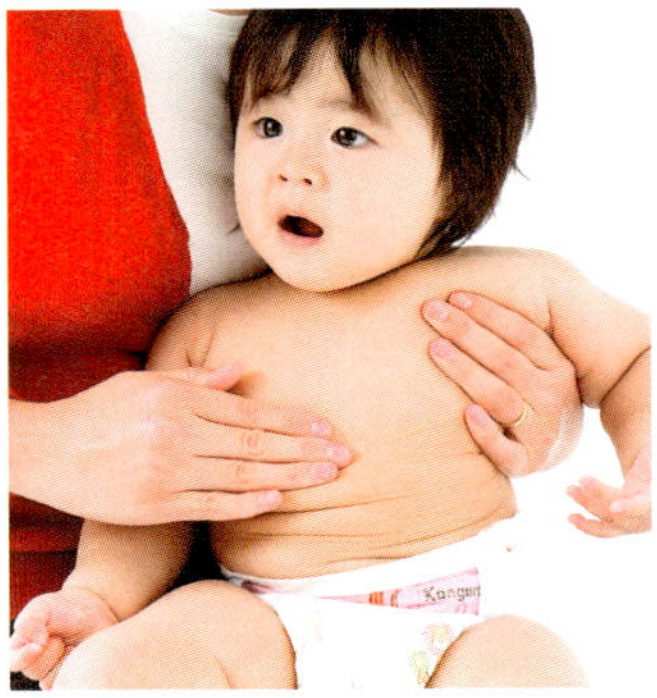

3 部位や症状に合わせて薄く塗る

薬を塗る部位、つける量、つけ方は、医師の指示に従います。患部が少しテカるくらいに、薄くのばすように塗りましょう。

塗る量の目安

大人の人さし指の第一関節分 ＝手のひら２つ分

赤ちゃんの胸やおなかなどの広い部分に塗るときの量は、ママの人さし指の第一関節分くらいが目安。これを大人の手のひら２枚分ほどに薄くのばして塗ります。

点《てん》耳《じ》薬

冷蔵庫で保管し、使う前に常温に戻す

保管方法
開封後は、冷蔵庫で保管するのが原則です。開封後１カ月以上たったもの、治療が終わったものは処分しましょう。

1 薬を容器ごと手で握り、常温に戻す

冷蔵庫から出したての薬を使うと、赤ちゃんがめまいを起こすことがあります。容器を手で包んであたため、常温に戻して使いましょう。

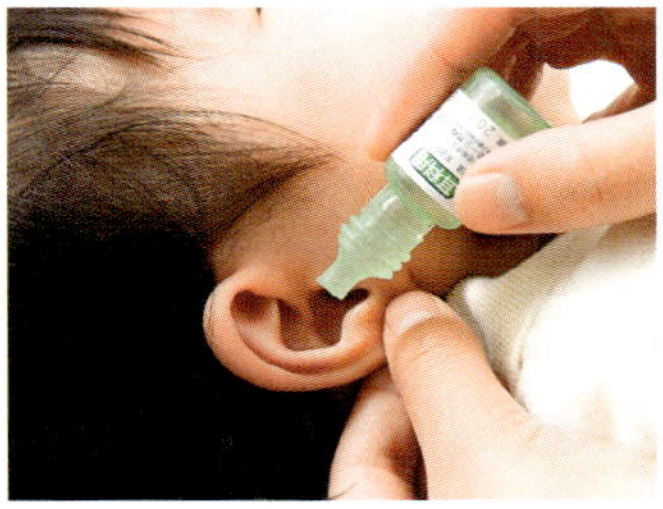

2 赤ちゃんを横向きに寝かせ、耳に１滴たらす

赤ちゃんを横に向かせて、指定量の薬をたらします。寝ている間に、サッと薬を落としても。

3 薬が耳の中に入るように、しばらく横向きに

薬が奥まで入り、吸収されるように、しばらくはそのままの姿勢をキープ。

37.5度以上は“熱がある”ということ

赤ちゃんが熱を出した

急な発熱は、ほとんどがウイルスや細菌による感染症。体温を上昇させて、侵入してきた病原体とたたかおうとしているのです。

かぜ症候群

病気のサイン

- ●せき、鼻水、鼻づまり
- ●熱が出る
- ●機嫌が悪い
- ●食欲もあまりない

数日でよくなるが、乳幼児は年に何度もかかる

かぜ症候群は、主にウイルス感染による鼻やのどなどの上気道の炎症をいいます。炎症が起きた部位によって咽頭《いんとう》炎、喉頭《こうとう》炎、扁桃《へんとう》炎と呼びます。

原因となるウイルスはこまかく分類すると230種以上になるといわれます。暑い季節に活発になるウイルス、寒い季節に活発になるウイルスなどさまざまで、人が何度もかぜにかかるのはそのためです。特に赤ちゃんや幼児はまだ免疫がじゅうぶんでなく、外部からのウイルスなどの侵入を防ぐ機能も発達していないので、しょっちゅうかぜをひきます。保育園や幼稚園などで集団生活をすると、ウイルスに感染する機会が多いので、治ったと思ったらまた感染してしまうということも珍しくありません。しかし、子どもはその中でだんだん免疫をつけていくのです。

症状は原因ウイルスや炎症が起きている部位によって少しずつ違いますが、一般には鼻水、せき、のどの痛みなどで始まり、熱が出ることもあります。しかし、高熱が何日も続くということはなく、鼻水やせきなども数日でよくなることがほとんどです。なお、2～3才以降の子は細菌が原因の咽頭炎などもふえてきますが、かぜ症候群とは区別して考えます。溶連菌感染症《ようれんきんかんせんしょう》（P.201）などがその代表です。

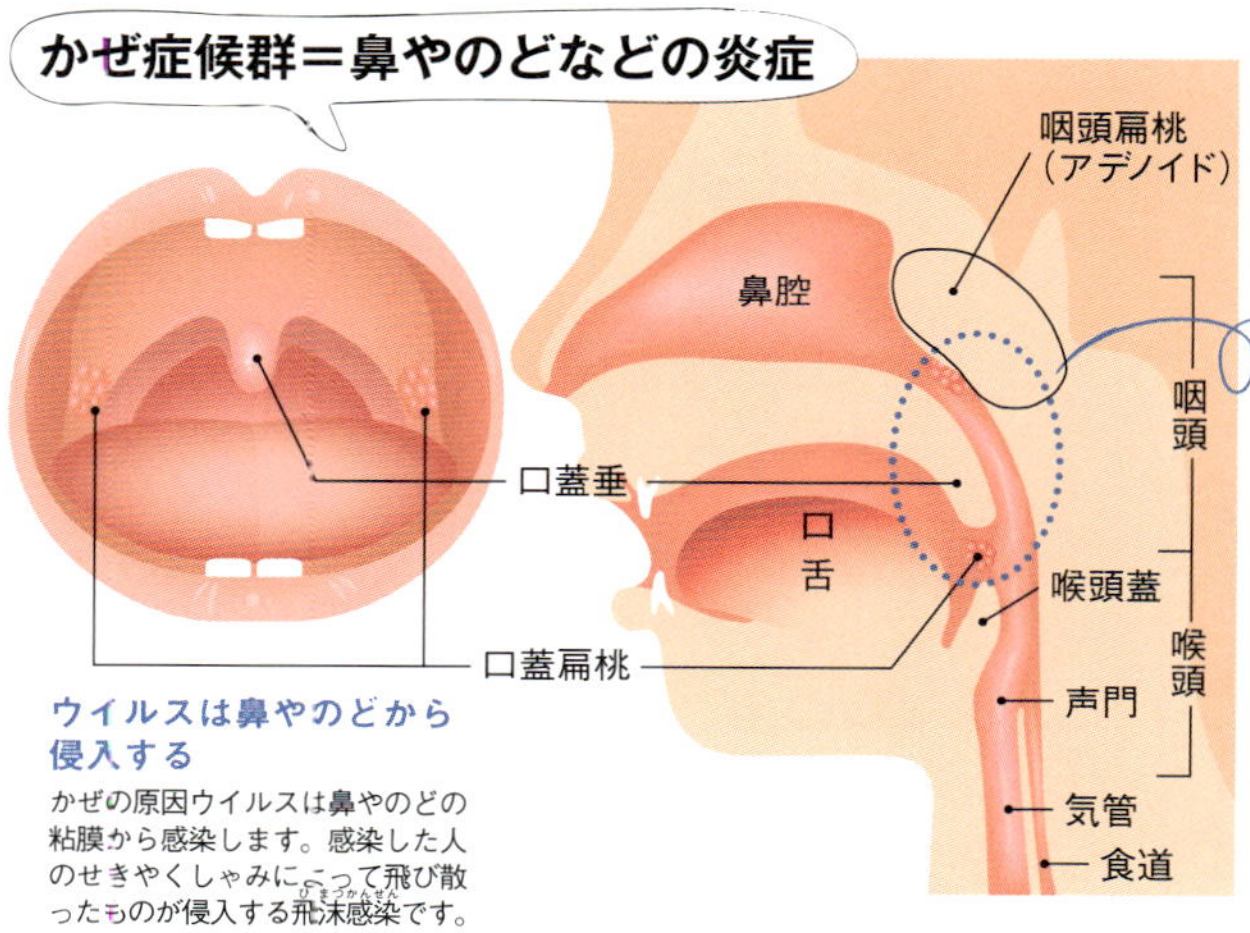

ウイルスは鼻やのどから侵入する

かぜの原因ウイルスは鼻やのどの粘膜から感染します。感染した人のせきやくしゃみによって飛び散ったものが侵入する飛沫感染《ひまつかんせん》です。

咽頭や喉頭、扁桃が炎症を起こす

鼻の奥からのどまでにあたるのが咽頭。その下が喉頭。鼻の奥にあるリンパ腺、扁桃も上気道です。ここが炎症を起こすのが上気道炎、いわゆる「かぜ」です。

治療とケア　水分補給に気をつけて家で安静に過ごす

かぜのウイルスに効く薬はありません。家で静かに過ごし、熱があるときは水分などをじゅうぶんに与えながら、体が持つ自然治癒力によって治るのを待ちます。熱やせきなどつらい症状をやわらげる薬が処方されることもありますが、基本的には見守るだけで治っていきます。抗菌薬はウイルス感染には必要ありません。

熱が出ると汗をかいて、体から水分や電解質が失われて、脱水症の心配も。水分をじゅうぶんに与えましょう。電解質を補うためにベビー用イオン飲料などもおすすめです。食欲もなくなることが多いのですが、おっぱいやミルクなどは赤ちゃんがほしがるだけ与えてかまいません。水分の補給にもなります。食べられるなら消化のいいものを少しずつ与えます。

同時に、中耳炎（P.215）や、炎症が上気道から下気道にまで広がって気管支炎や肺炎（P.202）を起こすこともあります。耳を痛がる、熱が何日も下がらない、せきが前よりひどくなるなどの様子があったら、再受診してください。

インフルエンザ

病気のサイン
- ●急な高熱
- ●熱がいったん下がり再上昇
- ●機嫌が悪く、ぐったり

熱が高く、かぜより全身症状が重い

インフルエンザウイルスは、感染力がとても強く、集団発生することが大きな特徴です。流行はその年によって違いますが、一般的に12月中旬から始まり、1~3月にかけてピークを迎えます。

季節性と新型インフルエンザがあり、季節性のインフルエンザにはA、B、Cの三つの型があります。世界的に流行しているのはA型とB型で、日本でも流行するのはこのどちらかです。同じシーズンでA型とB型両方が流行していれば、シーズン中に2回かかることもあります。

A型はその原因となるインフルエンザウイルスの抗原性が小さく変化しているのですが、ときとしてこの抗原性が大きく異なったインフルエンザウイルスがあらわれ、多くの人が免疫を持っていないため、急速に流行することがあります。これを新型インフルエンザと呼んでいます。

のどの痛みや鼻水、せきなど、かぜ症候群と同じ症状も出ますが、38度以上の急な発熱、頭痛、関節痛、筋肉痛など、全身症状も強く出ます。大人もそうですが、赤ちゃんや子どもはぐったりしてしまいます。機嫌も悪く、泣く、食欲が落ちる、下痢や吐くこともあります。

熱がいったん下がり、再び高熱になるのもインフルエンザの特徴です。

インフルエンザがこわいのは合併症を起こしやすいことです。気管支炎や肺炎などを合併し、重症になることもしばしばですし、乳幼児は急性の脳炎を起こすこともあります。死亡例も年間100~200人に及び、救命できたとしても重い後遺症が残ることも少なくありません。発熱時に熱性けいれんを起こすこともあります。

対策の第一はインフルエンザにかからないこと、つまり予防接種です（P.175参照）。また、流行期には、発熱があったら単なるかぜと思わず、すぐに小児科を受診しましょう。インフルエンザの抗原を調べる迅速診断キットを使い、その場で診断してもらえます。発症して2日以内なら抗ウイルス薬の効果が期待できますが、この薬の使い方については医師と相談を。

治療とケア

安静と水分補給で慎重なケアを

家庭でのケアは安静と水分補給が第一で、これはかぜ症候群と変わりません。ただ、症状が重く、やわらぐまでの目安は1週間と長いので、ケアはより慎重に行います。また、医師に指示された日に再受診して肺炎を起こしていないかなど、経過をみてもらいましょう。

インフルエンザは高熱が出るので、解熱薬が処方されることもありますが、使える成分はアセトアミノフェンだけです。市販のかぜ薬や解熱薬には乳幼児に使ってはいけない成分が入っているものもあるので、自己判断で服用しないようにしましょう。

熱が下がったあとも体は完全に回復しているわけではありません。体力が低下しているので、別のウイルスや病原菌に感染する可能性もあります。赤ちゃんの様子を見ながら、少しずつふだんの生活に戻るようにします。

なお、けいれんを起こした、意識がはっきりしない、行動がおかしいなど、様子がいつもと明らかに違うときは、すぐにかかりつけ医に連絡を。連絡がつかないときは救急外来へ。

インフルエンザにかかったら
いつから保育園に登園OK？

- ☑ 発症後**5日**が経過している
- ☑ 解熱後**3日**が経過している

この２つの条件をクリアすればOK！

		発症
		1日目
	解熱	2日目
	1日目	3日目
	2日目	4日目
	3日目	5日目
登園OK	4日目	6日目

発症とは発熱の症状があらわれたことをさします。日数の数え方は発熱が始まった日は含まず、翌日からを発症第１日目と考えます。この例の場合は発症後６日目に登園できます。

突発性発疹《とっぱつせいほっしん》

病気のサイン

- ●急な高熱が3～4日続く
- ●熱が下がると発疹が出る
- ●比較的元気はよい

生後6カ月前後からかかることが多い

生後6カ月前後から1才に多い病気です。原因はヒトヘルペスウイルス6型と7型の2種類。そのため2度かかることもあります。特に流行する季節というのはなく、一年中見られます。

症状は、いきなり38～39度、場合によっては40度という高熱が出て、3～4日続きます。発熱時に熱性けいれんを起こす子もいるので、様子をよく見ましょう。

熱が下がるのと同時くらいに、おなかを中心に赤い発疹が出始めます。発疹にかゆみや痛みはほとんどなく、また、高熱のわりに機嫌は悪くないのですが、発疹が出るころや出ている間は不機嫌になったり、うんちがゆるくなる子もいます。発疹は出始めて2～3日後から徐々に薄くなり、自然に消えていき、あとも残りません。

しかし、こうした典型的な症状が出るのは2人に1人くらいで、熱だけだったり、発疹だけだったりすることもよくあります。また、感染しても症状が出ない場合もあります（不顕性《ふけんせい》感染）。

治療とケア

安静にして自然に治るのを待つ

家庭では静かに過ごして、自然に治るのを待ちます。特に薬は必要ありません。熱が高い間はこまめに水分補給を。熱が高くてつらそうなときは、解熱薬を処方されることもあります。以前に熱性けいれんを起こしたことのある子はけいれん止めの薬を用いることもあります。

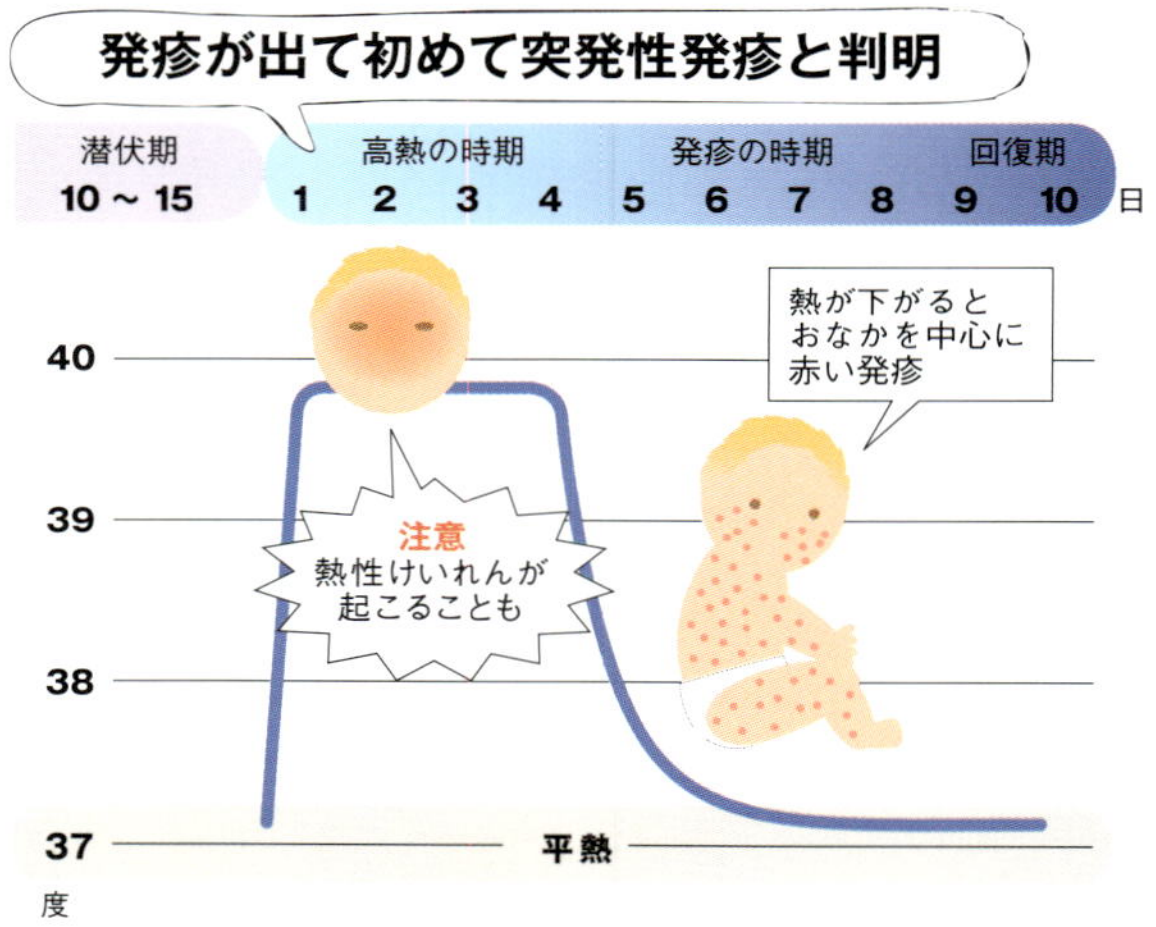

おたふくかぜ［流行性耳下腺炎《りゅうこうせいじかせんえん》］

病気のサイン

- ●熱が出る
- ●耳の下、あごの下がはれて痛む

4～5才児に多く、耳の下がぷっくりはれる

ムンプスウイルスに感染して、耳下腺《じかせん》や顎下腺《がっかせん》がはれる病気で、せきやくしゃみでうつります。生後6カ月過ぎからかかる可能性がありますが、最も多いのは4～5才児です。また、かかっても3割は症状の出ない不顕性感染ですが、かかると終生免疫がつくため、二度とかかりません。

2～3週間の潜伏期間を経て、耳の下からあごにかけてぷっくり「おたふく」のようにはれてきます。はれは左右に出ることも、片方だけのこともありますが、はれている間はあごを動かすだけでも痛く、食欲がなくなります。同時に38～39度くらいの熱が出ることも。はれのピークは1～2日目で、熱も2～3日で下がります。

感染の危険があるのは、あごがはれる数日前から、はれがすっかり消えるまで。感染力の強いウイルスなので、この間は保育園や幼稚園、学校は休みます。

治療とケア

髄膜炎《ずいまくえん》や難聴《なんちょう》など合併症に注意を

病気自体は比較的軽いのですが、ムンプスウイルスは全身の臓器に感染しやすいため、むしろ心配なのは合併症です。無菌性髄膜炎が最も多く、脳炎を起こすことも。ウイルスが内耳に感染すると、難聴を引き起こすこともあります。ほとんどは片耳だけなので気づきにくいのですが、おたふくかぜから1～3週間後、呼んでも振り向かないとか、聞こえが悪いようだと感じたら、耳鼻科を受診しましょう。

ウイルスに対する薬はないので、発熱や痛みなどに対する薬による対症療法になります。ほおがはれて飲み込むのがつらそうなときは、のどごしのよいスープやゼリーなどを与え、すっぱいものは避けます。

尿路感染症《にょうろかんせんしょう》

病気のサイン
- 38・5度以上の熱が出る
- 発熱以外に症状がない
- 機嫌が悪い

尿の通り道に炎症が起きて痛む

尿は腎臓《じんぞう》でつくられ、腎盂《じんう》から尿管、膀《ぼう》胱《こう》をへて尿道から排出されます。この尿路のどこかにウイルスや細菌が感染し、炎症を起こすのが尿路感染症です。本来は膀胱炎、腎盂炎などの病名がつきますが、子どもは症状から部位を特定しにくいので、まとめて尿路感染症と呼びます。

膀胱や尿道などに炎症が起きると、尿の回数がふえ、排尿時に痛みがありますが、赤ちゃんは泣くだけなので、気づかないうちに、炎症が腎盂まで進んでしまうことがあります。腎盂炎になると38・5度以上の高熱が出ますが、それ以外の症状はあまり見られません。

ただ、低月齢の赤ちゃんの場合、4～5割に膀胱にたまった尿が腎臓のほうに逆流する「膀胱尿管逆流症《ぼうこうにょうかんぎゃくりゅうしょう》」などの先天的な異常が隠れています。尿路感染症をくり返すときは専門的な検査が必要です。

治療とケア　**抗菌薬を服用。おしりを清潔に**

尿検査をして白血球や細菌が多く発見されると尿路感染症と診断されます。抗菌薬による治療で治りますが、こまめにおむつを替えるなど、おしりの清潔も大事です。

髄膜炎《ずいまくえん》・脳炎《のうえん》

病気のサイン
- 高熱が続く
- くり返し吐く
- とても不機嫌でぐったり

主な症状は高熱・嘔吐・頭痛

髄膜炎は脳や脊髄《せきずい》をおおっている髄膜に炎症が起こる病気で、ウイルス感染によって起こるのがウイルス性（無菌性）髄膜炎、細菌によって起こるのが細菌性（化膿性）髄膜炎です。どちらも、高熱・くり返し吐く・頭痛（赤ちゃんの場合はとても不機嫌に）、首の後ろが硬直するため前に曲がらない、抱っこやおむつ替えのとき痛がる、などがサインです。意識障害、けいれんなどが起こることもしばしばです。

脳炎は脳そのものに炎症が起きる病気で、症状は髄膜炎と同じです。

治療とケア　**ただちに病院へ！入院して検査・治療を**

ウイルス性髄膜炎は数日から10日で治りますが、細菌性髄膜炎や脳炎は、症状は同じでも明らかに重症感があり、たちまち元気がなくなります。急いで抗菌薬やステロイド薬による治療を始めますが、10～20人に1人は命を落とし、救命できても後遺症を残しやすく、油断はできません。

いずれにせよ、明らかにいつもの赤ちゃんと様子が違っていて、おかしいと思ったら夜中でも大至急受診してください。基本は入院しての検査・治療になります。

川崎病《かわさきびょう》

病気のサイン
- 高熱が5日以上続く
- 首のリンパ節がはれる
- 全身に赤い発疹　など

症状の5つ以上がそろうと川崎病と診断

川崎病は全身の血管が炎症を起こす病気で、原因は不明ですが、5才未満、特に1才前後に発症が多いのが特徴です。

症状はさまざまですが、次の6つのうち5つ以上あれば川崎病と診断されます。

①原因不明の発熱が5日以上続く。
②発熱と同時あるいは少し前に首のリンパ節がはれ、痛がる。
③全身に赤い発疹が出る。
④手足がパンパンにむくむ。
⑤唇や舌が真っ赤になり、舌にプツプツが出る。
⑥白目が充血する。

治療とケア　**冠動脈瘤《かんどうみゃくりゅう》が見つかった場合、退院後も定期的な検査を**

心臓の冠動脈に瘤《こぶ》ができることがあります。病院ではまず検査を行って、川崎病と診断されればすぐに治療を始めます。冠動脈瘤は発症の7日目ごろから大きくなり始め、2～3週間でピークになります。冠動脈瘤が見つかった場合は退院後も投薬や定期的な検査が必要です。

ヘルパンギーナ

病気のサイン

- ●急な高熱
- ●のどの奥に水疱ができる
- ●のどを痛がる

乳幼児が夏にかかりやすく、つらいのはのどの痛み

乳幼児が夏によくかかる病気です。原因は主にコクサッキーA群と呼ばれるウイルスですが、コクサッキーB群やエコーウイルスなども原因になります。これらのウイルスは感染力が強く、主にくしゃみやせきでうつります。そのため、保育園や幼稚園では毎夏、流行することも多いもの。また、原因ウイルスがいくつかあるので、ひと夏に2回かかることもあります。

症状は突然の発熱とのどの痛みです。熱は多くの場合38～39度台で、2～3日で下がりますが、つらいのはのどの痛み。のどの奥がはれ、水疱が5～10個以上もできることがあります。水疱はつぶれやすく、しみるので、赤ちゃんはおっぱいやミルク、食事をいやがります。

治療とケア

水分補給とのどごしのよい食事を

熱は数日で下がり、自然に治ります。水分はこまめに与え、家で静かに過ごします。のどが痛むので、食事はひんやりしたゼリーやのどごしのよいものがいいでしょう。水分を全く受けつけないときは点滴で水分補給をする必要がありますから、必ず受診してください。

軽い病気ですが、まれに髄膜炎《ずいまくえん》や心筋炎《しんきんえん》を起こすことがあります。嘔吐、頭痛、元気がない、ぐったりするなどが見られたら、至急小児科の診察を受けてください。発熱時に熱性けいれんを起こす子もいます。

ブツブツの出る感染症は夏に多い!?

熱 高い ↕ 低い

溶連菌感染症 39度を超える熱	のどの炎症、赤いこまかい発疹
ヘルパンギーナ 39度を超える熱も	のどの奥にできた水疱が痛む
水ぼうそう 38度台の熱が多い	かゆみの強い水疱が全身に出る
手足口病 37度台の熱が多い (熱が出ないことも)	手、足、口の中に赤い水疱が

咽頭結膜熱《いんとうけつまくねつ》［プール熱］

病気のサイン

- ●急な高熱
- ●のどがはれて痛がる
- ●白目の充血、目やに

高熱が4～6日続き、のどと目に症状が

アデノウイルスが原因で、発熱、のどの炎症、結膜炎《けつまくえん》の症状が出てくる病気です。初夏から秋口にかけて流行しやすいものの、一年中見られます。5才以下の乳幼児に多いのですが、ウイルスのタイプによっては大人でも感染します。

以前は「プール熱」と呼ばれていましたが、実際の感染経路は、せきやくしゃみ、あるいは感染した子の使ったタオル、うんちを始末した大人の手指などからうつることが多く、プールの水で感染することは現在ではほとんどありません。

咽頭結膜熱という名のとおり、のどがはれて痛む咽頭炎《いんとうえん》と、白目やまぶたの裏側が赤くなり、目やにが出る結膜炎がこの病気の特徴です。のどの痛みと前後して39～40度の熱が4～6日間ほど続きます。アデノウイルスによる熱は高熱が出やすく、しかも長く続くのが特徴ですが、自然に下がり、治っていきます。

乳幼児にはアデノウイルスによる咽頭炎や扁桃炎もよくあるので、小児科ではのどや目からウイルスを検出する簡易診断キットを使って調べます。

治療とケア

安静と水分補給を。感染力が強いので家族も注意

ウイルスによる病気なので、治療の基本は点眼薬など、症状がつらいときにやわらげる対症療法です。医師の指示どおりに使って、自然に治るのを待ちましょう。家で安静に過ごし、水分をじゅうぶん与えること。母乳やミルクはいつもどおり与えてかまいません。食事はのどごしのよいものを。

感染力の強いウイルスなので、タオルなどは別々に。世話をしたあとはよく手を洗います。目やにもティッシュなどでふき、おむつは紙おむつにして、使ったら捨てることが大切です。

ウイルスは1カ月以上うんちやだ液に出るので、治ってからも感染防止策はしばらく続けてください。

けいれんを起こしたら

数分でおさまる熱性けいれんが多いので、落ち着いて対処して

けいれんの原因はいくつかありますが、赤ちゃんに多いのは熱性けいれん。高熱が出る病気にかかったとき、熱の上がりぎわに起こりやすいことが特徴です。乳幼児の８～10%に見られ、親やきょうだいに熱性けいれん歴があることも多いもの。何度かくり返す子もいますが、多くは１回きりで、後遺症もなく、５才以降は起こさなくなります。

発熱を伴うけいれんは髄膜炎や脳炎でも起こります。この場合は「くり返し吐く」「首が硬直して曲がらない」などもサインになります。熱がなくても脱水症や下痢のときにけいれんを起こすことも。激しく泣いたときに起こす憤《ふん》怒《ど》けいれん（泣き入りひきつけ）もありますが、これは心配ありません。

赤ちゃんがけいれんを起こすと、ママ・パパは動揺してしまうでしょうが、熱性けいれんは命にかかわることはないので、落ち着いて対処することが大切です。いずれにしてもけいれんは緊急度の高い症状。特に初めての場合は大至急受診しましょう。

受診の目安

日中
かかりつけ医に電話して受診。診察時間外なら救急車を呼んで。

夜間
夜間救急へ行くか、救急車を呼んで。

大至急！
- けいれんが５分以上続く
- 短時間にけいれんをくり返す
- けいれん後、意識が戻らない
- ６カ月未満の赤ちゃんのけいれん

けいれんしたら！

1 赤ちゃんを体ごと横向きに寝かせる

平らな場所に寝かせて、衣服をゆるめ、ラクにしてあげましょう。吐いたものをのどにつまらせないよう、横向きに寝かせます。硬直しているときは体ごと横向きにします。

2 けいれんの持続時間をはかる

熱性けいれんなら２～３分、長くても５分以内でおさまります。けいれんが始まったら、あわてずに持続時間をはかりましょう。けいれんが５分以上続くときは、救急車を呼んで。

3 けいれんが左右対称か、様子を見る

熱性けいれんの場合、体や手足、黒目などの動きは左右対称です。けいれん中は体のつっぱりぐあい、手足のふるわせ方や黒目の動きなどをよく見て、受診時に医師に伝えましょう。

NG
- けいれんしているとき、体をゆすらないで！
- 口の中に、物や指を入れないで！

けいれんのあとは？

1 目が合うか確認する

「けいれん後睡眠」といってぐっすり眠ってしまうことも多いのですが、目が覚めて泣いたりしたときは、意識がはっきりしているか目を合わせて確認を。目が合わず意識がもうろうとしている場合は大至急受診！

2 熱をはかる

けいれんがおさまったら熱をはかり、何度くらいのときにけいれんが起きたかチェックを。平熱を知っておき、受診したとき、平熱とけいれん時の体温を医師に伝えられるようにしておきましょう。

3 すぐに受診する

赤ちゃんがけいれんを起こしたとき、その原因を見きわめるのはむずかしいものです。初めてのけいれんの場合は原因を確かめるためにかかりつけ医に連絡を。連絡がつかない場合は救急車を呼んで急いで病院へ。

熱のあるなしが見分けるポイント

ブツブツが出た

ブツブツは子どもの病気にはとても多い症状。皮膚のトラブルと違うのは、全身状態や熱のあるなし。まず熱をはかってみましょう。

はしか［麻《ま》疹《しん》］

病気のサイン

- ●発熱、せき、鼻水
- ●目の充血、目やに
- ●全身の発疹

かぜに似た症状から始まり、熱の再上昇とともに発疹が

はしかの原因は麻疹ウイルスで、潜伏期間は10～12日。感染力はとても強く、感染した子のせきやくしゃみによって感染するほか、それらが飛び散って空気中に漂うウイルスからの空気感染もあります。

赤ちゃんはママが抗体（免疫）を持っていれば胎内でもらえますが、この効果は生後6カ月くらいまで。それ以降は免疫のない子はほぼ100％感染します。予防接種の普及で、はしかにかかる子どもは減っていますが、感染すると1000人に1人が死亡するこわい病気です。

最初は38度前後の発熱、せき、鼻水などかぜに似た症状ですが、同時に目やに、目の充血など結膜炎症状も出ます。3日ほど熱が続いたあと、ほおの内側に白いブツブツがあらわれます。これはコプリック斑といい、はしかに特徴的な症状です。

発熱から3～4日たつと熱はいったん少し下がりますが、半日くらいのうちに再び上昇して、39度以上の高熱に。同時に赤くこまかい発疹が首や顔に出始め、やがて全身に広がります。そして発疹と発疹がくっついて大小不規則な形になり、赤褐色に変わります。この間、せきや鼻水、結膜炎の症状もいっそう強くなり、この時期がいちばんつらく、体力を消耗します。発熱から7～10日ごろになるとやっと熱が下がり、全身状態もよくなってきます。

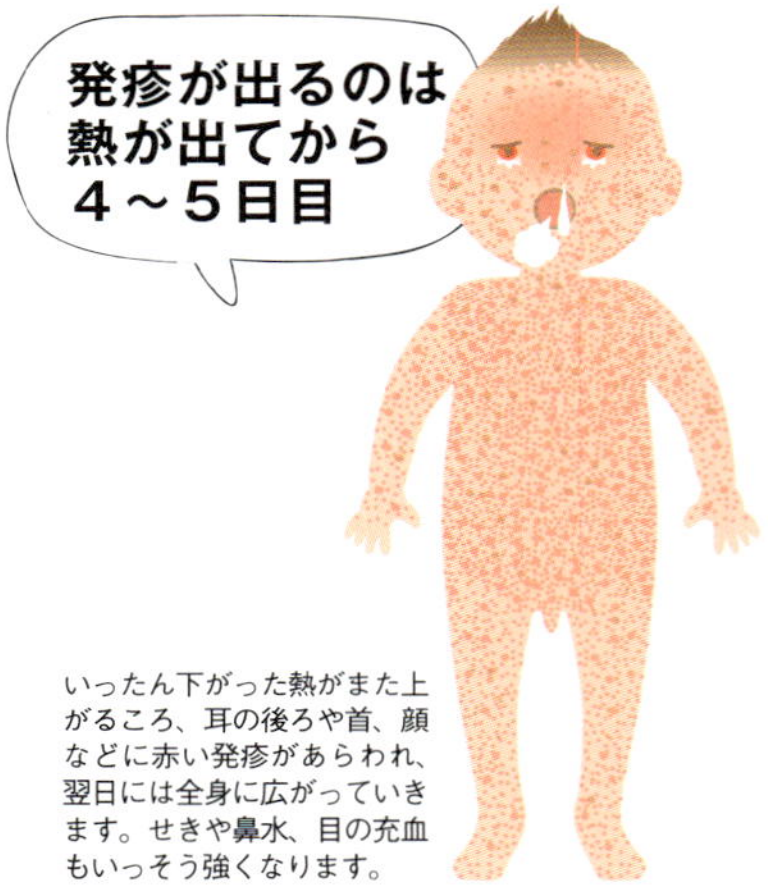

いったん下がった熱がまた上がるころ、耳の後ろや首、顔などに赤い発疹があらわれ、翌日には全身に広がっていきます。せきや鼻水、目の充血もいっそう強くなります。

治療とケア

合併症に注意しつつ慎重にケアを

はしか自体も重い病気ですが、なによりこわいのは合併症です。最も多いのは肺炎、中耳炎ですが、はしかにかかった人の1000人に1～2人は脳炎を起こしています。肺炎や脳炎は低月齢ほど命にかかわります。

通常なら熱が下がる時期なのに高熱が続く、けいれんを起こしたなどといった場合は、夜中でも大至急、病院へ行ってください。

症状が出ている間はとにかく安静第一。水分もこまめに与えて、合併症を起こしていないか、様子の変化に気をつけながら慎重に見守ります。高熱のために赤ちゃんがぐったりし、水分補給もできないと脱水症が心配ですから、解熱薬をじょうずに使って熱を下げることも必要になります。

回復しても1カ月くらいは無理せず、静かに過ごすようにしましょう。

1才の誕生日プレゼントにMRワクチンを！

麻疹ウイルスの感染力はきわめて強く、抗体を持たない人はほぼ100％うつります。小児科をはしかで受診する子の半数は1～2才児であり、そのほとんどが予防接種を受けていません。「そのうち受けようと思っていたら、かかってしまった」というケースが圧倒的。はしかに効く薬はありません。ワクチンを接種して予防するしかないのです。1才の誕生日にはMRワクチン（はしかと風疹混合ワクチン）をぜひ受けさせてあげましょう。

風疹《ふうしん》

病気のサイン
- ●発疹　●耳の後ろや首のリンパ節のはれ
- ●微熱（出ないことも）

子どもには軽くても妊婦は要注意

原因は風疹ウイルスで、春から初夏にかけて、くしゃみやせきなどによって感染します。1才~小学校低学年に多く見られる病気ですが、最近は年齢による差があまりなく、大人や1才未満の乳児もかかっています。また、感染しても症状が出ない（不顕性感染）こともありますが、検査により抗体があるかどうかはわかります。

潜伏期間は2~3週間で、37~38度くらいの微熱が出るか、ほとんど出ないことも。発熱の数日前から耳の後ろや首の後ろのリンパ節がはれ、発熱と同時に全身に赤くこまかい発疹が出ます。発疹は2日ほどで消え、熱も2~3日で下がります。

子どもには軽い病気ですが、風疹の抗体のない妊婦が妊娠初期に感染すると、まれではあるものの、先天性風疹症候群《せんてんせいふうしんしょうこうぐん》（CRS）といって、難聴、白内障、先天性心疾患などの障害を持った赤ちゃんが生まれる危険性があります。ただ、このリスクは妊娠週数によっても違うので、心配な場合はかかりつけの産婦人科で相談してください。

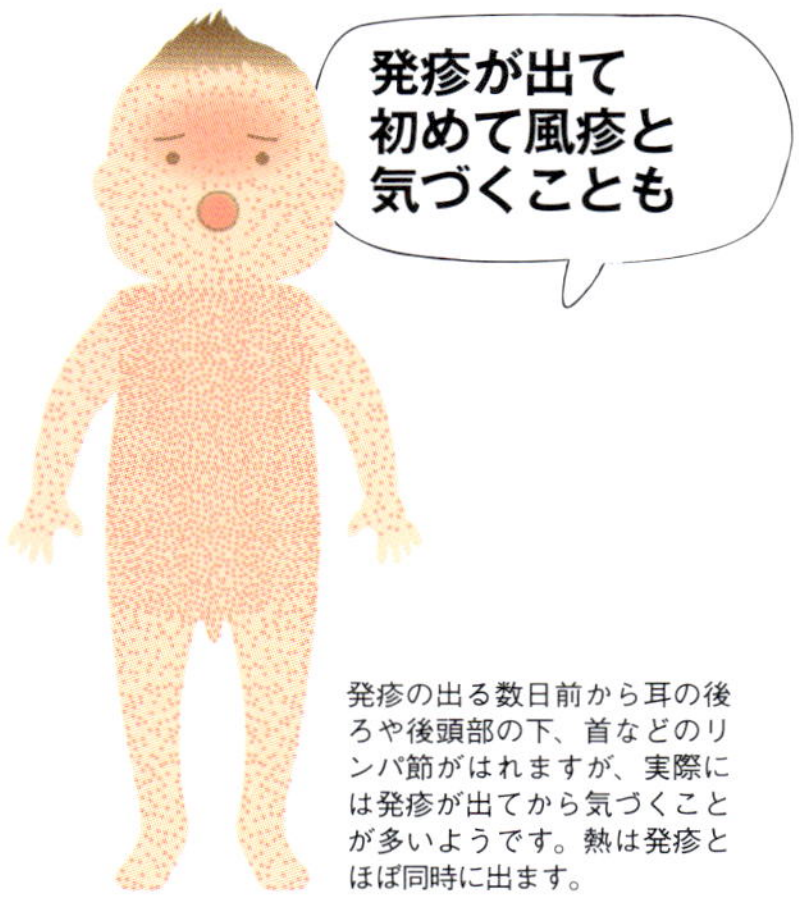
発疹が出て初めて風疹と気づくことも
発疹の出る数日前から耳の後ろや後頭部の下、首などのリンパ節がはれますが、実際には発疹が出てから気づくことが多いようです。熱は発疹とほぼ同時に出ます。

治療とケア　様子を見守りつつ家で静かに過ごす

ケアは家で静かに過ごすことに尽きます。治療は特にしませんが、はしかや突発性発疹との区別をつけるとともに、合併症の兆候がないかどうかチェックをするので、必ず受診しましょう。まれに合併症で脳炎を起こすことがあるので、風疹と診断されたにもかかわらず熱が3日以上続いたり、ぐったりしてきたなどが見られたら、早めに再受診を。

手足口病《てあしくちびょう》

病気のサイン
- ●手のひら、足の甲や裏、口の中に赤い水疱
- ●微熱（出ないことも）

幼児に多く、夏に流行する

ヘルパンギーナ（P.196）と同じく乳幼児が夏によくかかる病気です。原因はヘルパンギーナとは少し型の違うコクサッキーA群のほか、エンテロウイルス71型、エコーウイルスなど複数あるので、何度もかかってしまうこともあります。

症状は名前のとおり、手のひら、足の甲や裏、口の中などに赤い水疱ができるのが特徴です。原因となるウイルスによって水疱の出方も異なり、ひじやおしり、性器の周辺に出ることもあります。熱は37~38度で、全く出ないこともあり、ここがヘルパンギーナと違うところ。熱は1~2日で下がります。

口の中の水疱は痛み、食欲が落ちます。手や足の水疱はふつう痛みませんが、ときには痛みやかゆみを伴うことも。軽い病気ですが、ヘルパンギーナと同じく、まれに髄膜炎や心筋炎を起こすことがあるので、高熱や嘔吐、元気がない、ぐったりするなどの様子が見られたら至急受診を。

治療とケア　口の中の水疱が痛むが水分補給をしっかりと

ウイルスによる病気なので、家で安静にしているだけで自然に治ります。特に薬は必要ありませんが、下痢をともなうことがあるので、整腸剤を処方されることも。口の中の水疱がしみるので、食事をいやがることがあります。水分だけはしっかりと与えましょう。病気そのものは1週間くらいで治ります。

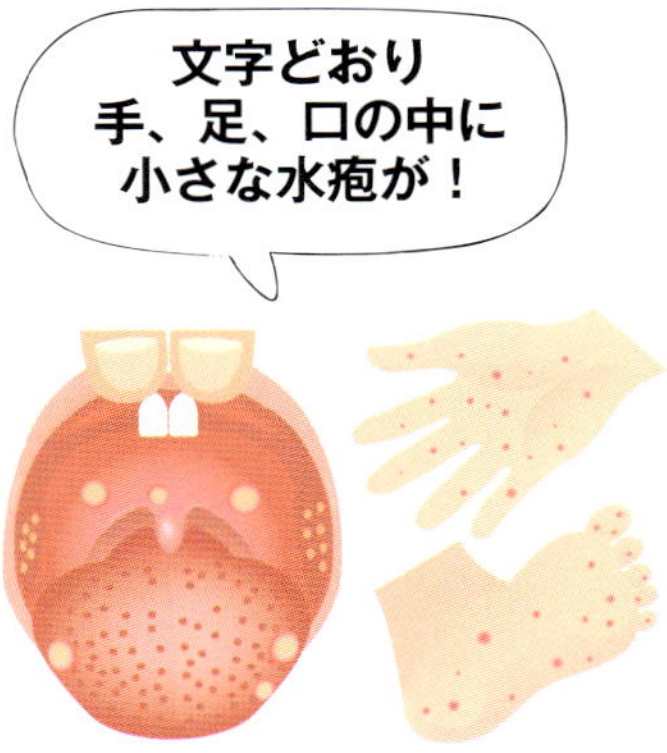
文字どおり手、足、口の中に小さな水疱が！
口の中の水疱はヘルパンギーナに比べると前のほうにできます。手、足のほか、ひじやおしり、性器の周辺に出ることもあります。

水ぼうそう

病気のサイン

- 赤い発疹から水疱へ
- かゆみが強い
- 微熱（出ないことも）

水疱が全身に広がり、つぶれてかさぶたに

水痘帯状疱疹《すいとうたいじょうほうしん》ウイルスが原因の、非常に感染力の強い病気です。主にせきやくしゃみによる飛沫《ひまつ》感染ですが、はしかと同様に、空気感染もします。季節的には冬から春にかけて多いといわれていましたが、最近では一年中見られる病気になりました。

10才以下の子どもに多いのですが、最もかかりやすいのは1～5才の乳幼児。保育園や幼稚園で1人がかかるとあっという間にほかの子たちにもうつります。また、ママが水ぼうそうの抗体を持っていなければ生後すぐでもかかりますし、ママから抗体をもらった場合でも、抗体量が少ないとかかってしまいます。大人でも免疫がなければかかり、子どもよりはるかに重い症状が出がちです。

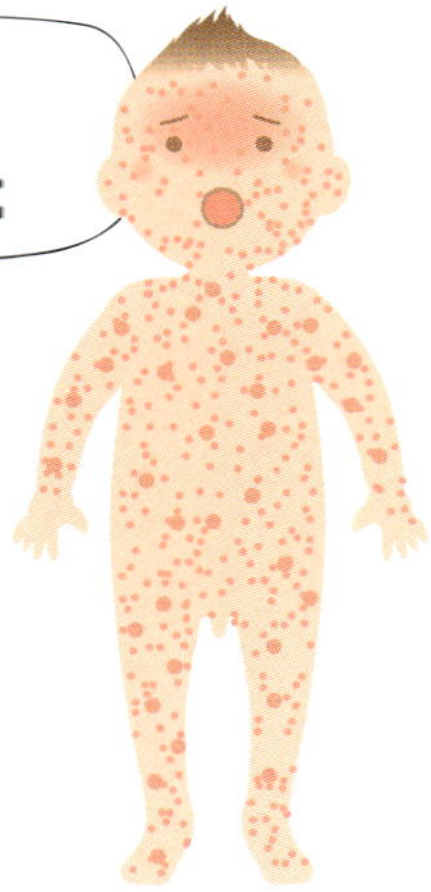

できたばかりの発疹や水疱、かさぶたになったものなどが混在。最も多く出るのは、おなかや背中、顔などです。かさぶたのあとはしばらく色が抜けた状態に。

潜伏期間は10～21日で、軽い発熱と赤いこまかい発疹で始まります。発疹は最初、胸や背中にあらわれ、数時間のうちに水疱になって、強いかゆみをともないます。やがて2～3日のうちに水疱→膿疱《のうほう》→かさぶたとなって全身に広がり、頭皮や口の中にもできます。体には発疹や水疱、膿疱、かさぶたが混在することになります。最も多く出るのはおなかや背中、顔などです。

熱は2～3日で下がることがほとんど。やがてすべてかさぶたになり、かさぶたのあとはしばらく色が抜けたままになりますが、10日～2週間できれいになっていきます。

治療とケア

発症後2日以内なら抗ウイルス薬が有効

水ぼうそうにかかったら、発症して2日以内なら、水痘帯状疱疹ウイルスに対する抗ウイルス薬・アシクロビル（商品名：ゾビラックス）を使います。発疹や発熱などの症状を軽くするのに有効です。

発疹はかゆみが強いので、赤ちゃんは機嫌が悪く、発疹をかいてしまうことも多いもの。かきこわすと化膿してしばらくあとが残ることもあるので、かきこわさないよう注意が必要です。かゆみを抑えるために抗ヒスタミンの塗り薬を使うこともあります。

水ぼうそうの患者と接触した場合、3日（72時間）以内にワクチンを打てば発症を防ぐことが期待できます。なお、予防接種をしても2割程度は水ぼうそうにかかりますが、自然感染した場合より症状はずっと軽くすみます。1才から受けられるので、必ず受けましょう。

かかってから治るまで

水ぼうそうの経過

発熱

37度くらいの熱とだるさ、食欲の低下、 軽い頭痛などがあらわれます。ただし乳幼児はこうした初期症状には気づかないことも多いものです。熱は3日くらいで下がります。

ほぼ同時に発疹

発熱と同時くらいに赤くこまかい発疹が胸や背中にあらわれます。初めは虫刺されやあせもと似ていて、判断できないことも。

数時間後に水疱

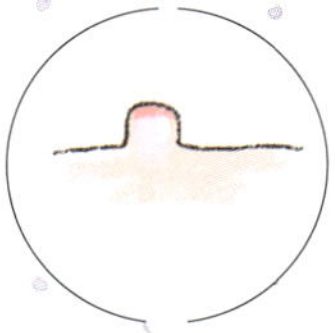

発疹は数時間でふくらんで水疱となり、体じゅうにバラバラと広がります。

水疱はやがて膿疱に

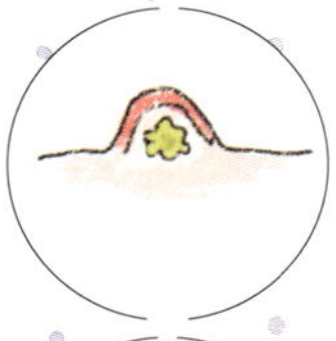

水疱はやがてうみのようににごった液を持つ膿疱となります。

3～4日後にかさぶたに

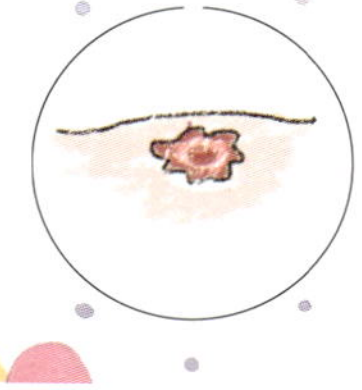

最後はかさぶたとなってはがれ落ちていきます。次々と発疹があらわれ、それがすべて水疱、膿疱、かさぶたとなって、最後のかさぶたがはがれ落ちるまで1～2週間ほどかかります。

かさぶたのあとはしばらく脱色したままに。

溶《よう》連《れん》菌《きん》感《かん》染《せん》症《しょう》

病気のサイン
- ●急な高熱
- ●のどが真っ赤で痛がる
- ●発疹
- ●いちご舌

3才以下の子はのどの痛みだけのことも

溶連菌とは溶《よう》血《けつ》性《せい》連《れん》鎖《さ》球《きゅう》菌《きん》の略。だれでも鼻の穴やのどに持っている、日常的にいる細菌です。溶連菌感染症と呼ぶ場合、医学的には「A群溶血性連鎖球菌咽頭炎」のことで、のどが真っ赤になって痛むのが特徴です。患者数として多いのは4～7才児ですが、2～3才や大人もかかることがあります。ただ、0～1才児にはあまり見られません。

体内にこの菌を持つ人からせきやくしゃみによってうつります。感染力が強く、秋から春にかけて流行します。

潜伏期間は3日ほど。39～40度の高熱とのどの痛みから始まり、のどの奥は血がにじんだように真っ赤になります。首のリンパ節がはれたり、嘔吐・下痢をともなうことも。せきや鼻水はそれほどでもありません。

なお、いちご舌といって、舌の表面がいちごのようにポツポツと赤くなったり、全身に赤いこまかい発疹が出てくることもあります。この場合は咽頭炎ではなく、「しょう紅熱」と呼びますが、こうした症状は幼児や学童に見られるもので、3才以下の乳幼児の場合は熱や発疹もなく、のどの痛みしか症状が出ないことも多いものです。

治療とケア

処方された抗菌薬を飲み切ることが大切

小児科の外来では迅速診断キットを使って溶連菌がいるかどうかを調べることができます。いるとわかれば主にペニシリン系の抗菌薬を使って治療します。服用すれば1～2日で熱も下がり、のどの痛みもやわらぎますが、治ったと思って抗菌薬を勝手にやめてはいけません。溶連菌が完全に消えずに、再発することもあります。再発をくり返すと、急性腎炎や、体内にできた抗体が自身の細胞を攻撃してしまうリウマチ熱などを合併することがあるからです。

ケアとしては、処方された抗菌薬を最後まで飲み切ることが何より大事。もし熱が下がらないようならウイルスによる咽頭炎も考えられるので、翌日、あるいは医師に指示された日に再受診を。

抗菌薬の服用終了後、軽い腎炎などが起きていないか尿検査などでチェックする病院も多いので、医師から指示を受けたら、きちんと受診し、検査を受けましょう。

伝《でん》染《せん》性《せい》紅《こう》斑《はん》［りんご病］

病気のサイン
- ●両ほおに赤い発疹
- ●腕や太ももにレース状の赤い発疹

両ほおに真っ赤な発疹、1～2日後には腕や足にも

ヒトパルボウイルスB19というウイルスが原因で、5～10才の子どもに多く見られますが、免疫がなければ大人でもかかることがあります。妊娠中の女性が初感染すると胎児に影響が起こることもあるので、要注意なウイルスです。冬から春にかけて多く見られ、保育園や幼稚園、小学校などで流行することも。くしゃみやせきなどでうつりますが、感染力はそれほど強くなく、感染しても2～3割は症状が出ません（不顕性感染）。

両ほおにりんごのように赤い発疹が出て、1～2日後に腕や太ももなどの外側にレース状の紅斑が出ます。発疹は軽いかゆみやほてりを感じることも。熱は出ないか、出ても微熱程度です。

治療とケア

家で安静に。日光の刺激で再び発疹が出てくることも

家で安静にしていれば自然に治ります。発疹は数日から10日くらいで消えますが、紫外線に当たったりすると赤みが増したり、消えた発疹がまた出てくることもあります。

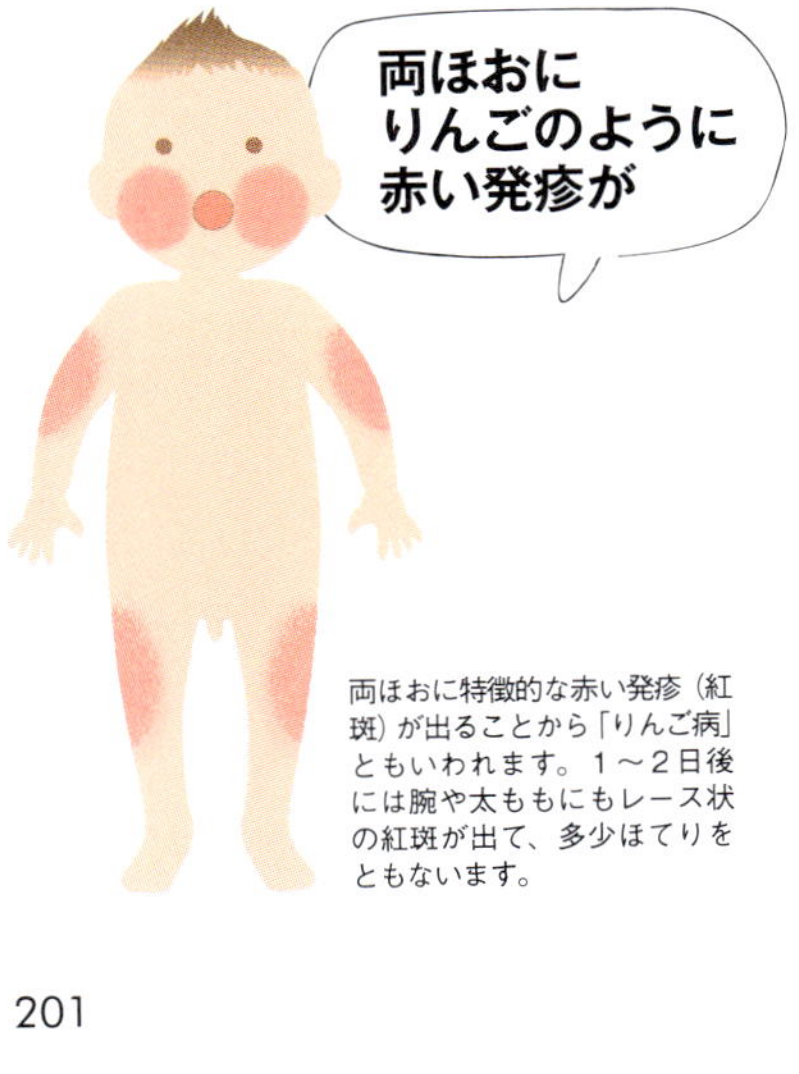

両ほおに特徴的な赤い発疹（紅斑）が出ることから「りんご病」ともいわれます。1～2日後には腕や太ももにもレース状の紅斑が出て、多少ほてりをともないます。

せきが苦しそう

初めはかぜかなと思っても、苦しそうなせきが続くときは別な病気を考えて、できるだけ早く受診しましょう。

気《き》管《かん》支《し》炎《えん》・肺《はい》炎《えん》

病気のサイン

●発熱 ●湿った重いせき
●食欲がなくつらそう
●呼吸の回数が多い

ウイルス性と細菌性があり、細菌性は症状が重い

気管支炎はウイルスによるものが多く、肺炎にはウイルスや細菌、マイコプラズマによるものなどがあります。

鼻水、くしゃみ、せきなどかぜ症状に引き続いて起こることが多く、特徴的な症状は38～40度の熱と、ゴホゴホという、たんのからんだような湿った重いせきです。

こうした症状があったらすぐに受診を。呼吸状態や全身状態が悪ければ入院治療に、軽い場合は通院での治療になります。

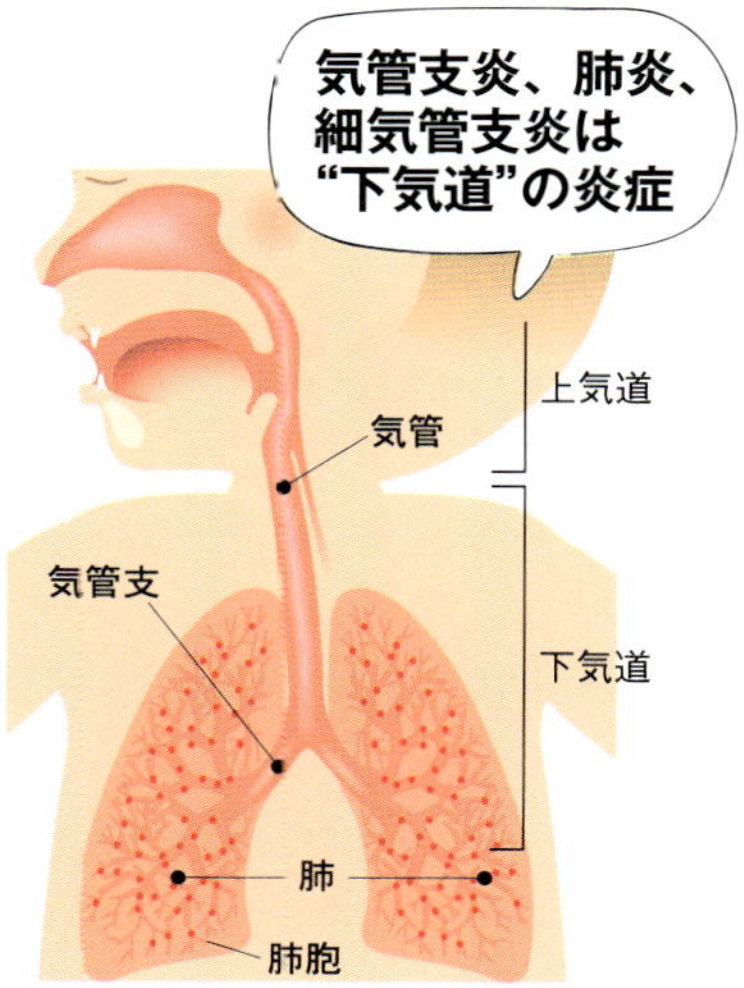

治療とケア

呼吸の様子と全身状態に気をつけて

ウイルスによるものは安静にしていることがいちばん。こまめに水分補給し、室内を加湿してたんを切りやすい状態にしてあげましょう。せきの苦しい時期は最初の4日ほどで、1週間ほどすればよくなります。

一般にウイルスによる気管支炎や肺炎はそれほど悪化しませんが、細菌が原因の場合は症状も重く、呼吸状態が急激に悪くなることがあります。病院では検査をして、細菌感染によるものかどうか確認します。

細《さい》気《き》管《かん》支《し》炎《えん》

病気のサイン

●発熱 ●ゼーゼー、ヒューヒュー激しいせき
●呼吸が苦しそう

生後6カ月未満の赤ちゃんは特に注意

肺の中で複雑に枝分かれした気管支の末端部分、細気管支に炎症が起こる病気です。2才以下の乳幼児、なかでも6カ月前後の赤ちゃんに、冬に多く見られます。原因は乳幼児の場合、半数以上がRSウイルスといわれます。

熱、鼻水、せきなどかぜ症状から始まりますが、しだいにせきが強くなり、呼吸するときゼーゼー、ヒューヒューという音（喘《ぜん》鳴《めい》）がすることも。速く浅い呼吸、小鼻がピクピクし始めたら呼吸困難の症状。月齢が低いほど急速に悪化しやすいので、急いで病院へ。

治療とケア

呼吸困難が強いときは入院治療に

呼吸困難が強い場合は入院しての治療になります。呼吸の様子が悪くなければ通院治療になりますが、急に悪化することもあるので、そばを離れずに様子を見守って。

RSウイルス感染症

早産や病気を持つ赤ちゃんは抗体を投与する予防法を

RSウイルスは生後2才までにほとんどの子が感染し、その後も何度でも感染します。初感染時、7割の子は軽いかぜ症状ですみますが、3割は細気管支炎や肺炎に。特に月齢が低い赤ちゃんほど重症になりやすいのです。また、早産で生まれたり、先天性の心臓病、呼吸器に問題のある赤ちゃんは命にかかわることもあるので、RSウイルスに対する抗体を投与する予防法が健康保険で受けられます。

クループ症候群［急性喉頭炎《きゅうせいこうとうえん》］

病気のサイン
- ●発熱
- ●独特のせき
- ●声のかすれ、声が出ない
- ●呼吸の回数が多い

喉頭が炎症を起こし、独特の苦しそうなせきが出る

のどの奥から気管と食道が分かれるあたりまでを喉頭といいます。クループ症候群はこの喉頭、特に声門直下に炎症が起きる病気です。

初期は鼻水、せき、のどの痛みですが、声門の下がはれるので、声のかすれ、声が出ないといった症状が出ます。のどが赤くなって痛むので、赤ちゃんは食欲がなくなることも。一般に熱は高いですが、出ないこともあります。

特徴的なのは「オウッオウッ」「ケーン」と、まるでアザラシの鳴き声や犬の遠ぼえのようなせきが出ることで、これはどう考えてもふつうではないと気づくでしょう。また、喉頭部は上気道で最も狭い部分で、ここに炎症が起きるため、さらに気道が狭くなって、乳幼児では呼吸困難から、唇やつめが紫色になるチアノーゼを起こすこともしばしばあります。その場合は大至急病院に連れていきましょう。入院治療が必要です。

治療とケア

加湿を心がけ、２才以下の子は目を離さない

症状をやわらげる薬を用いたり、呼吸が苦しそうな場合は吸入などのケアをしながら回復を待ちます。ふつうは１週間程度で自然に治っていきますが、２才以下の子の場合はのどがけいれんしたり、呼吸困難になることもあるので、目を離さないことが大切です。

せき込みやすいので、水分は少しずつ何回にも分けて飲ませてあげましょう。空気が乾燥しているとせきがひどくなるので、室内に洗濯物を干したり、加湿器を使って湿度を上げるとよいでしょう。

せきがあまりに激しいときは、症状をやわらげるために、たんを出しやすくする作用もある去痰薬《きょたんやく》が処方されることも。医師の指示どおりに用いましょう。

百日《ひゃくにち》ぜき

病気のサイン
- ●せき、鼻水、くしゃみ
- ●微熱（出ないことも）
- ●乾いた激しいせきが続く

息が止まりそうなほど苦しいせきが続く

原因は百日ぜき菌で、感染した人のせきやくしゃみからうつります。感染力も強く、抗体がなければほぼ１００％感染し、発症します。赤ちゃんも胎児期にママからもらえる抗体では予防効果が期待できず、新生児でもかかる可能性があります。

潜伏期間は7～10日程度。まずせき、鼻水、くしゃみなど、かぜと似た症状が出ます。熱は出ないか、出ても微熱程度でしょう。その後、せきはなかなかおさまらず、むしろますます激しくなります。特に夜になるとせき込みがひどくなります。このような状態が１～２週間続き、やがて、乾いたコンコンコンという短いせき込みを十数回したあと、最後にヒューッと音を立てて息を吸う、レプリーゼという百日ぜき特有の発作が始まります。まるで息が止まりそうな感じです。発作のない間はわりと元気なのも特徴です。

１才未満の赤ちゃんは呼吸困難や無呼吸の発作を起こし、顔色が紫になるチアノーゼを起こすこともあります。百日ぜき菌が肺に及ぶと、肺炎を合併することもあります。

治療とケア

抗菌薬での早めの治療が大事

病院での治療は百日ぜき菌に有効な抗菌薬を使います。しかし、症状が進んでしまうと抗菌薬だけでせきを抑えるのはむずかしくなるので、月齢が低い場合は入院して治療することもあります。薬が効くためにも、早めに医師にかかって治療を開始することが大事です。

せき込んで吐きやすいので、水分はこまめに、スプーンで少しずつ、何回かに分けて与えましょう。部屋の加湿もじゅうぶんに。

百日ぜきは名前のとおり１００日間近く続きます。せきが激しい時期は体力の消耗が激しく、合併症や、月齢が低い場合は命にかかわることもあります。赤ちゃんにつらい思いをさせないためにも、生後３カ月から受けられる四種混合の予防接種で防ぎましょう。

心配なのは脱水症！
水分補給をしっかりと

赤ちゃんが吐いた・下痢をした

吐いたり下痢をしたりする病気で、こわいのは脱水症です。赤ちゃんがぐったりしたり、様子がおかしいときは大至急病院へ。

急性《きゅうせい》胃腸炎《いちょうえん》（ウイルス性）

病気のサイン

- 急な嘔吐と下痢
- 水っぽい便が何度も出る
- 発熱（出ないことも）

秋から冬に多く、急に嘔吐や下痢が始まる

ウイルス性胃腸炎は、いわゆるおなかのかぜ。原因となるウイルスは数多くありますが、代表的なのは秋から春先にかけて流行するノロウイルス、真冬に流行するロタウイルス。アデノウイルスが原因の場合は夏を中心に一年中見られます。いずれも感染力が強く、保育園や幼稚園などの集団の場ではすぐに広がりますし、家族でも誰かがかかるとうつってしまいます。

急な嘔吐や下痢から始まり、熱が出ることもあります。特に下痢がひどくて、おむつからもれるような水っぽいうんちが1日数回〜十数回も出ます。ノロウイルスでは下痢のひどい症状は1〜2日でおさまり、あとは自然に治っていきます。

ロタウイルスは白またはクリーム色の下痢便が出るのが特徴ですが、必ず出るというわけではありません。症状はノロウイルスに比べて強く、激しい下痢が1週間ほど続くこともあります。

治療とケア

脱水症が心配なので水分を少しずつ与える

ウイルスによる胃腸炎の嘔吐は最初の半日ほどがピーク。その間は水分も食事も控えましょう。嘔吐が少しおさまったら水分を与えます。電解質を補える経口補水液《けいこうほすいえき》（OS-1）が最適です。母乳やミルクも様子を見ながら少しずつ。整腸剤や吐きけ止めが処方されることもあります。

感染力が強いので、汚れたおむつや衣類はほかのものと別に洗い、赤ちゃんの世話をした前後は手をよく洗いましょう。

急性《きゅうせい》胃腸炎《いちょうえん》（細菌性）

病気のサイン

- 急な嘔吐と下痢
- 血便や粘液便《ねんえきべん》が出ることも
- 発熱（出ないことも）

病原菌によって症状が違い、高熱が出ることも

細菌に感染して起こる胃腸炎で、食物を介して起こればいわゆる食中毒です。原因となる菌はサルモネラ菌、カンピロバクター菌、腸炎ビブリオ、ブドウ球菌、病原性大腸菌など。

症状は発熱、嘔吐、下痢ですが、原因菌によって少しずつ違い、高熱が出る場合もあれば、熱が全く出ないこともあります。うんちも血便のほか、緑色の粘液便、黒い便、水のようなこともあります。このような便が出たり、強い腹痛や高熱があるときなどは急いで受診を。ウイルス性の胃腸炎より重症度が高く、入院が必要になることもあります。

治療とケア

水分補給が第一。脱水症のサインがあればすぐ受診

薬は整腸薬や吐きけ止めが使われます。下痢は病原体を排出しようとする体の自然な反応なので、強い下痢止めを使うことはしません。あとは、ウイルスによる急性胃腸炎のときと同じように、水分補給を第一に考え、様子の変化に気をつけます。水も飲めない、ぐったりするなど脱水症のサインがあるときはすぐに再受診を。

腸重積症《ちょうじゅうせきしょう》

病気のサイン

- 泣く、おさまるをくり返す
- いちごゼリー状の血便が出る（浣腸《かんちょう》して出ることも多い）

腸と腸が重なり合い、気づかないと壊《え》死《し》することも

腸の一部が腸の中に入り込んでしまう病気で、生後4カ月から2才ぐらいまでに多く、女の子より男の子に2倍ほど起こりやすいといわれています。

特徴的な症状は、赤ちゃんが火のついたように泣いたり、ケロリとおさまったりをくり返すことです。これは腸が重なり合った部分の通りが悪くなるため、腸の蠕動《ぜんどう》運動が起こると痛みが強くなり、終わると痛みがおさまるからですが、はっきりしないケースもあります。また、もぐり込んだ腸が締めつけられたり、粘液がはがれたりして出血するため、いちごゼリー状の血便が出ることも重要なサインですが、これも病院で浣腸をして出ることもあり、家庭で必ずしも見られるわけではありません。

長時間ほうっておくと、腸の血流が妨げられて壊死してしまう危険もあるため、赤ちゃんがおなかをくり返し痛がる様子が見られるなど、おかしいと感じたら、夜中でもすぐ受診を。その場合は小児外科、小児科両方がある総合病院だと安心です。

治療とケア

重なった腸を高圧浣腸で元に戻す

診断は問診と超音波検査ですぐできます。発症してから24時間以内であれば、造影剤や空気、生理食塩水などを肛門から高圧で注入し、入り込んでいる腸を押し戻す高圧浣腸でほとんど治ります。ただ、当日中に再発が見られることもあるため、入院して様子を見ることもあります。

高圧浣腸で戻らないときや、発症して時間がたち、腸が壊死している可能性が高い場合は開腹手術が必要になります。

肥厚性幽門狭窄症《ひこうせいゆうもんきょうさくしょう》

病気のサイン

- 授乳のたびに吐く
- 噴水状に吐くようになる
- 体重がふえない、減る

噴水のように勢いよく吐くのが特徴

肥厚性幽門狭窄症は胃の出口である幽門の筋肉が厚くなり、十二指腸に通じる部分が狭くなっている状態。そのため、母乳やミルクを飲んでも十二指腸に運ばれず、口に逆流してきます。原因ははっきりわかっていませんが、生後2～3週間から2カ月ごろに起こることが多く、男の子、特に第1子に多く見られます。

赤ちゃんの胃はもともととっくりを立てたような形をしているため、大人に比べて吐きやすいもの。よく吐くことがあっても、機嫌がよく、体重が順調にふえていれば問題ありません。しかし次第に吐く回数がふえ、そのうち飲むたびに吐くようになり、噴水状に勢いよく吐くようになったら、この病気を疑います。体重もふえないか、生まれたときより減ってしまうこともあり、脱水症状を起こすこともあります。

治療とケア

5日ほどの入院手術で治り、ふつうに授乳も

診断は超音波検査などで行います。治療法は医師と相談して決めますが、一般には手術がすすめられています。5日ほどの入院で、手術後は再発もありません。術後は早い時期からの授乳も可能です。

急性胃腸炎のあとに起こる

乳糖不耐症《にゅうとうふたいしょう》

急性胃腸炎を起こすと腸の粘膜が傷つき、一時的に乳糖を消化吸収する酵素が出なくなり、下痢がいつまでも続くことがあります。これが乳糖不耐症です。胃腸炎が治っても下痢だけが続くという場合は再受診を。乳糖不耐症と診断されると、乳糖を含まないミルクや、乳糖を分解ずみの食品を与えるよう指示されます。乳糖を与えないことで腸の粘膜が再生し、乳糖分解酵素も回復してきます。

乳糖不耐症になりました

綾香ちゃん（３カ月）

1日目 夜に突然２回続けて下痢。熱は出ない。

2日目 １日に７回下痢。おかしいと思い始める。

3日目 下痢が治らず受診。下痢止めは３日分。

6日目 同じ症状。便を持参して受診し、下痢止めをさらに３日分もらう。

9日目 症状は変わらず、便を持参して受診。「乳糖不耐症」と診断され、ミルクを替えるように言われる。

12､15日目 症状は変わらず。受診して薬をもらう。

18日目 下痢の回数が減り、便の状態も快方へ。

21日目 完治し、ふつうのミルクに戻す。

Dr. より

病名は特定されなかったにしても、最初はウイルス性の急性胃腸炎だったのでしょう。乳糖不耐症の典型的なパターンですね。

親から子へと
体質が遺伝する

アレルギーが気になる

アトピー性皮膚炎や気管支ぜんそくはアレルギー体質が関係する病気。それぞれの症状を見きわめて、対応していくことが大切です。

アトピー性皮膚炎

病気のサイン

- **ジュクジュクした赤い湿疹**
- **耳のつけ根が切れる**
- **治ってもすぐにぶり返す**

強いかゆみをともなう慢性の湿疹

アトピー性皮膚炎は、遺伝的にアレルギーを起こしやすい体質を持った人に起こる慢性の湿疹です。特定の食物やほこり、ダニなどのアレルゲンが体内に入り込むことによって肌にアレルギー反応が出て、湿疹や炎症を起こすと考えられています。

特に赤ちゃん時代は皮膚が薄く、アレルゲンの刺激に反応して炎症を起こしやすいもの。それをかいたりしているうちに皮膚の表面が傷つき、バリア機能が壊れてしまいます。そのため皮膚を通してさまざまなアレルゲンが侵入し、アトピー性皮膚炎になることも多いのです。

生後2～3カ月以降に、顔や頭にジュクジュクした赤い湿疹が出ることから始まります。だんだん体の下に下りてきて、首やおなか、背中、もものつけ根、手足の関節へと広がっていきます。耳のつけ根が切れるのも赤ちゃん時代の特徴です。

乳児湿疹と似ているため最初は判断がむずかしいのですが、①悪くなったりよくなったりをくり返す慢性の湿疹、②強いかゆみをともなう、③多くの場合アレルギーが影響する（アトピー素因を持つ）、④湿疹のでき方に特徴がある、という4つの点で判断されます。

治療とケア

薬は指示どおりに使い、皮膚の清潔と保湿を保つ

治療で大切なのは、まずはバリア機能を回復させることです。そのためにはかかないこと。かゆみを抑えるためには、ステロイド外用薬を段階的に使って炎症を抑えることが有効です。「ステロイドはこわい」と思い込んで、量を控えたり、よくなったからとやめてしまうと、皮膚の状態は悪化して元に戻ってしまいます。必ず医師の指示どおりに使ってください。

また、かゆみなどの症状が強いときは、抗ヒスタミンや抗アレルギーの飲み薬が処方されます。

アトピー性皮膚炎は正しいケアをすれば治ります。よくなったり悪くなったりをくり返しつつ、時間をかけて治していく病気だということをまずは知ってください。

家庭でのケアは、肌をいつも清潔に保つこと、保湿をすることの2つが大事。お風呂やシャワーで汗や汚れをしっかり落とし、水分はタオルで押さえるようにやさしくふきとります（ゴシゴシこするのは厳禁！）。そのあと必ず保湿剤を塗ります。

アトピー性皮膚炎が食物アレルギーで起こるケースはそれほど多くありません。ただ、アトピー性皮膚炎という診断がつき、検査をして、原因が食べ物とわかった場合は、医師の指示に従ってその食物を除去します。勝手な判断で卵や牛乳を除去してはいけません。

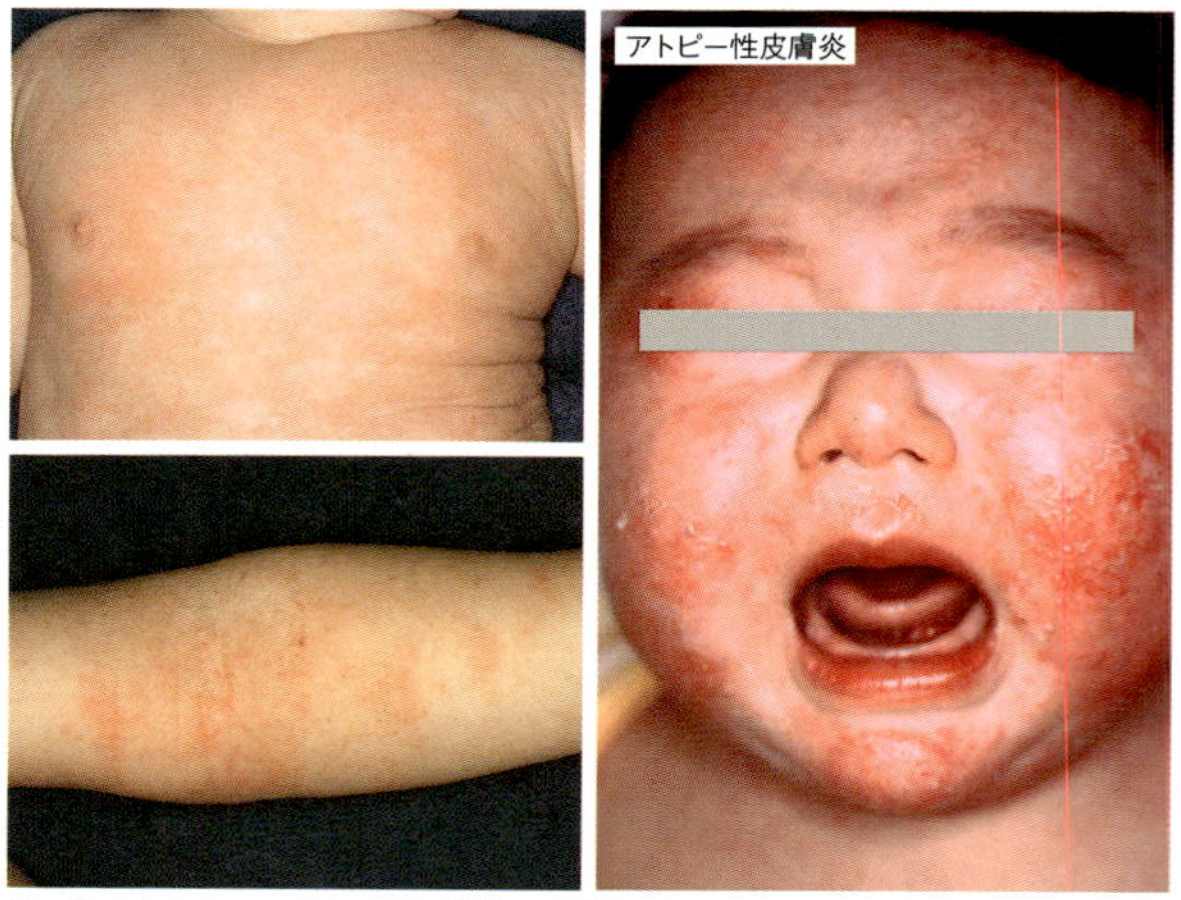

顔、胸やおなか、ひじやひざの関節の内側などにかゆみの強い湿疹が。

気管支ぜんそくって？

乳幼児の気管支ぜんそくはアレルギー性がほとんど

ぜんそくは気道や気管の粘膜の炎症です。特徴は呼吸困難の発作をくり返すこと。呼吸するときにヒューヒュー、ゼーゼーという音（喘鳴《ぜんめい》）がします。たんもからみ、軽い発作はしばらくすると元に戻りますが、重い発作のときは呼吸できなくなることもあります。

乳幼児のぜんそくの９割はアレルギー性です。原因物質はその子によって異なりますが、最も多いのはハウスダストの中のチリダニ。かぜや気温の変化、ストレス、疲労などが発作の引き金になることもあります。

ぜんそくと診断がついたら薬の使い方や、発作のときどうすればよいか、日常生活はどのように過ごすかなど、専門の医師からじゅうぶんな指導を受けましょう。適切な治療を開始し、生活管理に気をつければ、成長とともに症状が見られなくなるのが乳幼児のぜんそくの特徴です。

なお、乳幼児が気管支炎になったときに、呼吸がぜんそくのようなゼーゼー、ゼロゼロという喘鳴になることがあり、ぜんそく様気管支炎といわれることがあります。これはぜんそくではなく、急性気管支炎です。

せきがつらいときにできること

1 上半身を起こし、水分をとらせる

せきで苦しいときは、上半身を少し起こしていたほうがラクになります。たんが切れやすいように水分をとらせて。せき込んだときに吐いてしまわないよう“少量ずつ”が基本です。

2 部屋の空気はきれいに、適度な湿度を

赤ちゃんが過ごす部屋は、ときどき窓を開けて換気して。たばこは厳禁です。せきがつらいときは湿度が高めのほうがラクなので、洗濯物を室内に干す、加湿器を使うなど工夫をしましょう。

3 胸や背中を軽くトントン

呼吸するときにゼロゼロするのは、気道にたんがはりついているから。たて抱きにして上半身を起こし、指先をそろえて、胸や背中を軽くトントンとたたいてあげましょう。たんがはがれやすくなります。

気管支ぜんそくとぜんそく様気管支炎の違い

	気管支ぜんそく	ぜんそく様気管支炎
大きな違い	気道や気管支に慢性的な炎症が起きている。 気管支の筋肉がアレルギー反応で収縮するため、呼吸が苦しくなる。	気管支が感染によって炎症を起こしている。 気管支にたんなどの分泌物がたまり、狭くなってゼロゼロいう。
症状	呼吸するとヒューヒュー、ゼーゼーという音（喘鳴）がする。特に息を吐くときがつらく、ヒューッと音がする。呼吸回数が多くなる。	乳幼児はもともと気管が細いうえに、炎症でさらに細くなり、空気が出入りするたびに喘鳴となる。たんもうまく出せず、ゼロゼロが続く。一般的に呼吸困難はない。
治療	治療薬としてはアレルギーを抑える抗アレルギー薬、炎症を抑えるステロイド薬を吸入する。発作時は気管支拡張薬（飲み薬、はり薬）が使われる。	症状によっては、気管支拡張薬（飲み薬、はり薬）が使われる。

赤ちゃんの肌は薄くて
刺激を受けやすい

皮膚の病気・肌トラブル

バリア機能が未熟な赤ちゃんの肌は、ちょっとした刺激で傷つきやすいもの。うつる病気も多いので、早めの発見、治療を心がけて。

乳《にゅう》児《じ》湿《しっ》疹《しん》

病気のサイン

●顔や体に赤い湿疹
●頭皮や眉毛に黄色いかさぶた

乳《にゅう》児《じ》脂《し》漏《ろう》性《せい》湿《しっ》疹《しん》と新生児にきびが代表

生後2カ月くらいまでの赤ちゃんには、胎内でママからもらったホルモンが残っているため、皮脂の分泌が盛んで、皮脂量の多い部位に湿疹が出やすくなります。それを総称して乳児湿疹と呼びます。最も多いのが「乳児脂漏性湿疹」。顔や首、体などに赤い湿疹ができ、頭皮や眉毛の生えぎわに黄色い皮脂やフケのようなものがつきます。

また、生後2カ月くらいまでの赤ちゃんに見られる「新生児にきび」は、ひたいやほおなどに赤いブツブツが出ます。

おでこのほか、両方の眉にかさぶたが！

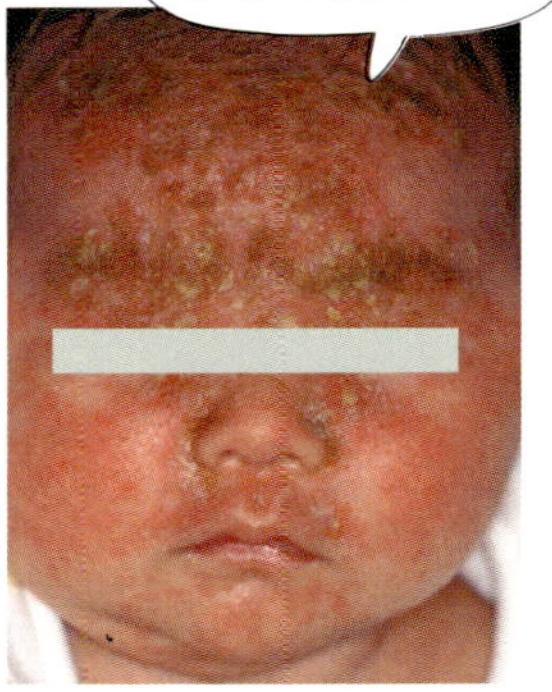

乳児脂漏性湿疹。おでこを中心に、かさぶたが広範囲にあります。

治療とケア

石けんでよく洗い、清潔と保湿を

1日1回は石けんで洗い、汚れや皮脂をしっかり落としましょう。石けんはじゅうぶんに泡立てて、泡で包むように洗います。すすぎはお湯を含ませたガーゼでていねいに。ふくときはこすらないように注意を。

脂漏性湿疹はかさぶたをとらないとくり返すので、ベビーオイルなどでふやかしておき、入浴時に洗いながらとってあげます。小さくても脂漏性のかさぶたがあるときは皮膚科を受診しましょう。

あせも

病気のサイン

●汗をかいたあと、かゆがる
●汗をかきやすいところに赤いブツブツがびっしり

汗の出る穴が詰まり炎症を起こす

赤ちゃんの小さな体には大人と同じ数の汗の出入り口になる穴があります。狭い体表面積にびっしりと汗の穴があるため、汗をかきやすいのです。大量の汗をかくと、皮膚がふやけて汗の穴がふさがれてしまい、行き場を失った汗が皮膚の内側にたまってしまうため、炎症を起こしてあせもになります。

出やすいのは首のまわり、ひたい、わきの下、手足のくびれなど汗をかきやすいところ。かきこわして細菌に感染すると、「あせものより」や、とびひ（P.210）になることも。

首のまわりにびっしりとあせもが！

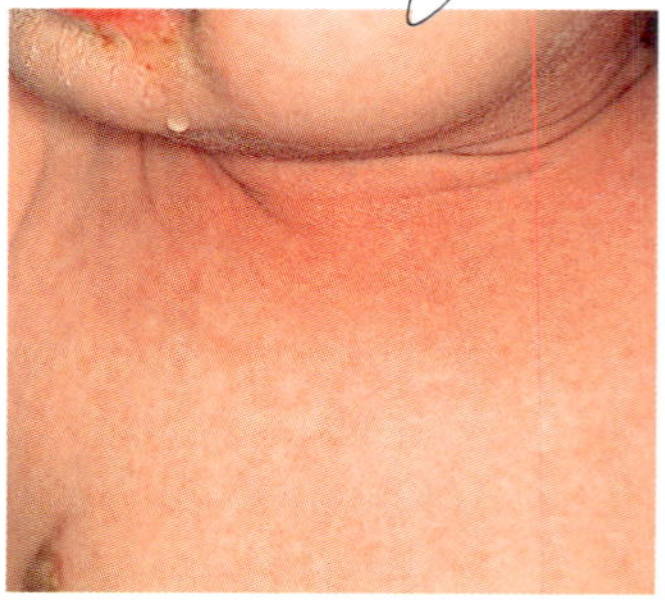

蒸し暑い時期に、首のこすれる部分にあせもが。まずは汗をきれいに洗い流してから薬を。

治療とケア

汗をかかせない、かいたら洗い流し、乾かす

通気性のよい肌着を着せ、汗をかいたらこまめに着替えます。シャワーなどで洗い流す、エアコンをじょうずに使う、お風呂上がりは体をきちんと乾かすなど、汗が皮膚をおおうことのないように注意します。

軽い場合はこうしたケアですぐ治りますが、あせもの面積が広いときや、かゆみが強いときは早めに皮膚科を受診しましょう。

おむつかぶれ

病気のサイン

- ●おしりが赤くなる
- ●小さな赤い湿疹ができる
- ●皮がむけてただれる

おむつの内側の皮膚に赤い湿疹やただれが

おむつが当たる部分や肛門の周辺が赤くはれ、ブツブツとした赤い湿疹が出ます。悪化させると範囲が広がり、皮がむけてただれ、おしりをふくとひどく痛がります。

赤ちゃんはひんぱんにおしっこやうんちをするので、おむつの中は非常に蒸れやすい状態になっています。長時間おむつを替えないと、尿や便の湿気で皮膚がふやけ、そこに便中の消化酵素や、尿中のアンモニアが刺激となって炎症を起こします。特に下痢のうんちは刺激が強いので要注意です。

治療とケア

こまめなおむつ替えとおしりを洗って乾かす

ケアとしては、とにかくこまめにおむつを替えて、おしりが常に清潔で乾いている状態にしておいてあげること。ぬれたらお湯を含ませたガーゼでこすらないようにやさしくふきとり、うんちのときはぬるま湯でそのつど洗い流すようにします。下痢のときは特に、おしり洗いを徹底してください。

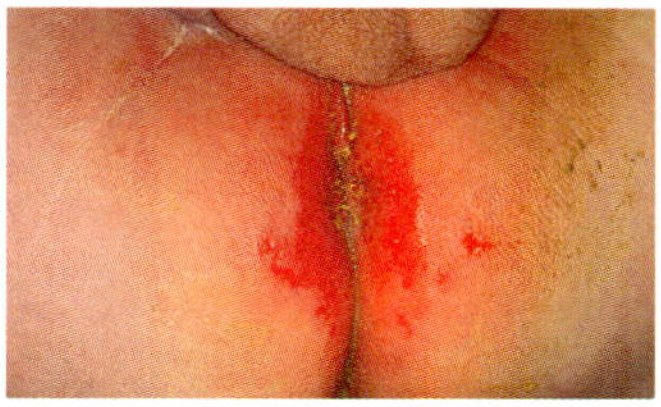

肛門周辺がこすれて、皮がむけている状態。

水分をふいたら、よく乾かしてから、処方された薬を塗り、ワセリンなど油分の多い保湿剤で患部をカバーしましょう。

うっすらと赤くなっているとか、湿疹が2～3個出ている程度なら適切なケアでよくなりますが、すでに赤みや湿疹が広がっている場合には皮膚科を受診しましょう。軽い段階なら亜鉛華軟膏などで治りますが、炎症が広がっている場合は弱いステロイド軟膏が処方されます。

カンジダ皮膚炎《ひふえん》

病気のサイン

- ●おしりに赤い湿疹が出る
- ●皮膚がレース状にむける
- ●くびれの内側も赤くなる

カンジダ菌というカビの一種が原因に

カンジダ菌は口の中やうんちの中に常在する真菌《しんきん》（カビ）ですが、健康な皮膚には感染しません。皮膚の抵抗力が落ちていると、そこに菌が感染して炎症を起こすのです。

カンジダ菌は高温多湿を好むので、おしりやわきの下、陰部、背中など、汗をかきやすく湿りがちなところに発症します。赤ちゃんの場合はおむつの中で繁殖することが少なくありません。特におむつかぶれを起こして皮膚が弱っているときには要注意。便の中のカンジダ菌が弱った皮膚に感染し、赤い湿疹が広がります。進行すると全体に真っ赤になり、周辺の皮膚がレース状にむけてくることもあります。おむつかぶれと似ていますが、カンジダ皮膚炎はおむつの当たらないくびれの内側まで赤くなるのが特徴。「おむつかぶれがなかなか治らない」と思ったら、カンジダ皮膚炎を合併している可能性があります。

また、カンジダ菌が口の中に感染することもあります（口腔《こうくう》カンジダ症）。背中、わきの下などにも出ることがあり、あせもと勘違いすることもあります。

治療とケア

抗真菌薬を使って治療。おしりの清潔と乾燥が大事

カンジダ皮膚炎の診断は専門家でないとむずかしいもの。疑わしいと思ったら必ず皮膚科を受診してください。おむつかぶれだと思って勝手にステロイド薬を塗ると、かえってカンジダ菌をふやしてしまいます。

カビの一種なので、治療には抗真菌薬を使います。いったんよくなっても再発することがあるので、指示された期間は薬を使い続けることが大事です。

ケアはおむつかぶれと同じように、おしりの清潔と乾燥を保つこと。ぬれたらすぐおむつをとり替え、おしりはぬるま湯で洗って、よく乾かしてからおむつをします。

おむつかぶれとカンジダ皮膚炎の違いは？

おむつかぶれ	カンジダ皮膚炎
1・できやすい部位	
おむつの当たる部分と、肛門周辺。くびれの内側など直接おむつに当たらないところはできにくい。	おむつが当たらないくびれ部分にもできる。蒸れやすいわきの下や首のまわりなどにも。
2・湿疹の様子	
赤い湿疹ができ、ひどくなると全体が真っ赤に。こすれて皮膚がむけ、ただれてくる。	赤い湿疹ができ、ひどくなると周辺の皮膚がレース状にむける。
3・治療薬	
亜鉛華軟膏や弱いステロイド薬	抗真菌薬

とびひ［伝《でん》染《せん》性《せい》膿《のう》痂《か》疹《しん》］

病気のサイン

- 水疱が突然あらわれる
- かくとすぐにつぶれて、水疱が次々にふえる

水疱の中の菌が指について全身に広がっていく

正式な名称は「伝染性膿痂疹」ですが、火が飛び広がるように全身に広がるため、「とびひ」と呼ばれます。原因は黄色ブドウ球菌によるものと、A群溶《よう》血《けつ》性《せい》連《れん》鎖《さ》球菌《きゅうきん》によるものがありますが、子どもに多いのは黄色ブドウ球菌によるもの。6～7月の高温多湿の時期になるとふえます（A群溶血性連鎖球菌は季節に関係ありません）。

黄色ブドウ球菌は鼻の中や皮膚、のど、うんちなどに常在する細菌で、アトピー性皮膚炎や、虫刺され、あせもなどがあると、そこから広がっていくことも。子どもに多い病気ですが、大人でもかかります。

最初は皮膚にかゆみのある水疱が1つか2つできます。この中には菌がいっぱい入っているうえ、かくとすぐにつぶれます。かいて指についた菌は、ほかの場所の皮膚にもうつって水疱をつくり、あっという間に全身に広がっていきます。きょうだいにうつす可能性もありますから、水疱を1つでも見つけたらすぐに皮膚科へ。

治療とケア

飲み薬と塗り薬で完全に治す

病院では、検査をして原因となる菌をつきとめ、原因菌に効果のある抗菌薬が処方されます。最近は抗菌薬に耐性のある黄色ブドウ球菌（MRSA）もあるため、検査は重要です。また、完全に治すには塗り薬だけでなく、内服薬も必要です。

家庭では、薬を塗り、ガーゼと包帯でおおいます。広範囲にジュクジュクが広がっていたら、薬を塗ったあと亜鉛華軟膏を塗りのばしたリント布で広めにおおう「塗りばり」をします。その上にガーゼを巻いて包帯でとめましょう。決してばんそうこうをはってはいけません。蒸れて菌が増殖する可能性もあるからです。また、赤ちゃんのつめを切り、かき壊さないように注意を。

適切な治療をすれば1週間ほどでよくなりますが、新生児などは黄色ブドウ球菌がつくり出す毒素が全身に広がり、「SSSS」（ブドウ球菌性熱《ねっ》傷《しょう》様《よう》皮《ひ》膚《ふ》症《しょう》候《こう》群《ぐん》）を引き起こすこともあるので、注意が必要です。

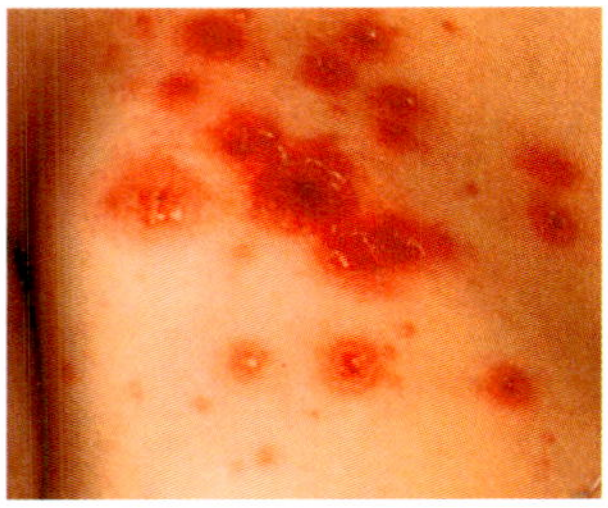
とびひの水疱は大小さまざま。やわらかくてつぶれやすい。

とびひになったときの注意点

- 水疱が1つでもあればすぐに皮膚科へ
- かき壊さないよう、つめを短く切っておく
- 薬を塗ったら、完全におおうこと

水いぼ［伝《でん》染《せん》性《せい》軟《なん》属《ぞく》腫《しゅ》］

病気のサイン

- 表面がつやつやした小さないぼができる
- いぼの中央がへこんでいる

痛くもかゆくもないが感染力は強い

伝染性軟属腫ウイルスに感染してできるいぼです。通常のいぼとは違い、表面に光沢があり、つやつやしています。さわると少しかたく、大きさも1～2㎜ほど。いぼの中央は少しへこんでいます。中には白い芯があって、そこにウイルスが入っているため、こすれて破れると、ほかのところについて次々とふえていきます。痛みもかゆみもありませんが、感染力が強く、プールの水や体をふいたタオル、お風呂などでも感染することがあります。

治療とケア

ピンセットでとるか、自然治癒か、医師と相談を

1～2個のうちに皮膚科に行ってピンセットでつまみとってもらってもいいのですが、痛みがあるので数がふえるとむずかしくなります。ほうっておいても自然治癒しますが、半年から1年以上の時間がかかります。医師に相談のうえ、治療法を決めましょう。

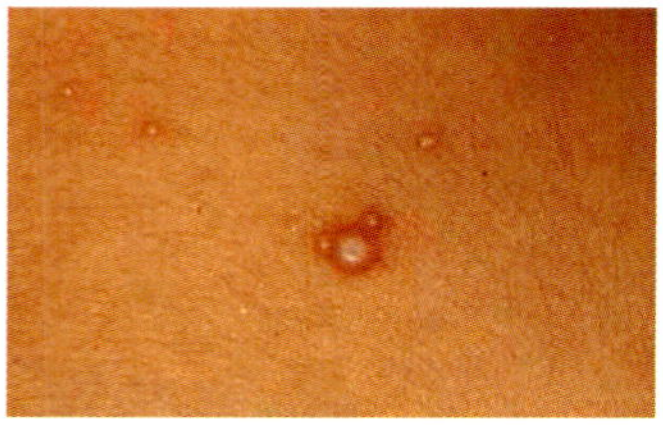
表面に光沢があり、中央が少しへこんでいるのが水いぼの特徴。

接触性皮膚炎《せっしょくせいひふえん》

病気のサイン
- ●何かにふれて赤いブツブツができる
- ●かゆみや熱を持つことも

いわゆる「かぶれ」のこと。赤くなり、かゆみを持つ

いわゆる「かぶれ」を総称して接触性皮膚炎といいます。何かにふれることによって皮膚に赤いブツブツができ、かゆくなったり熱を持ったりします。何にかぶれるかは人によってさまざま。植物や金属、果汁、ゴム、衣服の素材などでも起こります。

赤ちゃんで多いのは、よだれや汗、おしっこ、果汁などによる刺激。口のまわりやほおによだれがついて赤くなる、首のまわりがただれるというケースです。湿疹のほか、水疱ができることもあります。いずれにしても原因物質をとり除けばよくなります。

治療とケア　抗炎症薬やステロイド薬でまずかゆみを抑える

かぶれてしまったら、患部をよく洗って、抗炎症薬を塗ります。症状がひどい場合には皮膚科でステロイド薬を処方してもらいましょう。1～2回塗るとよくなることがほとんどですから、くり返し使うことによる副作用の心配は無用です。かゆみが強いので、かき続けると皮膚を傷つけ、さらにダメージを加えることになってしまいます。

かぶれやすい口のまわりや手などは、食事のあと、ぬらしたガーゼでふいたり洗ったりして清潔にしておきましょう。

じんましん

病気のサイン
- ●赤く盛り上がった、境目のない湿疹
- ●強いかゆみをともなう

かゆみのある発疹が突然出て、短時間で消える

突然、体のあちこちにかゆみのある発疹が出ます。発疹は大小いろいろで、赤く盛り上がっており、周囲の皮膚との境目がはっきりしていることが特徴。ほうっておいても2～3時間、長くても1日で消えていきます。原因としては、赤ちゃんの場合、アレルギー性のじんましんが少なくありません。特定の食品、動植物への接触、薬剤などがあげられます。

治療とケア　疑わしい食べ物があれば医師に伝えて

じんましんが出たら皮膚科か小児科へ。疑わしい食べ物や薬がある場合は医師に伝えましょう。病院では抗ヒスタミン薬が処方されます。家庭ではしぼった冷たいタオルを当てるとかゆみがやわらぐでしょう。

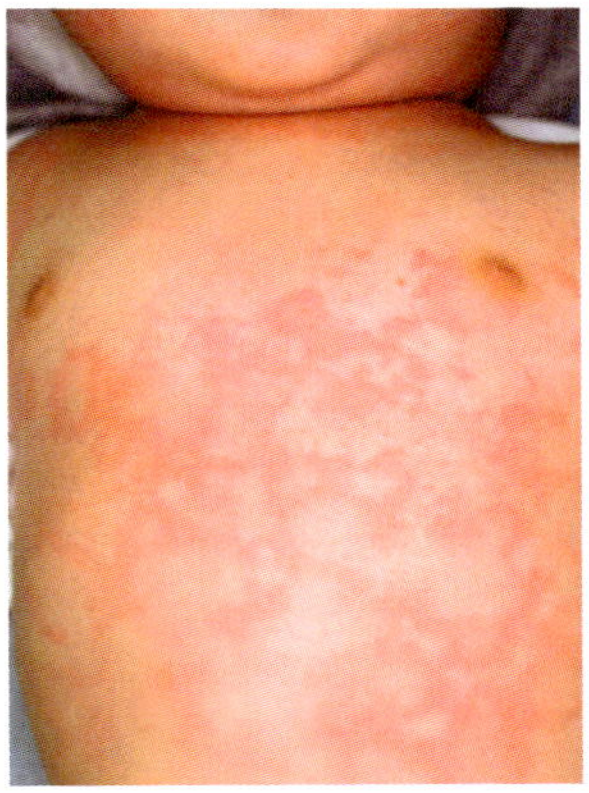
赤く盛り上がった、大小さまざまなじんましん。

虫刺《むしさ》され

病気のサイン
- ●手足などに突然、強いかゆみや痛みを感じる
- ●赤くはれることが多い

原因となる虫によって症状に違いが

蚊、ハチ、ブヨ、ノミ、毛虫などに刺されたり、かまれたり、毛にふれたりして起こります。赤くはれる、水ぶくれになる、痛みやかゆみをともなうなど症状はさまざまです。最も多いのは蚊ですが、赤ちゃんは皮膚が薄く、免疫力も未熟なので、刺されるとはれやすく、しこりになったりするので要注意。特にこわいのはハチで、刺されるとショック症状を起こすことも。この場合は救急車を呼びます。

治療とケア　市販の薬で改善しないときは皮膚科へ

何かに刺されたと思ったら、水で洗うか、冷たくしぼったタオルで冷やします。市販の虫刺され薬を使っても。はれがひどくなったり、汁などが出るようなら皮膚科へ。

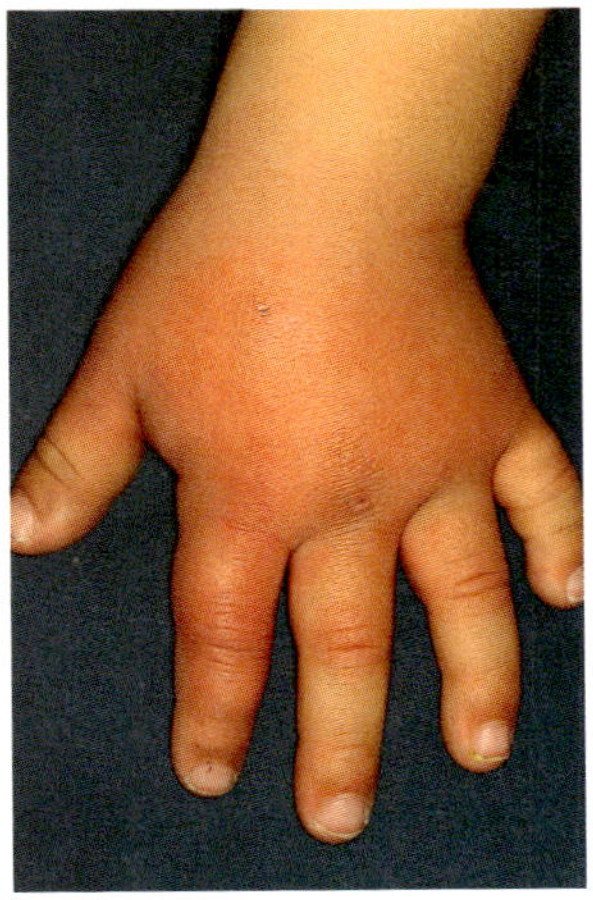
蚊に刺されて、はれてしまった手の甲。

あざ

どんなもの

●生まれながらの皮膚の異変
●自然に消えるもの、消えないものがある

早いうちのレーザー治療で効果が期待できる

あざは皮膚の色素細胞や毛細血管などの異変が皮膚にあらわれたもので、色によって「赤」「青」「黒」「茶」に分けます。

赤いあざは血管が皮膚の浅い部分でふえたり、太くなっている「血管腫《けっかんしゅ》」です。

青、黒、茶色のあざは、真皮のメラニン色素の沈着が原因となって起こるもので、深い位置にあるものは青く、浅い位置にあると黒く、中間は茶色に見えるのです。

あざの原因はまだはっきりわかっていませんが、胎児期になんらかの異常が発生したためと考えられています。ただ、遺伝や妊娠中の過ごし方とは関係ありません。

出生直後はわからないことが多いのですが、時間の経過とともに目立ってきます。ただ、あざの種類によっては生後半年～1年で消えるものも少なくありません。自然に消えないあざでも、現在はレーザー治療によってほぼ消滅したり、薄くなるケースが多いもの。黒いあざなど手術でとるものもありますが、レーザー治療が第一の選択肢となっています。小児の場合は保険がきくケースも少なくありません。

ただ、あざにはまれに重大な病気が隠れている場合もあるので、消える、消えないも含めて、皮膚科専門医を受診しましょう。

治療とケア

色によって原因が違い、消える消えないに差が

赤いあざ

サーモンパッチ▼まぶたやひたいの中央、眉間、上唇にうっすらと出る、平らな赤いあざ。1才半ぐらいには自然消滅しますが、消えない場合はレーザー治療で薄くなります。

ウンナ母斑▼後頭部からうなじにかけて見られる平らな赤いあざ。赤ちゃんの約1割に見られます。レーザー治療もできますが、頭髪で隠れるため、そのままにするケースも。

ポートワイン母斑▼頭部や顔、手や足などに出るくっきりとした平らな赤いあざ。自然には消えませんが、レーザー治療は年齢が低いほど効果的。

いちご状血管腫▼生後数日後からあらわれるふくらんだ赤いあざ。6カ月ごろをピークにその後は小さくなって、5～6才ごろには消えるので、原則的には経過観察です。

青いあざ

太田母斑▼顔の片側や目の周辺、こめかみにできる青いあざ。成長とともに色が濃くなります。レーザー治療が効果をあげます。

異所性蒙古斑《もうこはん》▼おしり以外の部位にできる蒙古斑には面積が広いもの、色の濃いものがあり、自然に消えないものもあります。目立つ部位にある場合はレーザー治療をします。

茶色いあざ

扁平《へんぺい》母斑▼平らな茶色いあざで、1～2割の人が持つありふれたもの。年齢とともに濃くなり、レーザー治療もあまり期待できません。

カフェオレ斑▼扁平母斑の一種。直径1.5㎝以上のものが6個以上あるものをこう呼びます。遺伝性の病気であるレックリングハウゼン病の疑いがあるため、すぐに受診を。

黒いあざ

色素性母斑▼ほくろを代表とする黒いあざ。大きなもの、毛の生えているものは悪性化することもあるので、皮膚科を受診します。

レーザー療法とは?

●レーザー療法は、患部にレーザー光線を当てて異常な色素細胞や血管を破壊し、あざを消したり薄くしたりするもの。入院の必要はなく、出血の心配もほとんどありません。多少の痛みはあるものの、局所麻酔のテープなどで対応でき、1回ですむケースもあります。
●赤ちゃんの皮膚は非常に薄く、皮膚の下の色素細胞にレーザーの影響が届きやすいため、早くからスタートすることで効果が高まります。生後1カ月から治療が可能です。
●ただ、赤ちゃんに対してのレーザー治療を実施している病院はそう多くありません。まず身近な皮膚科を受診し、そこから紹介してもらうといいでしょう。

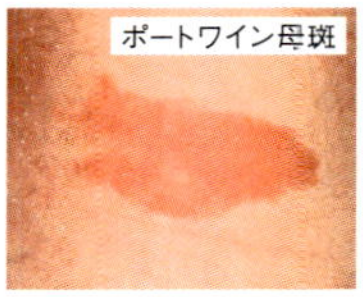
ポートワイン母斑

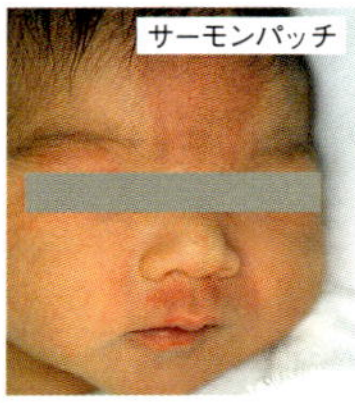
サーモンパッチ

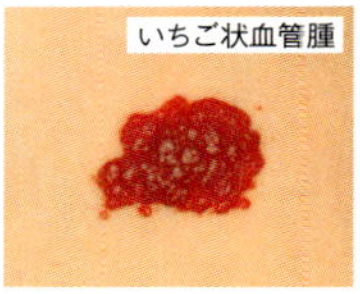
いちご状血管腫

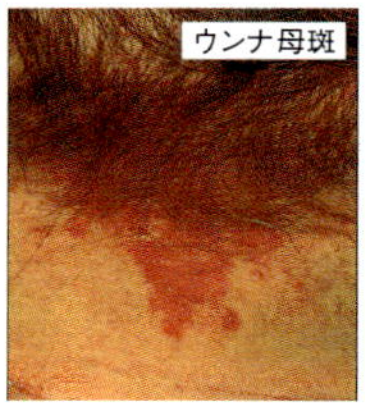
ウンナ母斑

赤いあざ
◆自然消滅も期待（ポートワイン母斑を除く）
◆レーザー治療が可能

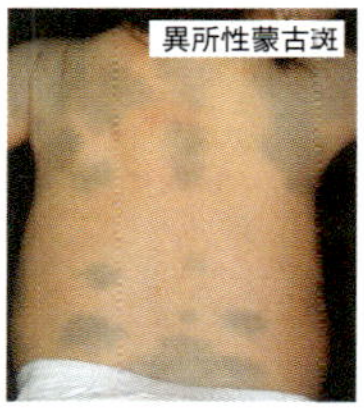
異所性蒙古斑

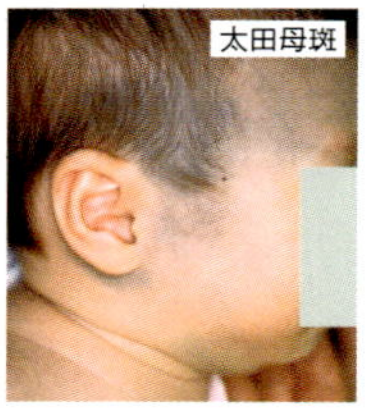
太田母斑

青いあざ
◆自然には消えないことも
◆早期レーザー治療が可能

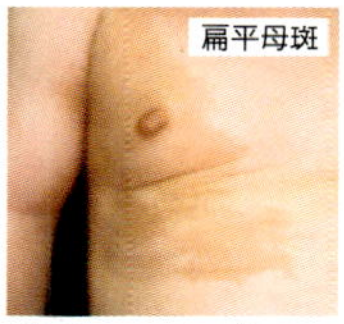
扁平母斑

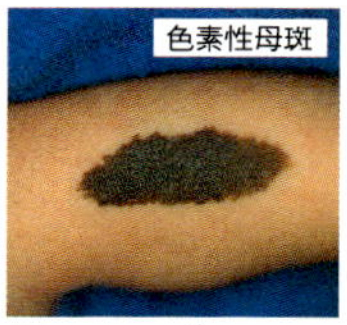
色素性母斑

茶色いあざ
◆自然には消えません
◆赤ちゃんの1～2割に見られる

黒いあざ
◆自然には消えません
◆大きなものや、毛の生えているものには注意

熱中症って？

受診の目安

!! 大至急！

- 意識がはっきりしない、反応が鈍い
- 呼吸が弱い
- けいれんを起こした

ここまでくると危険信号です。救急車を呼びましょう。

重症の場合は命の危険も！ 始まりサインと対策を知っておいて

炎天下にいたり、高い気温にさらされたりしていると、体温の調節機能が働かなくなり、体にこもった熱をうまく発散できなくなります。その結果、体温が異常に上がり、熱中症を起こしてしまいます。特に乳幼児は体温調節機能が未熟なので、短時間のうちに熱中症になりやすいのです。「少しの時間」と思って閉め切った自動車の中に赤ちゃんを置き、熱中症で死亡というような事故は二度と起きてほしくありません。

熱中症の始まりサインは、顔が赤い、抱くと体が熱い、元気がない、ぐったりしているなど。すぐに涼しい場所に移動して、衣服をゆるめ、頭を低くして寝かせ、体を冷やして体温を下げ、水分を与えます。

熱中症のサイン

ぐったりしている

顔が赤い

体が熱い（38度以上の発熱）

熱中症を起こしたら！

1 風通しのいい、涼しい場所に移動する

外出先などでは、急いで風通しのよい日陰や、冷房の効いた涼しい場所に連れていきます。

2 衣服をゆるめ、こもった熱を放つ

衣服をゆるめるか、脱がせられるなら脱がせましょう。また、頭を低く、足を高くして寝かせるとよいでしょう。

3 体を冷やす

冷たいタオルや、小さな保冷剤をハンカチなどで包んで、首すじ、わきの下、足のつけ根などに当てて体を冷やします。

4 水分を補給する

水分を少しずつ、ほしがるだけたっぷり与えます。水やベビー用の麦茶などなんでも。あればベビー用イオン飲料がいいでしょう。

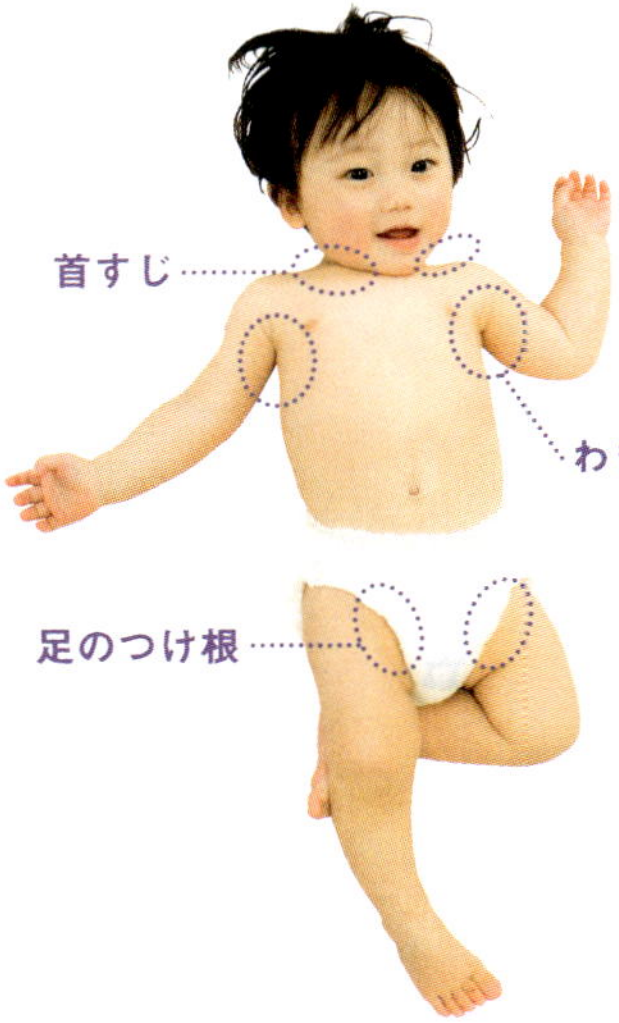

脱水症って？

体の水分が失われて起こる症状

発熱で汗をかいたり、下痢・嘔吐などで、体内の水分が失われてしまうのが脱水症です。熱中症では多くが脱水症を起こします。赤ちゃんは体重の70％が水分と、大人にくらべて水分の占める割合が多く、しかも体重が少ないため、少しの量の発汗や下痢・嘔吐ですぐに脱水症を引き起こしてしまいます。病気のときの赤ちゃんに水分補給が大切なのは、この脱水症を予防するためなのです。

脱水症のサインは、おしっこの量が少ない、泣いても涙が出ない、皮膚に弾力がない、顔色が悪くぐったりして、水分を与えても飲めない、など。赤ちゃんや幼児の脱水症は進むのが早いので、急いで病院へ連れていってください。意識がなくなったり、けいれんを起こしたら危険信号です。

早めの発見と
根気よい治療を

目・耳の病気

目の病気は視力の発達にかかわるものが多く、耳の病気も将来の聴力に影響が。早めに見つけて早めに治療することが大切です。

鼻涙管閉塞《びるいかんへいそく》

病気のサイン

- いつも目がうるんだ感じ
- 目やにが多い
- 目が充血する

目から鼻へ、涙の通る管が詰まっている状態

涙腺《るいせん》から分泌された涙は涙嚢《るいのう》に入り、鼻《び》涙管《るいかん》を通ってのどへ流れます。この管は胎児期に開通しますが、生まれたあとも薄い膜が残ることがあり、これが鼻涙管閉塞です。多くは片側の目に起こり、いつも目がうるむ、目やにが多い、などがサインです。たまった涙に細菌が繁殖し、「新生児涙嚢炎《しんせいじるいのうえん》」になることもあります。

治療とケア

点眼薬とマッサージで治ることも多い

生後1カ月ごろまでで症状が軽ければ、ぬるま湯にひたしたガーゼで目やにをふいて様子を見ますが、1カ月を過ぎても変わらなければ眼科専門医へ。3カ月ごろまでなら抗菌薬入りの点眼薬に涙嚢マッサージで多くは改善します。4カ月過ぎても自然治癒しないときは、ブジーという器具を鼻涙管に通す処置を行います。

結膜炎《けつまくえん》

病気のサイン

- 目やにがひどい
- 白目の充血　●涙が出る
- まぶたがはれる

細菌、ウイルス感染のほかアレルギー体質も原因に

まぶたの裏側と白目の部分をおおっている結膜が、細菌やウイルスの感染、アレルギーなどで炎症を起こすのが結膜炎。いずれも目やにがひどい、白目の充血、まぶたがはれるなどが特徴です。赤ちゃんに多いのは細菌性で、黄色っぽい多量の目やにが出ます。ウイルス性のなかでもアデノウイルスによる結膜炎は「流行性角結膜炎《りゅうこうせいかくけつまくえん》」といい、重症化しやすいので特に注意が必要。アレルギー性はアレルギー体質の子に多く、原因はさまざま。目やには少なめです。

治療とケア

原因に応じた点眼薬を指示どおりに使用する

いずれの場合もすぐ眼科を受診します。治療には抗菌薬や消炎薬、抗アレルギー薬など原因に応じた点眼薬を使います。目やにがこびりついているときはお湯でぬらしたガーゼでそっとふきましょう。

さかさまつ毛

病気のサイン

- 目やに、涙が多い
- しきりに目をこする
- 異常にまぶしがる

まぶたのふくらみがまつ毛を内側に押す

まつ毛が内側に向かって生えた状態をいい、生後6カ月ごろまでによく見られます。赤ちゃんのまぶたは筋肉が弱く、ぷっくりしているため、まつ毛を眼球に押してしまうのです。まつ毛が目にふれているため目やにや涙が多い、しきりに目をこする、異常にまぶしがるなどの症状が出ます。

治療とケア

自然治癒《ちゆ》がほとんど。まれに手術をすることも

成長とともにたいてい自然に治りますし、角膜を傷つけることもありません。ただ、3才を過ぎても治らず、視力の発達に影響が出るときは手術することも。

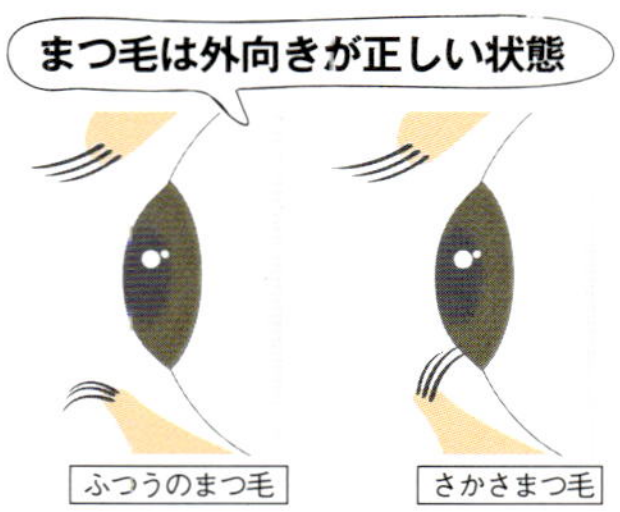

急性中耳炎《きゅうせいちゅうじえん》

病気のサイン

- ●急な発熱 ●耳の痛み
- ●頭を振る ●耳をさわる
- ●黄色い耳だれが出る

鼻やのどについたウイルスや細菌が中耳に

かぜなどで鼻やのどについたウイルスや細菌が中耳に入って炎症を起こすのが急性中耳炎です。赤ちゃんや幼児の耳は大人より耳管が太く短く水平なので、鼻やのどの炎症が波及しやすいのです。

主な症状は発熱、鼻水、耳の痛み、黄色い耳だれなど。急性の場合、夜中に激しい耳の痛みが起こり、大泣きすることもあります。痛みを訴えられない赤ちゃんに、しきりに耳をさわる、頭を左右に振る、機嫌が悪くグズグズするなどの様子が見られたら早めの受診を。

治療とケア

完治するまで治療を続けることが大事

小児科か耳鼻科を受診します。症状が軽い場合は鼻水の吸引や抗菌薬の服用などの治療で経過を見ます。膿《うみ》がたまっていたり、痛みがひどい場合は鼓膜を切開し、たまっている膿を出します。切開のあとは3日〜1週間で自然にふさがります。

きちんと治さないと再発したり、滲出性中耳炎に移行しやすいので、完治させることが大事です。抗菌薬は医師の指示どおり、処方された分を最後まできちんと飲ませましょう。

滲出性中耳炎《しんしゅつせいちゅうじえん》

病気のサイン

- ●目立った症状はない
- ●何度呼んでも振り向かない
- ●テレビを近くで見たがる

鼻・のどの病気や急性中耳炎から移行

鼻の病気やのどの炎症などによって耳管の働きが悪くなり、鼓膜の内側に滲出液がたまる病気です。急性中耳炎にかかったあと完全に膿をとり除けなかった場合などにも起こります。鼓膜の奥に水がたまるので、耳が聞こえにくくなりますが、痛みなど目立った症状がないので気づきにくいことが多いもの。テレビに近づいて見る、聞き返しが多い、呼びかけに反応しないなどが多くなり、耳が聞こえにくいのかなと思ったら耳鼻科を受診しましょう。

急性中耳炎も滲出性中耳炎も乳幼児に起こりやすい病気です。乳幼児は鼻やのどの炎症を起こしやすく、耳管も機能も未発達なことが原因と考えられています。

治療とケア

まず鼻処置。鼓膜切開や鼓膜チューブも有効

まず鼻やのどの病気を治療し、耳管の通りをよくする処置を行います。それによって中耳の内側の液が自然に抜けて治ることもあります。必要があれば鼓膜を切開して滲出液を吸引します。くり返す場合には鼓膜切開して、鼓膜の内部に空気を通すために専用のチューブを入れる処置を行うこともあります。

外耳道炎《がいじどうえん》

病気のサイン

- ●耳にふれると痛がる
- ●耳がにおう
- ●黄色い耳だれが出る

耳掃除などで傷つけて細菌感染を起こす

耳の入り口から鼓膜までの外耳道に細菌が感染して炎症が起きる病気。多くは耳掃除のときや、つめでひっかくなどして外耳に傷をつけたことが原因です。耳のあたりに何かがちょっとふれただけでもひどく痛がります。ほかにも耳がにおう、耳だれが出る、微熱が出るなどの症状も。

治療とケア

抗菌薬や点耳薬で治療を。耳だれは軽くふくだけに

抗菌薬の飲み薬や軟膏、点耳薬で治療します。炎症部分が化膿したときは切開して膿を出す処置を行うことも。耳だれはガーゼやティッシュで軽くふくだけに。

耳垢栓塞《じこうせんそく》

耳あかがたまって外耳道をふさいでしまう！

耳あかは、外耳道の皮膚がはがれ落ちたものや皮脂の分泌物、ホコリなどがまじってできます。外耳道には自浄作用があり、特に乾いた耳あかは自然に外に出ることが多いのです。ただ、湿った耳あかや量が多い場合は自然に出にくく、外耳道をふさぐまでたまってしまうことも。これを耳垢栓塞といいます。耳鼻科で専用の器具でとってもらいましょう。点耳薬を入れ、数日かけてとることもあります。

早期発見が
何より大切

骨・筋肉・関節の病気

赤ちゃんの骨や筋肉、関節は発達途上。もろい面もありますが、回復も早いもの。早期発見と適切な治療で治ることも多いのです。

股関節脱臼《こかんせつだっきゅう》

病気のサイン

●太ももやおしりのシワの数が左右で異なるなど、いくつかの症状

多くは後天的なもので、早期治療でほとんど治る

太ももの骨（大腿骨《だいたいこつ》）が、本来はまり込んでいる骨盤の受け皿（臼蓋《きゅうがい》）からはずれていたり、はずれかけたりしている状態を股関節脱臼といいます。臼蓋の形成不全や関節弛緩《しかん》がある状態に、出生後の足の位置やおむつの当て方が関係して発症します。赤ちゃんの足はカエルのように広がったM字形をしていますが、関節がまだゆるいので、足をまっすぐにした状態で抱っこしたり、おむつを当てると、股関節がはずれてしまうのです。近年は正しい抱っこやおむつの当て方の指導で、股関節脱臼の赤ちゃんは以前より減りました。

股関節脱臼は生後3～6カ月ごろから治療を始めればほとんど治ります。健診で見つかることが多いので、生後1カ月、3～4カ月健診はきちんと受けましょう。親が気づく股関節脱臼のサインは次のとおりです。

▼ひざを曲げた状態で股を広げると股関節にカクッという感覚がある。

▼両ひざを曲げた状態で股を開こうとすると、片方、または両方の足が開きにくい。

▼太ももやおしりのシワの数、シワのみぞの深さが左右で異なる。

▼あおむけでひざを曲げると、両ひざの高さが違う。

リーメンビューゲルによる治療

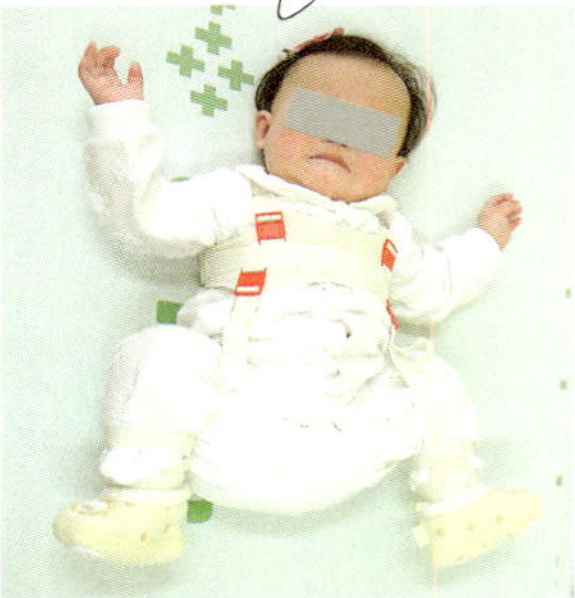

足がしっかり開いた状態をキープできる装具。装着する期間は、一般的に3～4カ月程度が目安です。

治療とケア

日常生活に気をつけること。治らなければバンドで矯正

赤ちゃんがしっかり股を開いたM字形の姿勢が保てるようにおむつはゆるめに当て、抱っこするときも足がM字形に広がるようにします。軽い股関節脱臼ならこうしたケアでほとんど治りますが、治らない場合はリーメンビューゲルというバンドをつけ、股関節を広げた状態を保つようにします。それでも治らない場合は入院して牽引《けんいん》や手術をすることもあります。

肘内障《ちゅうないしょう》

病気のサイン

●手を動かそうとしない

●さわると痛がって泣く

●手がぶらんと下がる

6才くらいまでの子に多いひじの靭帯《じんたい》がずれた状態

手を強く引っぱられたときに、ひじが抜けて腕がだらんとすること。脱臼《だっきゅう》とは違い、ひじの関節の靭帯がずれた状態です。

肘内障は骨と骨とをつなぐ輪のような靭帯が未発達の赤ちゃんや幼児に起こりやすく、じゅうぶんに発達する6才以降ではほとんど見られません。

治療とケア

すぐに整形外科に。くり返しやすいので注意を

転びそうになった子どもを支えようと、とっさに手首をつかんで引っぱったりしたときになりやすいもの。時間がたつと治しにくくなるので、すぐに整形外科に行きましょう。夜間でも痛みが強い場合は救急外来へ。一度なると何度もくり返しやすいため、日常生活では子どもの手を強く引っぱらないように。やむをえず引っぱるときは、ひじから上を持つようにしましょう。

先天性内反足《せんてんせいないはんそく》

病気のサイン

●足の裏が内側を向いていて、外側に向けようとしても動かない

先天的な原因で足の裏が外側に向かない

内反足とは、生まれつき足の裏が内側に向いている状態。アキレス腱や靭帯の組織が先天的に縮まっている、かかと周辺の骨のつくりや並び方に異常がある、などが原因ですが、なぜこうなるのかはまだわかっていません。多くの場合、内反足は生まれてすぐに診断がつきます。早めの治療開始が効果的なので、生後1週間ごろから治療を始めます。ただ、まれに1カ月健診で判明することもあるので、足首の動きが悪い、曲がり方がおかしいなどと感じたときは、早めに整形外科か小児科に相談しましょう。

治療とケア

ギプスで足を固定。程度が強い場合は専用装具で

治療は、足を正しい位置に整えて、ギプスで足を固定します。その後は定期的に通院し、固定の状態を確かめて治しながら様子を見ます。

ギプスで治らない場合は矯正用の装具を使うことも。症状の程度によって治療にかかる時間は個人差があるので、5才くらいまで装具靴をはいて治療が必要になることや、ごくまれですが最終的に手術が必要になるケースもあります。

常に足の裏が内側を向いている状態

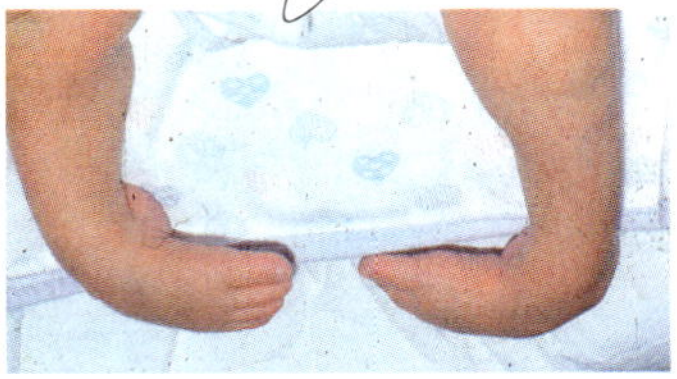

1000人に１人の割合で起こります。ギプスで固定して治療します。

くる病《びょう》

病気のサイン

●足を伸ばしてかかとをつけた状態で、ひざとひざのすき間が３㎝以上あく

最近ふえている背景に育児環境の変化が

1～2才の子を立たせて、あるいは寝かせて、足を伸ばした状態で両足のかかとをつけてみてください。ひざとひざのすき間が3㎝以上あいていたら要注意。くる病になると、極端なO脚になり、背の伸びが悪くなります。

その発症に大きくかかわっているのがビタミンD。骨の成長に欠かせないビタミンDは、食べ物からとるほか、日光を浴びると私たちの体内でもある程度はつくり出せます。栄養状態も悪く、日当たりの悪い家も多かった時代には、乳幼児のくる病も珍しい病気ではありませんでした。それらが改善された現代ではほとんど見られなくなっていたのですが、最近、再びふえ始めているといわれます。

その原因として、①完全母乳の普及、②紫外線を避ける生活、③アレルギーなどの理由から離乳食の開始時期を遅らせたり、自己流の除去食を行って偏った食事になること、などがあげられます。

治療とケア

離乳食開始を遅らせず適度に紫外線も浴びさせて

母乳はすばらしい栄養源ですが、ビタミンDの含有量は少なく、吸収率はよいものの、赤ちゃんに必要な量の半分を摂取できる程度です。ミルクにはビタミンDが含まれていますが、母乳栄養の赤ちゃんをわざわざミルクに切り替える必要はありません。予防としては、まず母乳を与えるママがビタミンDの多い食品（卵、魚、乾燥しいたけなど）を積極的にとりましょう。そして、5～6カ月には離乳食を開始し、1才半ごろまでには母乳では不足しがちな栄養を食事からとれるようにすること。また、日光に当たらないとビタミンDはつくられないので、適度に外に出て日光を浴びましょう。授乳中のママが日焼け止めを多用するとビタミンD欠乏症になり、母乳中のビタミンDも欠乏することがあります。ママも赤ちゃんも日焼け止めを塗らずにお散歩を。

＼ちょこっと復習／

ビタミンDって？

カルシウムとリンの吸収を促進し、血液中のカルシウム濃度を保って丈夫な骨をつくるのがビタミンDの重要な働きです。食べ物から摂取するほかに、体内でもある程度つくり出せます。それには紫外線の力が欠かせません。晴れた日に（夏なら朝の日ざし）、日焼け止めを使わず、10～15分ほど顔や腕を日光に当てれば、皮膚で合成されます。なお、ビタミンDは脂溶性なので、とり過ぎると害も出ます。食品から摂取する分には大丈夫ですが、サプリメントなどは過剰にならないような注意が必要です。

鮭、まぐろなど魚類、卵、きのこ類。

ときには外科的な治療が必要に

腹部・性器の病気

おなかやおちんちんの病気は赤ちゃんの体をよく見て、よくふれることで発見できることが多いもの。お世話のときに観察を！

臍《さい》ヘルニア

病気のサイン

- ●泣いたりいきんだりすると　おへその部分が出っぱる
- ●大きさはピンポン玉程度

おへそに腸がはみ出して〝出べそ〟に

ヘルニアとは、臓器の一部が本来あるべきところからはみ出した状態のこと。おへそに腸がはみ出したのが臍ヘルニアです。

赤ちゃんが泣いたりいきんだりすると、おへそが出っぱって、いわゆる「出べそ」に。出っぱりぐあいはうずらの卵大からピンポン玉程度ですが、個人差があります。へその緒がとれた直後に気づくこともあれば、おすわりするころに気づくことも。

治療とケア

基本的にはそのまま様子を見る

腹筋が発達してくると自然に治ることが多く、1才までに80%、2才までには90%が目立たなくなります。そのため特に何もせず経過を見ます。ただ、最近はガーゼで作った綿球をテープでヘルニアに固定する方法をとる施設もふえてきたので、小児科か小児外科を受診して指導してもらいましょう。

鼠《そ》径《けい》ヘルニア

病気のサイン

- ●泣いたりいきんだりすると　鼠径部や陰嚢《いんのう》がふくらむ
- ●押すと元に戻る

腸が飛び出して鼠径部がふくらむ

胎児期に男の子の精巣、女の子の卵巣はおなかの中で形成され、鼠径部（足のつけ根）にある通路を通って下りてきて、それぞれの場所におさまると通路は閉じます。それがなんらかの原因で閉じないことがあり、そこに腸の一部が飛び出してしまうのが鼠径ヘルニアです。泣いたり、いきんだりすると、鼠径部や陰嚢がふくらみます。

治療とケア

腸が戻らなくなる嵌頓《かんとん》は5カ月過ぎたら手術を

手で押すと元に戻りますが、気をつけたいのは嵌頓です。飛び出た腸などが根元で締めつけられて激しい痛みを起こします。締めつけられた腸が壊死《えし》する心配があるので、様子がおかしいと感じたら大至急病院へ。

気づいた時点で小児外科に受診を。生後5カ月くらいまでは経過を観察しますが、嵌頓を防ぐためにも早期に手術をします。

陰《いん》嚢《のう》水《すい》腫《しゅ》

病気のサイン

- ●陰嚢がやわらかくぷよぷよ
- ●ふくらみの大きさが変化
- ●指で押しても痛みはない

精巣《せいそう》を包む膜に体液がたまる

精巣を包む膜に体液がたまって、陰嚢がふくらむ病気。ぷよぷよとやわらかく、痛がることもありません。体液は移動するので、ふくらみの大きさも変化します。部屋を暗くして懐中電灯を押し当てると透けて見えるのも特徴ですが、鼠径ヘルニアと区別がつきにくいので、ふくらみに気づいたら小児科へ。

治療とケア

多くは自然に治るので経過を見ていく

1～2才ごろには自然消滅するので、特に治療することなく、経過を見ていきます。水腫が極端に大きい場合や、2才過ぎても体液が体内に吸収されない場合は手術を検討することもあります。

停留精巣《ていりゅうせいそう》［停留睾丸《ていりゅうこうがん》］

病気のサイン

- ●陰嚢内のコロコロした玉にふれない
- ●陰嚢の大きさが左右で違う

なんらかの理由で精巣が陰嚢に下りてこない

鼠径ヘルニアで説明しましたが、男の子の精巣は胎児のころはおなかの中にあり、生まれる前に鼠径部を通って陰嚢に下りてきます。ところがなんらかの理由で下りてこず、おなかから陰嚢までのどこかに留まっているのを停留精巣といいます。１００人に３人くらいに見られ、比較的頻度の高いトラブルです。また精巣が上がったり下がったりするものを移動性精巣といいます。

陰嚢をさわってもコロコロした玉にふれず、陰嚢の大きさが左右で違うことが停留精巣の特徴です。おむつ替えや入浴のときなどに気づくことも多いもの。診断には医師がていねいに陰嚢にさわって確かめます。

治療とケア

自然に下りてこなければ１才代で手術を

生後６カ月ごろまでは自然に精巣が下りてくる場合があり、１才では１００人に１人程度になるので、６カ月までは経過を見ます。６カ月過ぎると精巣が下りにくくなるため、治療を検討します。体内は陰嚢より１〜２度体温が高く、思春期以降の精子の形成能力への影響や精巣のがん化のリスクが高まるので、１才前後、遅くとも２才までには手術をすすめられます。

亀頭包皮炎《きとうほうひえん》

病気のサイン

- ●おちんちん全体がはれる
- ●亀頭や根元が赤くはれる
- ●おむつに膿《うみ》がつく

亀頭部が細菌に感染して炎症を起こす

おちんちんの先端、亀頭部に細菌が感染して炎症を起こすのが亀頭包皮炎です。赤ちゃんの亀頭は包皮におおわれていますが、そこにある黄色ブドウ球菌などの常在菌の数がふえすぎたり、アカがたまって汚れているところに細菌が感染したりして起こります。おちんちん全体が赤くはれ上がる、亀頭部や根元の部分だけが赤くはれる、黄色い膿が出るなどが特徴。おちんちんをしぼるとクリーム状のアカが出てきたりします。

治療とケア

ていねいに洗い、清潔を保つことが大事

基本的には炎症を起こしている部分に抗菌薬を塗って治療します。ただし、軽い場合は、炎症を起こしているおちんちんの先端部分をお湯でていねいに洗います。ふだん１日１回しか洗っていないのであれば、日に２〜３回ほどていねいに洗えば、それだけで治ります。

炎症のひどい場合は抗菌薬の飲み薬や塗り薬を使いますが、治療をしてもまたアカがたまると再発しやすい病気です。よく洗って清潔を保つことが、予防も兼ねての治療の鉄則です。お風呂のときなどにきれいに洗うことを習慣づけましょう。

包茎《ほうけい》

病気のサイン

- ●包皮をむいても亀頭部を完全に出せない状態
- ●赤ちゃんは包茎がふつう

赤ちゃんにとっては包茎が自然な状態

一般に、おちんちんの先端が狭くなっていて、包皮がむけず、尿道口が見えないものを「真正包茎」、むけてもふだんは包皮をかぶっていて尿道口が見えないものを「仮性包茎」といいます。でも、これは大人の話。赤ちゃんや子どもはもともと包皮口が狭く、包皮と亀頭表面がくっついているのがふつうです。成長とともに自然に分離し、包皮がむけるようになっていきます。つまり、赤ちゃん時代は包茎の状態が正常なのです。

手術について気になるママもいるようですが、手術が必要なのは、先端が狭くなっていて尿がうまく出ないとか、くり返し亀頭包皮炎になるような場合だけです。また、おちんちんの皮をむいて清潔にすることにもあまり神経質になる必要はないでしょう。

包茎が自然な状態

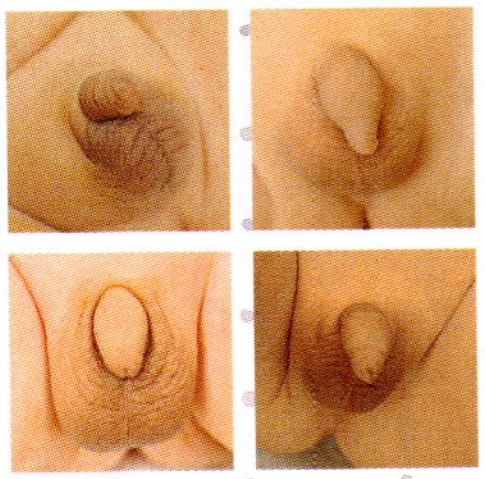

赤ちゃんのおちんちんはみな、包皮をかぶっています。つまり包茎が自然な状態。成長とともに包皮はむけていきます。

はじめてママ&パパの育児《いくじ》　さくいん

監修：五十嵐 隆

国立成育医療研究センター
理事長

1953年、東京生まれ。東京大学医学部卒業後、都立清瀬小児病院、東大附属病院小児科助手、ハーバード大学ボストン小児病院研究員、東大附属病院分院小児科講師などをへて、2000年に東京大学医学部小児医学講座教授に。2012年より現職。日本小児科学会会長などの要職も務める。私生活では息子3人の父。

staff

カバーデザイン♥川村哲司（atmosphere ltd.）

カバーイラスト♥100%ORANGE

本文デザイン♥高松佳子、吉村清香

ママちゃんイラスト♥仲川かな

本文イラスト♥aque、安藤尚美、sayasans、椙浦由宇、タカタケイコ、長岡伸行、福井典子、フクチマミ、もり谷ゆみ

撮影♥石川正勝、奥村光洋、加藤幸江、菊竹 規、楠 聖子、近藤 誠、鈴木江実子、園田昭彦、廣江雅美、増田勝行（SIGNO）、目 黒／黒澤俊宏、佐山裕子、澤﨑信孝、柴田和宣、松木 潤（以上主婦の友社写真課）

取材協力♥浅野裕美子（下馬鳩ぽっぽ保育園）、岩下宣子（マナーデザイナー）、岩立京子（東京学芸大学）、上田淳子（料理研究家）、上田玲子（帝京科学大学・栄養学博士）、川上理子（聖母病院）、倉治ななえ（クラジ歯科）、鈴木みゆき（和洋女子大学・医学博士）、中村陽子（料理研究家）、平本康子（国立成育医療研究センター）、普光院亜紀（保育園を考える親の会）、ほりえさわこ（料理研究家）、三石知左子（葛飾赤十字産院）、山賀路子（アンミッコ保育園）、山中龍宏（緑園こどもクリニック）（50音順、敬称略）

読者モデル♥緒方未歩ママ＆眞百合ちゃん、小形優子ママ＆春太くん、河合陽向くん、栗原千詠歌ママ＆嶺くん、藤江玲子ママ＆萌衣ちゃん、望月麻子ママ＆莉麻ちゃん

校正♥岡村美知子

構成・文♥福本千秋（1章）、村田弥生（引き出し、2、3、6、7章）、浦上藍子（4、5章）、中山幸子（8章）

編集♥三橋亜矢子（主婦の友社）

はじめてママ&パパの育《いく》児《じ》

編者　主婦の友社
発行者　大宮敏靖
発行所　株式会社主婦の友社
〒141-0021　東京都品川区上大崎3-1-1
目黒セントラルスクエア
電話 03-5280-7537（内容・不良品等のお問い合わせ）
049-259-1236（販売）
印刷所　株式会社DNP出版プロダクツ

ISBN978-4-07-295544-4

＊本書は『最新 はじめての育児』および雑誌『Baby-mo』の内容に新たな情報を加えて構成したものです。ご協力いただいた先生がた、モデルになってくださった赤ちゃんとご家族のみなさま、取材撮影スタッフに心からお礼申し上げます。
の-101046